O DONO DO MORRO

MISHA GLENNY

O Dono do Morro
Um homem e a batalha pelo Rio

Tradução
Denise Bottmann

11ª reimpressão

Copyright © 2015 by Misha Glenny

Grafia atualizada segundo o Acordo Ortográfico da Língua Portuguesa de 1990, que entrou em vigor no Brasil em 2009.

Título original
Nemesis: One Man and the Battle for Rio

Capa
Cassio Leitão

Preparação
Cacilda Guerra

Índice remissivo
Luciano Marchiori

Revisão
Ana Maria Barbosa
Adriana Bairrada

Dados Internacionais de Catalogação na Publicação (CIP)
(Câmara Brasileira do Livro, SP, Brasil)

Glenny, Misha
   O Dono do Morro: Um homem e a batalha pelo Rio / Misha Glenny; tradução Denise Bottmann. — 1ª ed. — São Paulo: Companhia das Letras, 2016.

   Título original: Nemesis : One Man and the Battle for Rio.
   ISBN 978-85-359-2737-5

   1. Brasil — Condições econômicas - 1985 - 2. Brasil — Condições sociais - 1985 - 3. Criminosos — Brasil — Rio de Janeiro (RJ) 4. Rocinha (Rio de Janeiro, RJ) — Condições econômicas 5. Rocinha (Rio de Janeiro, RJ) — Condições sociais 6. Lopes, Antônio Francisco Bonfim 7.Tráficos de drogas — Rio de Janeiro (RJ) I. Título.

16-03137   CDD-981.53066092

Índice para catálogo sistemático:
1. Brasil: Rio de Janeiro : Rocinha :
    Criminosos : História   981.53066092

Todos os direitos desta edição reservados à
EDITORA SCHWARCZ S.A.
Rua Bandeira Paulista, 702, cj. 32
04532-002 — São Paulo — SP
Telefone: (11) 3707-3500
www.companhiadasletras.com.br
www.blogdacompanhia.com.br
facebook.com/companhiadasletras
instagram.com/companhiadasletras
twitter.com/cialetras

In memoriam
Sasha Glenny
1992-2014

Sumário

Prefácio 13
Prólogo — A prisão I — *9-10 de novembro de 2011* 27

PARTE I: O PROTAGONISTA 35
1. Eduarda — *Dezembro de 1999-junho de 2000* 37
2. Favela — *1960-1976* 49
3. Cocaína — *1979-1989* 61
4. Corpos — *1980-1987* 71
5. Colapso moral — *1989-1999* 84
6. Subindo o morro — *Junho de 2000* 93

PARTE II: HÚBRIS 97
7. Massacre — *1993* 101
8. Orlando Jogador — *1994* 108
9. A lei de Lulu — *1999-2004* 118
10. Fratura — *2001-2004* 131
11. A Paixão da Rocinha — *Abril de 2004* 144
12. Mr. Jones — *Abril de 2004* 153

13. O rei está morto — *2004* 163
14. Bem-Te-Vi — *2004-2005* 168

PARTE III: NÊMESIS 177
15. A grande mudança — *1994-2004* 179
16. Uma ajuda — *2006-2007* 182
17. Cuidando dos negócios — *2004-2007* 193
18. Não estamos sozinhos — *2007* 201
19. A época do boom — *2007* 208
20. A noiva de Nem — *2004-2006* 214
21. Nêmesis — *1997-2009* 221
22. A batalha pelo Rio — *2006-2008* 226
23. A idade de ouro da Rocinha — *2007-2009* 233
24. Política — *2008-2010* 242
25. O Hotel Intercontinental — *Agosto de 2010* 248

PARTE IV: CATARSE 259
26. Primeiro contato — *Setembro de 2010* 261
27. A tomada do Alemão — *Novembro de 2010* 267
28. Confissões — *Janeiro-abril de 2011* 276
29. Luana e Andressa — *9 de maio de 2011* 283
30. A prisão II — *3-9 de novembro de 2011* 293

Epílogo 311
Apêndice 329
Agradecimentos 333
Notas 337
Índice remissivo 343

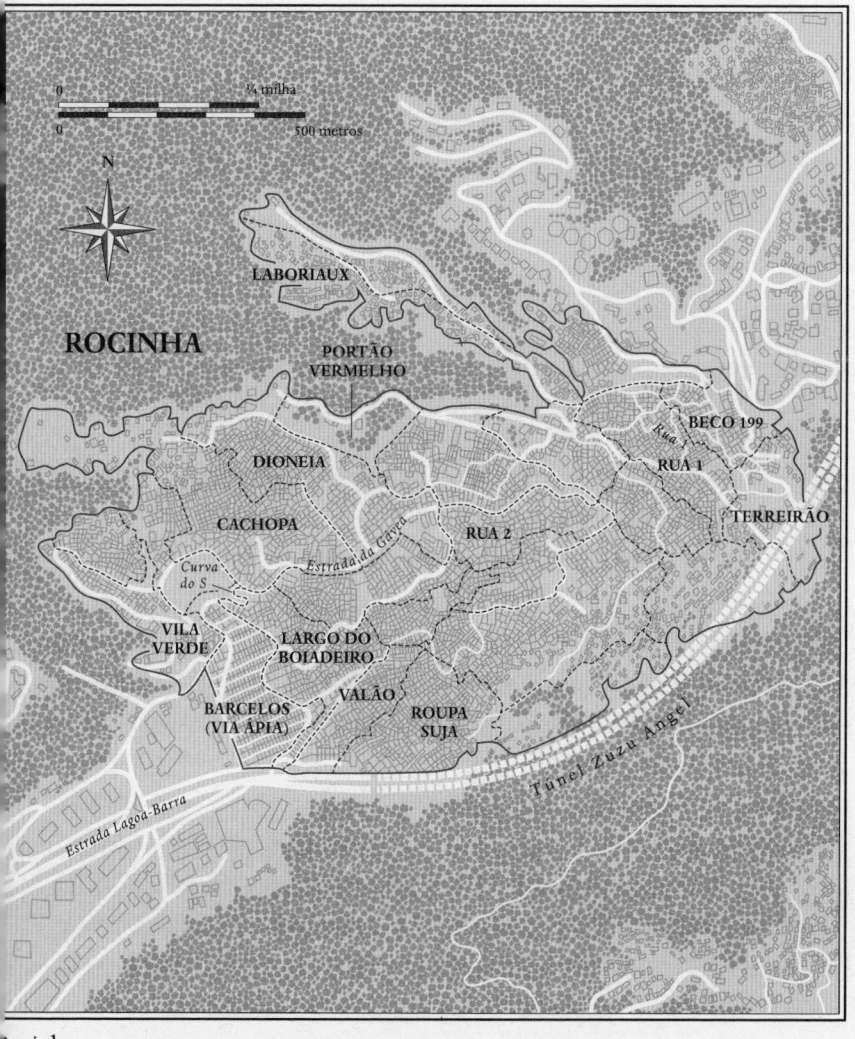

Rocinha

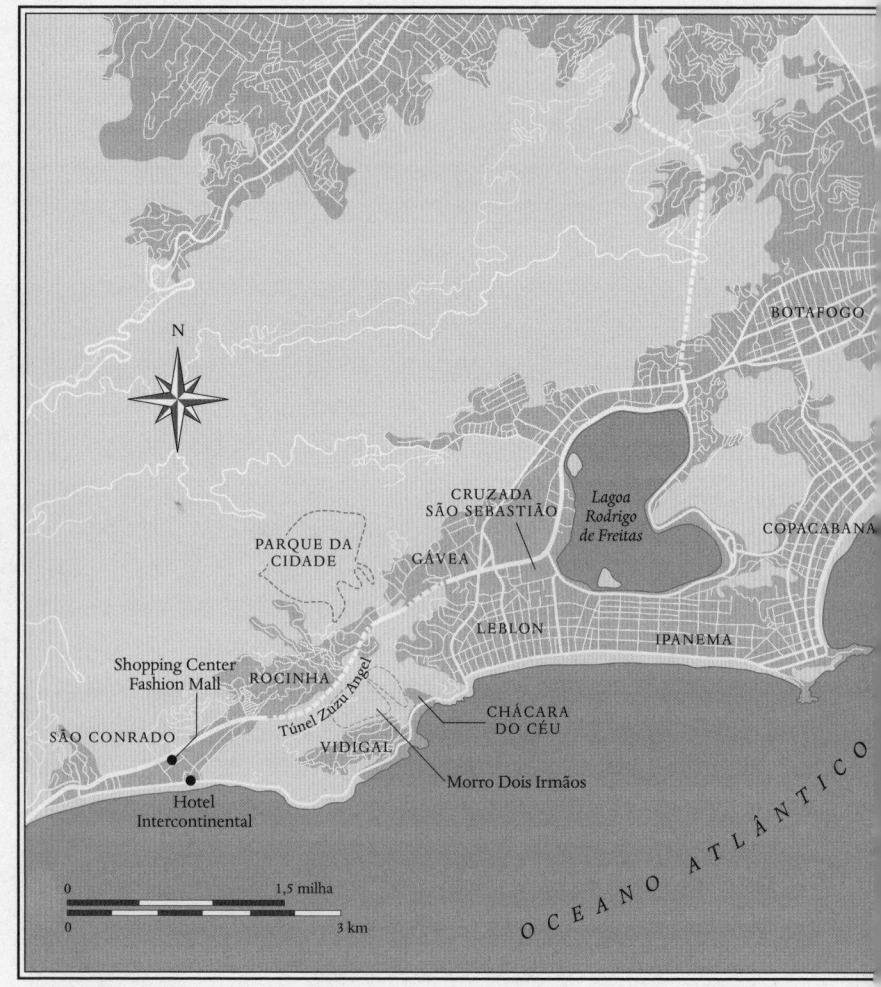

Zona Sul

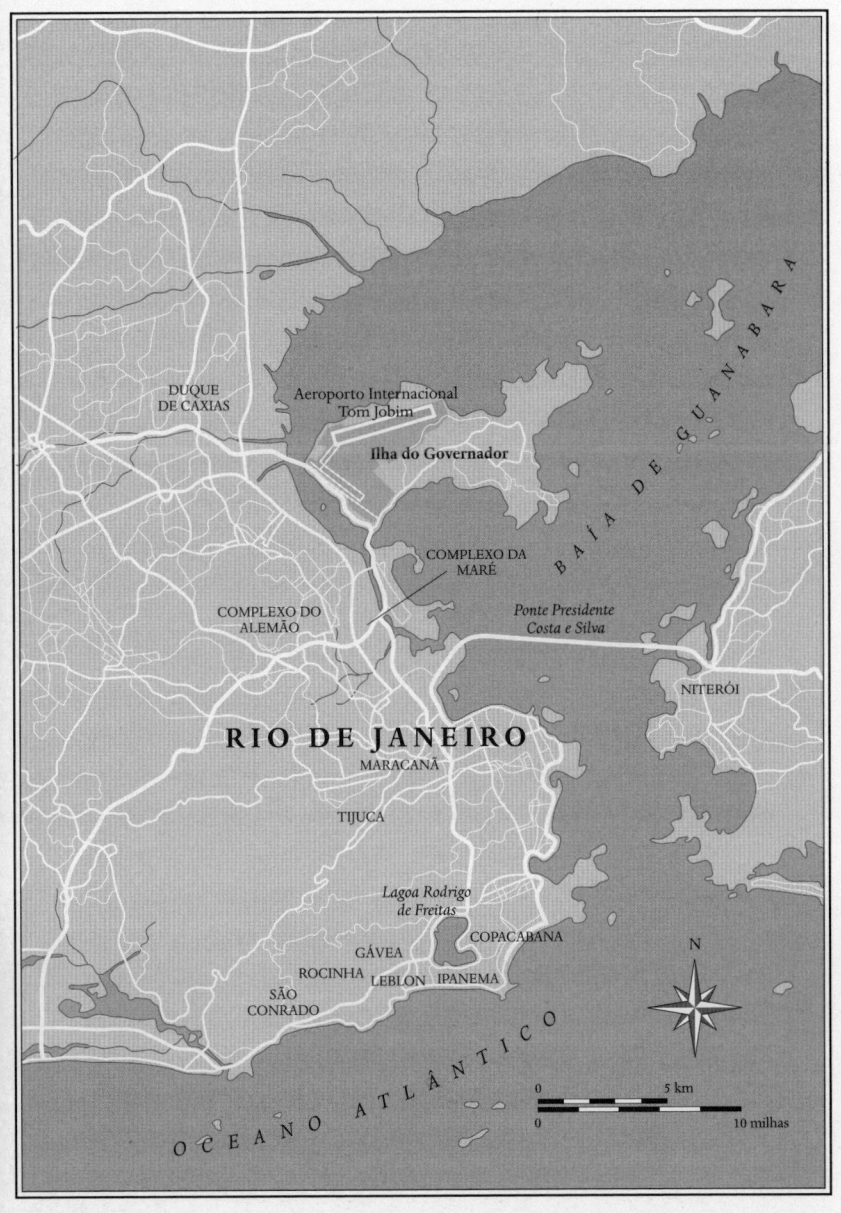

Rio de Janeiro

Prefácio

Minha primeira aterrissagem em Campo Grande foi uma experiência estranha. A primeira impressão que tive foi que a capital do Mato Grosso do Sul parecia não ter quase nada a ver com o Brasil.

Cento e poucos anos atrás, Campo Grande foi construída como cidade planejada, com ruas e avenidas bastante arborizadas. Fiquei impressionado com a quantidade de lojas com grandes vitrines. Os açougues expunham dezenas de peças inteiras de carne magra. Uma loja da John Deere exibia filas e mais filas de tratores. Tinha mais o ar do Texas rural dos anos 1960 do que do sensual Rio de Janeiro ou da industriosa São Paulo.

Nos limites claramente definidos da cidade, os prédios espaçosos cediam lugar a um solo de terra tão vermelha que até parecia pintada. O contraste com o verde intenso da vegetação transformava toda a área numa paisagem de desenho animado.

Bem no ponto onde tudo ficava vermelho e verde, deixei o anel rodoviário pegando uma saída sem sinalização. Tive de me desviar de alguns tambores de gasolina colocados numa estrada de terra até chegar a um portão com alambrado. Dali era possível ver grande parte da penitenciária federal de segurança máxima. O desenho nítido e moderno das paredes e torres de vigia logo me chamou a atenção. O acabamento dos edifícios tinha tons suaves de amarelo e vermelho pastel.

Depois que o primeiro portão se abriu automaticamente, tive de enfrentar um último obstáculo: barreiras antitanque. Em vista da rica tradição de fugas carcerárias no país, Campo Grande não queria correr riscos. É uma das quatro penitenciárias especiais brasileiras — as outras ficam em Catanduva, Mossoró e Porto Velho — e foi construída para os criminosos considerados de maior periculosidade. Tal como Campo Grande não se parece com cidades mais famosas do Brasil, essa cadeia também é diferente da maioria de suas prisões.

Em primeiro lugar, os guardas são sempre simpáticos e educados. Alguns falam um inglês muito bom, coisa rara no interior do país. Dentro dos limites de suas funções, todos se empenharam em me ajudar.

Não havia sinal algum da miséria, da superlotação e da violência latente associadas a grande parte do sistema penitenciário. A prisão de Campo Grande tem uma aura de ordem e previsibilidade. Não é um regime fácil para os reclusos, mas não há notícia de violação dos direitos humanos nem reclamação de atos de violência arbitrária. Nenhum prisioneiro das quatro penitenciárias foi vítima de assassinato cometido por outros detentos e nunca houve uma fuga bem-sucedida, ocorrências corriqueiras no restante do sistema penal.

A notoriedade dos prisioneiros é a razão principal da administração carcerária de invulgar eficiência. Antes, os grandes assaltantes de bancos e chefes de cartéis de drogas continuavam a operar de dentro da prisão sem ser perturbados. Nos presídios municipais e estaduais, é prática corrente subornar os guardas mal remunerados para fazer vista grossa às coisas que ali entram de maneira clandestina, desde celulares, drogas, aparelhos de videogame e televisões até mulheres para relações sexuais.

Em Campo Grande, a única maneira de os presos poderem receber mensagens do mundo exterior, afora as cartas, que são rigorosamente monitoradas, é por meio de seus advogados ou de parentes que tenham permissão para visitá-los. Isso impõe dificuldades até para os criminosos mais organizados.

Depois de deixar meus objetos pessoais num compartimento trancado, passei por uma série de procedimentos de segurança e controles biométricos. Fui autorizado a ficar com o relógio, os óculos e, por uma permissão especial do Judiciário, um gravador digital e nada mais. Esses três objetos foram checados e rechecados antes que dois agentes federais me levassem a uma sala retangular com cerca de 3,5 por 6,5 metros.

À esquerda, havia uma mesa com computador e câmera de vídeo. A parede do lado direito era coberta por uma cortina com as palavras DEPARTAMENTO PENITENCIÁRIO NACIONAL em letras maiúsculas. A sala era usada por prisioneiros ao comparecer em videoconferência em qualquer lugar onde se realizassem as audiências do julgamento — Rio de Janeiro, São Paulo, Manaus ou Recife.

À minha frente estava sentado o homem que eu fora visitar — Antônio Francisco Bonfim Lopes, o Nem da Rocinha.

Visitei o Brasil pela primeira vez cerca de sete anos antes, em 2006. Estava animado, com uma grande curiosidade e também uma intensa sensação de alívio. Vinha fazendo pesquisas para *McMáfia*, meu livro sobre o crime organizado global, e minha viagem anterior me levara a Dubai. Descobri que os Emirados Árabes Unidos não tinham grande coisa a recomendá-los. País de uma quentura insuportável, sua identidade parecia enterrada a grande profundidade sob as areias escaldantes do deserto, obscurecida pela busca incansável de riquezas até eliminar qualquer coisa que se pudesse identificar como cultura. Além disso, como jornalista, fiquei bastante frustrado, pois era quase impossível convencer alguém a falar. Mesmo em termos oficiosos, praticamente ninguém se dispunha a comentar o papel de Dubai como centro de lavagem de dinheiro e para obtenção de bens e serviços ilícitos.

No mesmo instante em que cheguei ao Brasil, percebi que ali se aplicava o contrário. Não conseguia fazer com que as pessoas parassem de falar. Creio que foi no segundo dia em que eu estava em São Paulo: um agente do serviço de informações me passou o arquivo completo que o Brasil reunira sobre as atividades suspeitas de ilegalidade de Boris Berezovsky, o oligarca russo estabelecido em Londres, que morreu em 2013. A partir daí, falei com advogados, políticos, criminosos, vítimas e jornalistas, e todos ficaram muito contentes em me contar suas histórias sobre a cultura do crime, da política e da corrupção no país. Para um jornalista, o Brasil era como um paraíso. Até o momento, claro, em que o jornalista começa a pisar nos calos de gente importante. E aí o céu logo pode se revelar um verdadeiro inferno.

Pude ter uma ideia de como o Brasil pode deixar de ser um lugar tão inspirador e se transformar num lugar de fato assustador quando cheguei a São Paulo em maio de 2006, três dias antes da rebelião do Primeiro Comando da Capital (PCC), que paralisou o maior centro industrial da América do Sul durante dois ou três dias. Foi um choque considerável ver como uma metrópole tão sofisticada podia ficar refém de uma organização criminosa. Outro choque foi ver como a Polícia Militar executou sua vingança logo a seguir, numa orgia de chacinas extrajudiciais.

Tal como fiz antes de visitar outros países, como a China e a Índia, durante as pesquisas para *McMáfia*, consultei a Amazon para ver quais eram os livros mais recentes e interessantes sobre o Brasil publicados em inglês. Encontrei centenas deles sobre o crescimento da China e dezenas sobre o desenvolvimento da economia indiana. Mas, no que se refere ao Brasil, encontrei apenas uma meia dúzia. Eram, na maioria, narrativas políticas de viagens, na linha de *Brasil: Terra de contrastes* (uma figura literária anglófona padronizada).

Quando comecei a explorar o país, esse patente desinteresse me deixou perplexo. Avaliando o tamanho enorme do Brasil, perguntei-me por que não havia mais publicações, em vista da espantosa diversidade da experiência brasileira. Diante da relativa escassez de livros de não ficção sobre o assunto, passei a pensar na possibilidade de voltar algum dia ao país, para tentar eu mesmo escrever alguma coisa.

Segundo minha experiência, os brasileiros sentem imensa curiosidade em saber como os outros os enxergam, justamente porque o país não é muito conhecido fora da América do Sul (é também espantoso notar a quantidade de ideias equivocadas que os países vizinhos têm sobre o Brasil). Mas um legado do colonialismo português é uma alta suscetibilidade a críticas externas. O Brasil foi por muito tempo uma terra que teve suas riquezas arrebanhadas para o benefício muitas vezes frívolo de seus senhores de Lisboa. Assim, antes de começar as pesquisas para este livro, senti a obrigação de aprender o máximo possível sobre o país.

Comecei lendo sobre sua história. Como tantos outros estrangeiros crus no assunto, fiquei sem graça ao perceber que não sabia quase nada, atolado como estava no pântano dos clichês e estereótipos culturais que parecem afetar o Brasil de maneira desproporcional em comparação a outros países. Um dado fundamental foi descobrir que a quantidade de negros escravizados da

África Ocidental remetidos para o Brasil foi cerca de dez vezes maior do que a dos remetidos para os Estados Unidos. A ideia geral que se tem da escravidão passa quase exclusivamente por nosso conhecimento do Sul dos Estados Unidos, tal como ela é retratada em livros e filmes (no Reino Unido, nosso conhecimento da escravidão passa também pela experiência do Caribe).

No entanto, esse imenso tráfico negreiro é fundamental não só para a autodefinição do Brasil, mas também para suas diferenças em relação aos vizinhos sul-americanos. Descobri ainda que ele é talvez o país mais importante do mundo em termos de riqueza e amplitude de recursos naturais à sua disposição. Apesar disso, nós no estrangeiro não ouvimos quase nada a esse respeito, com exceção do desmatamento da Amazônia. Por que, perguntei a mim mesmo, tão pouca gente fora do Brasil sabe alguma coisa sobre o país, tirando o Carnaval, o futebol e a Garota de Ipanema? Quanto mais eu descobria, mais sentia que gostaria de voltar algum dia para escrever sobre ele.

Escavando nas escuras profundezas da memória os restos do latim que aprendi na escola, descobri que conseguia ler as manchetes dos jornais, as placas de rua e os cardápios em português. De volta à Inglaterra, descobri também que, com o auxílio de um dicionário, conseguia avançar aos trancos e barrancos em artigos simples da *Folha de S.Paulo* ou de *O Globo*. Claro que outra coisa bem diferente era tentar entender uma única palavra que alguém dissesse!

Notei a importância da língua portuguesa logo após minha primeira chegada. Todos os povos dão muito valor à língua materna, mas, quanto mais eu explorava o Brasil, mais me convencia de que o português era o elemento cultural mais importante, que mantinha a coesão desse país notável. Não o futebol, não a música, não as características geográficas, como o Amazonas ou o litoral. Mas a língua.

Uma leitura superficial da história sul-americana moderna não explica por que o Brasil manteve sua coesão na primeira metade do século XIX, ao passo que os territórios de língua espanhola se fragmentaram quando a força centrípeta da Espanha se dissolveu. Em primeiro lugar, creio que a resposta está na constelação de fatores e processos políticos específicos que levaram à independência do Brasil. Mas com o passar do tempo, parece-me, a língua foi adquirindo importância sempre maior para a criação de uma identidade brasileira moderna.

Se pretendo escrever um livro sobre o Brasil, raciocinei, preciso no mínimo tentar aprender português. Levei algum tempo até entender como essa é uma língua enganosa. Comecei a aprendê-la em Nova York, no início de 2012, e percebi que, depois de uns seis meses, conseguia ler jornais, revistas e até livros inteiros sem muita dificuldade.

Mas não estava preparado para a língua falada.

Já falo vários outros idiomas, que em termos gramaticais são mais complexos do que o português e sem dúvida mais distantes do inglês. Mas, por causa da pronúncia, o português é muito mais difícil de aprender do que, por exemplo, o espanhol ou o italiano. E é excepcionalmente difícil aprender a identificar as relações entre a língua falada e a escrita.

A tarefa ficava ainda mais pesada porque, a essa altura, eu já tinha passado dos cinquenta. Por uma série de razões, é muito mais difícil aprender uma nova língua com idade mais avançada, e sobretudo falar. Além disso, eu nunca conseguia ficar no Brasil mais do que dois meses por vez e, em geral, em períodos de duas ou três semanas, o que significava que nunca ganhei a fluência que pretendia.

Não que isso fosse me ajudar nas conversas com Antônio Bonfim Lopes. Ele fala de modo claro, mas sua linguagem vem recheada de expressões e palavras que só são compreensíveis nem digo para os moradores das favelas, mas apenas para os moradores da Rocinha. E assim, apesar do meu esforço de aprender português, um intérprete profissional sempre me acompanhava em minhas visitas à prisão. Eu precisava entender ao máximo o que Nem dizia na hora em que dizia.

O Brasil não é um lugar fácil para trabalhar como escritor. É um país caro e sua infraestrutura tende a falhar nas horas mais inconvenientes. Por mais que eu queira evitar estereótipos sobre o povo, o clima é um desafio constante. Na primeira vez em que estava com visita marcada a Campo Grande, em março de 2013, fiquei ilhado quando um temporal de proporções bíblicas caiu sobre o bairro de Botafogo, transformando a rua Voluntários da Pátria num rio torrencial, por onde pequenas árvores desciam a toda a velocidade. Eu estava de bermuda e camiseta, e era como se trouxesse escrita a palavra GRINGO na testa. Quando afinal cheguei ao aeroporto Santos Dumont, em cima da hora do voo, mais parecia alguém saído da selva depois de cinco anos. Com minha única muda de roupa encharcada, tive de aguentar o ar condicionado geladíssimo da Azul durante duas horas e meia.

Outro desafio me aguardava quando debandei para a Rocinha, para a primeira de minhas temporadas por lá, que durou pouco mais de dois meses. Depois do relativo conforto do Leme e de Botafogo, não é que a vida na Rocinha tenha sido um choque — foi apenas absolutamente diferente. Alguns amigos estavam preocupados com minha segurança lá. Mas no começo da estadia, conversando com o homem que me fornecia cafezinho e pão de queijo quase todas as manhãs, ficou clara uma verdade importante. "Bom, aqui na rua 1 talvez seja o lugar mais seguro do Rio para você neste momento", respondeu ele quando perguntei sobre minha segurança pessoal. Manifestei uma leve surpresa e perguntei por quê. "Em primeiro lugar", disse ele, "todos os ladrões e assaltantes estão fazendo o Leblon, Ipanema, Copacabana e os outros locais de turistas. Eles vêm para cá dormir e não fariam merda na porta de casa." Parecia uma suposição razoável. "Mas aqui na rua 1 o pessoal já notou tua presença", continuou, referindo-se a mim, "e não vai te acontecer nada, pois te consideram um dos locais."

Eu estava morando lá depois da entrada da Unidade de Polícia Pacificadora (UPP) na favela. Mas ela não livrou a comunidade das armas e do tráfico de entorpecentes. A Polícia Militar controlava a via principal — a estrada da Gávea — e a grande área comercial na parte baixa da Rocinha. Porém, quanto mais você se afastava dessas regiões, mais frequente era ver os membros restantes da facção de drogas, a Amigos dos Amigos (ADA), superarmados de pistolas e semiautomáticas. Desde que você não represente nenhuma ameaça visível, eles são mansos. Mas se fizer alguma coisa que dê a impressão de que é informante, então é quase certeza de que terá problemas. Como gringo, eu tinha proteção adicional, como quando andava pelos limites da favela, pois a maioria das pessoas imaginava que eu estava perdido ou era doido, ou as duas coisas ao mesmo tempo (o que, para ser justo, talvez fosse verdade).

A Rocinha divide-se em dezesseis bairros, e alguns têm subdivisões. É uma comunidade muito complexa e elaborada, com uma infraestrutura mais avançada do que a maioria das favelas. Em comparação aos cortiços da África do Sul e da Índia onde passei algum tempo, é uma colmeia de atividades econômicas frenéticas. E isso é inevitável — se você não está trabalhando sem parar em troca de um baixo salário, é provável que esteja cuidando de alguma coisa relacionada à criação dos filhos. As pessoas vivem incrivelmente atarefadas, e a comunidade é, em muitos aspectos, autossuficiente.

As várias classes e comunidades do Rio respeitavam umas às outras em seus contatos ocasionais, mas o que me chamava a atenção era a enorme diferença entre suas experiências cotidianas, quase como se vivessem em países separados. A vida na favela é inimaginável para a maioria das famílias de classe média; na verdade, a maioria dos brasileiros de classe média nunca se arrisca a entrar numa favela. E, ainda que os moradores das favelas em geral saibam como vivem os outros, pois trabalham como empregadas, jardineiros ou porteiros, não é um estilo de vida que possam ou queiram levar.

Até novembro de 2011, quando foi preso, Antônio Bonfim Lopes era o homem mais procurado do Rio de Janeiro, se não do Brasil inteiro. Ouvi falar dele pela primeira vez em 2007, quando fiz uma das várias excursões pela Rocinha oferecidas a turistas. Além do tamanho da favela, tida como a maior da América do Sul, sua especificidade está na localização, bem no meio de três dos bairros mais ricos do Rio. Quando estive lá pela primeira vez, já era um ponto turístico muito procurado. Podia-se ir numa van, subindo a estrada da Gávea e parando para olhar o amontoado de barracos de cores vivas onde mora uma parte de seus 100 mil habitantes. Fazia-se um rápido giro por um grupo de atividades depois do expediente, organizado por uma ONG local, e depois comprava-se alguma pintura naïf, como maneira de contribuir para a irrecuperável economia da favela.

Um de meus guias na época explicou que o homem que comandava a Rocinha se chamava Nem. Falou com toda a sinceridade que Nem, o chefe do cartel de drogas local, "é o homem que mantém a paz aqui na Rocinha".

Refleti sobre a posição, o poder e a responsabilidade de Nem. Ao contrário da maioria dos grandes traficantes, ele não se esbaldava com a iconografia do poder e do machismo. Não tinha página no Facebook e circulavam pouquíssimas fotos suas; apesar da grande quantidade de material sobre seus predecessores, comparsas e inimigos, a personalidade de Nem se esquivava. Como todos os chefes do narcotráfico nas favelas, ele detinha o monopólio da violência e não prestava contas de suas ações. Suas descrições na imprensa e, mais importante, as descrições de seu comando vinham cercadas de histórias sombrias de ameaças, intimidações e torturas. Mas, quando visitei e comecei a conhecer os moradores da Rocinha, surgiu uma imagem muito diferente. Ele podia ser uma figura bastante misteriosa para o mundo exterior, mas dentro da favela falavam dele como uma pessoa acessível e fácil de conversar. Além disso, quase todos ressaltavam como a vida era pacífica e organizada sob o comando de Nem.

Qual das imagens era correta? Ou elas podiam coexistir lado a lado?

Lembrei-me de Nem quatro anos depois, quando foi preso logo após a meia-noite a alguns quilômetros da Rocinha. As circunstâncias da prisão, é claro, foram dramáticas. Comecei a cavar um pouco e fiquei surpreso ao ver que, antes da prisão, ele dera algumas entrevistas a jornalistas brasileiros. Nem tinha sido apresentado pelos meios de comunicação como um assassino impiedoso, que envenenara a vida de inúmeros jovens com o comércio de drogas. As entrevistas insinuavam outra história bem diferente. As respostas de Nem eram ponderadas e sugeriam que ele compreendia bem a importância social e política do papel que desempenhava como efetivo presidente, primeiro-ministro e empresário mais poderoso de uma cidade de porte médio.

Assim, no inverno brasileiro de 2012, escrevi a ele na prisão, apresentando-me e pedindo que me recebesse. Agora, passados oito meses, ali estava eu em Campo Grande: diante de mim, Nem, o inimigo público número um. As regras da penitenciária, é evidente, me proibiam de ter qualquer contato físico com ele, inclusive um aperto de mãos. Nessas circunstâncias, nossas primeiras saudações foram bastante cerimoniosas.

Nem estava com o uniforme regulamentar da prisão, calça de algodão e camiseta azul. Quando ficou de pé para ser levado da sala, pude ver que era magro e alto, talvez 1,85 metro. Tinha pele morena, com um rosto estreito e a mandíbula superior um pouco saliente. Estava com o cabelo aparado rente, de forma que não se viam os cachos tão conhecidos das duas imagens mais comuns que circulavam na internet. O mais impressionante eram os olhos escuros, tão negros que a íris e a pupila pareciam se fundir. Ficou evidente na hora que a fonte básica de seu carisma físico eram os olhos: podiam perscrutar nossa alma, mas não davam nada em troca.

Ele usou comigo o tratamento respeitoso de "senhor". Estando eu, no começo, apenas um pouco familiarizado com as nuances do português, tratei-o simplesmente por Antônio.

A certa altura daquele encontro, minha caneta caiu. Ao apanhá-la, vi que suas pernas estavam acorrentadas à mesa de aço, esta, por sua vez, aparafusada no chão. Nem também declinou o café e a água, pois teria de erguer as mãos até a mesa, mostrando as algemas (nos encontros posteriores, elas foram removidas). Parecia se sentir humilhado com a situação.

Mas mostrou-se plenamente disposto a falar de sua vida, tanto pessoal quanto profissional. Estava, e continuava a estar, até o lançamento deste livro, em prisão preventiva, de forma que havia certos assuntos que não podia comentar, pois se relacionavam com questões judiciais ainda em curso.

Nos dois anos seguintes, fiz dez visitas a ele. Nas duas primeiras vezes, cada encontro durou duas horas; nas outras, três horas. Entrevistar um prisioneiro dentro da cadeia é sempre uma coisa esquisita. Mas esses encontros eram especialmente estranhos. Criei uma relação intensa com Antônio — sempre nas circunstâncias mais incomuns, em parte, talvez, justamente por causa disso. Aos poucos, começamos a falar de questões íntimas e profundas, algumas das quais talvez ele não comentasse nem mesmo com a família. Falamos de drogas, de violência, de liderança, de fé, de família e da sobrevivência entre as adversidades do mundo.

O que se segue é a história de Nem. Embora seus depoimentos tenham papel central nesta narrativa, naturalmente não me baseei apenas em sua versão. Conversei com parentes, amigos, inimigos, os policiais que o investigaram, os políticos que negociaram com ele, os jornalistas que escreveram sobre ele e os advogados que o representavam.

Os nomes e as ações dos outros personagens citados neste livro foram descobertos por mim em minhas investigações e pelo que está disponível em acervos variados. Nem nunca falou sobre eles, a não ser quando questionado especificamente, instigado pela minha pesquisa.

É uma história, creio, que mostra muito da natureza do Brasil contemporâneo — seus lados positivos e negativos. Mas que também nos conta como as pessoas sobrevivem e até prosperam nas condições mais adversas. Como elas lidam com a estreita linha entre a vida e a morte.

Prólogo

A prisão 1
9-10 de novembro de 2011

Saindo da densa folhagem da Mata Atlântica do Rio de Janeiro, um Toyota Corolla escuro subiu devagar pelas curvas do morro. O reluzente automóvel de luxo era, sem dúvida, um carro de empresa ou do governo. Aí estava uma coisa rara na favela da Rocinha. Carros velhos quase caindo aos pedaços — normal. Enxames de mototáxis — normal. Ônibus pesadões que, desafiando as leis da física, iam sacudindo a traseira em curvas fechadíssimas — normal. Mas carros executivos de brilho ameaçador, com carroceria baixa e pneus largos? Nada a ver. Na Rocinha, um milhar de olhos observa a excentricidade em silêncio, como se nada fosse.

O carro logo chegou ao alto da estrada da Gávea, a via que corta a Rocinha de cima a baixo. Ali, os ocupantes podiam ver as luzes da favela estendendo-se até o oceano Atlântico. Era noite, e os três indivíduos podiam distinguir com facilidade entre os morros, como são chamadas as favelas do Rio, e o asfalto, apelido das zonas residenciais de classe média. A iluminação das favelas é sempre mais fraca. A densa mistura de fiação elétrica legal e ilegal, que fornece energia a essas ocupações informais, transmite uma voltagem menor do que a rede elétrica mais organizada que atende ao asfalto.

Depois de cruzar o topo do morro, o automóvel preto desceu passando pelo beco 99, a última parada de ônibus na favela, onde a estrada faz uma curva fechada para a esquerda. Eram mais ou menos 22h30 de 9 de novembro de 2011.

O automóvel, com os três homens de terno, seguia devagar pela escuridão. Estavam quietos e apreensivos. O motorista era mais velho do que os outros dois, talvez perto dos sessenta anos. Ao lado dele, outro senhor corpulento tentava incessantemente ligar para alguém pelo celular. Inútil: é raro haver sinal no alto da Rocinha, e a operadora dele não tinha cobertura nesse local. Havia uma maleta de couro no banco de trás, ao lado do terceiro homem, igualmente robusto. Como seus dois companheiros, também era advogado.

Depois da curva fechada, seguiram por mais duzentos metros até o curto trecho desabitado que separa a Rocinha das mansões elegantes da Gávea, um dos bairros mais caros do Rio. Esse ponto é marcado por outra curva em cotovelo, mas esta vira para a direita, bem na entrada para a Escola Americana do Rio de Janeiro. Mesmo de dia, é impossível ver, mas há também uma curva à esquerda que dá para uma estrada comprida e sem iluminação. À noite, as árvores e os arbustos nas laterais contribuem para aumentar a atmosfera sinistra.

Quando o automóvel se aproximou dessa barreira da riqueza, um homem grandalhão saiu da estrada escondida, brandindo uma semiautomática, e fez sinal para pararem. Vestia o uniforme do Batalhão de Choque, unidade de controle de multidões da Polícia Militar (pm).

Os três homens, cheios de adrenalina, saíram do Corolla. Mostravam-se tensos e seguiu-se uma rápida troca de palavras com o policial. Ele quis verificar o porta-malas do carro. Os advogados, muito nervosos, não queriam que ele fosse até lá.

A essa altura, dois outros PMs mais graduados apareceram. Percebia-se que um deles, tenente, era o responsável pela operação. O advogado com a maleta mostrou alguns documentos pessoais: um passaporte e uma identidade de aparência oficial. Explicou que, embora fosse brasileiro, também era o cônsul honorário da República Democrática do Congo e, como estava ali em caráter oficial, seu automóvel gozava de imunidade diplomática e não podia ser revistado.

De repente, o advogado com o celular viu que por fim conseguira sinal e começou a ligar para a mesma pessoa com quem tentava falar nos últimos 45 minutos. Eram exatamente 23h06.

Em casa, no bairro da Tijuca, logo adiante do estádio do Maracanã, um inspetor da Polícia Civil (PC) lia uma historinha para a filha pequena, quando o telefone tocou. Ele deu um salto. Passara a noite inteira esperando uma ligação e já tinha começado a perder a esperança. O homem do outro lado falava rápido e de forma incoerente. Mesmo que seu conhecido estivesse meio atrapalhado para falar, o inspetor viu que não havia tempo a perder.

O inspetor ligou de imediato para seu superior. Poucos minutos depois, recebeu sinal verde para intervir nos acontecimentos em curso. O sinal verde vinha de cima, dado por ninguém menos que o próprio secretário de Estado de Segurança. A autorização dada por uma figura em posição tão elevada indicava que algo muito sério estava acontecendo. Ainda mais porque o secretário nem se encontrava no Rio, e sim em Berlim, onde eram 2h15 da madrugada. O inspetor deu um beijo de boa-noite na filha, pegou as chaves e saiu correndo em direção ao carro, enquanto continuava a falar no celular o tempo todo.

Voltemos à curva em cotovelo: lá, o advogado com o celular se afastara com o tenente para trocar umas palavrinhas em particular. Durante a conversa meio destemperada, ele estendeu o celular ao policial. Este, bravo, recusou, e então saiu de lado e fez sua própria ligação. Agora tinha decidido incluir a Polícia Federal (PF) na parada.

Os PMs estavam ficando visivelmente irritados até que um deles foi falar com o tenente e cochichou alguma coisa no ouvido dele. Depois de mais discussões, os três advogados puderam entrar de volta no carro. Ficou combinado que todos iriam até a delegacia. Os advogados, aparentando muita satisfação, concordaram.

O comboio saiu. Uma viatura ia na frente. No meio, o Corolla com os três advogados. Atrás, mais duas viaturas com policiais, entre os quais o tenente. Agora, eram onze policiais ao todo acompanhando os homens, enquanto no centro do Rio, a vários quilômetros dali, o comandante da PF mobilizava às pressas uma equipe de agentes para interceptar o comboio.

De repente, o Corolla ensanduichado entre as viaturas tentou fugir, numa conversão inesperada para a direita. Um motorista policial de reflexos rápidos deu uma guinada e conseguiu bloquear a passagem. Houve uma pausa enquanto todos saíam de novo dos carros. Dessa vez, foi o motorista do Corolla que pegou o tenente e o puxou para uma conversinha em particular.

O advogado com o celular berrava no aparelho, mais agressivo do que nunca. Sabia que, se o caldo entornasse, as consequências podiam ser fatais.

Não muito longe dali, a Coordenadoria de Recursos Especiais (Core), unidade da Polícia Civil, recebera ordens de mobilização. Os policiais pegaram as armas dos armários e tiraram a lona que cobria um dos veículos blindados da unidade. Em outro local, dois pilotos da divisão de helicópteros da Polícia Civil também estavam sendo convocados para a operação.

Após a altercação na rua, advogados e policiais retomaram o comboio. Não demorou muito e os advogados escaparam outra vez da estrada principal, agora entrando no estacionamento do antigo Clube Naval, junto da Lagoa. Os veículos pararam ao pé do Cristo Redentor, que se erguia sobre eles no alto do Corcovado.

Pela terceira vez, os advogados e os PMs entraram num bate-boca agressivo. Mas, no exato momento em que tudo ia recomeçar, chegaram várias viaturas rangendo os freios, e um policial civil graduado saiu de uma delas para começar a deblaterar com os colegas da PM. Logo a seguir, chegou o inspetor da Tijuca. A certa altura, o motorista jogou as chaves do carro para um dos policiais civis e seguiu-se um tumulto para impedir que os da PM pegassem as chaves.

Os próximos a chegar foram as viaturas da Polícia Federal, com seus policiais de uniformes cinzentos lustrosos. Apareceu um capitão dizendo a todos que a PF estava assumindo o caso. O policial civil graduado recomendou que ele desse o fora.

Os três advogados e a Polícia Civil insistiam que o Corolla fosse removido para o 15º DP, que ficava a cinco minutos dali. A PM e a PF estavam inflexíveis, dizendo que, como o cônsul havia invocado imunidade diplomática, o caso agora recaía em jurisdição federal.

Conforme aumentavam a gritaria e as recriminações, policiais civis e militares, segundo afirma uma testemunha ocular, apontaram suas armas uns contra os outros. Seja como for, no meio daquela confusão, o tenente, agachado, foi até a traseira do Corolla e enfiou um canivete num dos pneus, para impedir que o carro fosse removido para o 15º DP.

Foi quando a Core, armada até os dentes, apareceu e simplesmente estacionou o blindado na frente das viaturas da PM, para garantir que seus policiais não fossem a lugar nenhum. A essa altura, o terçar robótico de armas se fazia ainda mais iminente quando o helicóptero da Polícia Civil entrou em cena, filmando tudo.

Aquela filmagem decerto auxiliaria dois espectadores, funcionários do departamento de inteligência da Secretaria de Estado de Segurança, que poderiam mostrar de maneira didática ao chefe como sua nova estratégia para melhorar a cooperação entre as agências estava enfrentando alguns probleminhas iniciais.

Tudo isso acontecia a poucos minutos a pé da sede da Rede Globo. Não demorou muito, e câmeras de TV, holofotes, microfones e jornalistas aos berros se juntaram àquela aglomeração. Era um coquetel explosivo de caos, armas e interesses rivais.

Então o inspetor achou que precisava impedir que as coisas escapassem ainda mais ao controle. Teria de conversar detalhadamente com seus parceiros de hierarquia na Polícia Federal. Pois o que o inspetor sabia e os outros não é que havia um quarto homem, escondido na traseira do Corolla.

Depois das conversas com o policial federal mais graduado, chega-se a um acordo de que o cônsul deve abrir o porta-malas do automóvel. Ele está cercado por policiais das várias forças, a maioria deles apontando armas para o carro.

Aberto o porta-malas, aparece um magricela encolhido de lado, com os joelhos até o peito, de calça preta e camisa listrada de azul e branco. Retiram-no do carro pelos pés e pelas mãos.

Quando sai dali, o homem fica visivelmente desorientado com toda aquela multidão, as luzes e o tumulto geral. Jornalistas e policiais disputam quem vai tirar as melhores fotos dele. Pipocam flashes na sua frente. Um policial agarra-lhe o cabelo crespo e puxa sua cabeça para trás, facilitando a tomada digital. Depois de passar as últimas duas horas enfiado no bagageiro, ele se vê de repente exposto à histeria desenfreada. Está cercado por vários uniformes e gritos de "A prisão é minha!", "Não, é nossa! Tire as mãos dele!". O sujeito parece resignado — o rosto quase inexpressivo o faz parecer um boneco velho de pano, todo surrado. É provável que esteja em leve estado de choque. Mas acima de tudo, no meio dessa atividade frenética, ele parece muito sozinho.

O tenente lhe põe as algemas com ar triunfal e, com o policial federal mais graduado, empurra-o para dentro da viatura azul-claro da PM, que foi a primeira a topar com o Toyota Corolla na entrada da comunidade da Rocinha. Então levam o prisioneiro para a sede da Polícia Federal.

O relógio acaba de dar meia-noite quando o capturado, Antônio Francisco Bonfim Lopes, conhecido por todos os brasileiros como Nem da Rocinha, é oficialmente detido. Esquecem-se as pautas de programação e os horários de fechamento, e os editores de imagem começam a montar a filmagem dramática dos acontecimentos noturnos, para deixar tudo pronto para os noticiários matinais.

O inimigo público número um do Rio de Janeiro — na verdade, para alguns, o inimigo público número um de todo o Brasil — afinal foi para a cadeia. É um momento de triunfo para o secretário de Segurança do Rio, José Mariano Beltrame. Enfim ele pode alardear, sem temer desmentidos, que sua política radical de pacificação das favelas cariocas fora da lei está dando certo. Suas forças policiais estão limpando as favelas das armas e drogas e restaurando a autoridade do Estado brasileiro. O país pode aguardar com entusiasmo ainda maior a realização da Copa do Mundo e das Olimpíadas num clima de segurança.

No momento da detenção, Nem está envolvido numa teia de corrupção, violência, drogas e intriga política que tem sufocado o Rio de Janeiro há quase 25 anos. Ele conhece bem essa teia muito espraiada. Ela envolve políticos, narcotraficantes, advogados, pastores evangélicos e policiais. Mas fica uma pergunta: Nem é a aranha ou a mosca?

PARTE I

O PROTAGONISTA

1. Eduarda
Dezembro de 1999-junho de 2000

Vanessa dos Santos Benevides não consegue dormir. O bebê chora com uma veemência inédita.

Será o clima? Neste ano, o final da primavera no Rio está muito quente e pegajoso, anunciando a chegada do rio voador. Essa decidida peregrinação das nuvens, acompanhada de chuvas, começa a se formar a quase 4 mil quilômetros ao norte do Rio de Janeiro, quando uma quantidade incalculável de vapor de água sobe do rio Amazonas e de suas florestas e se encaminha para o sul. Impedido pelos Andes de seguir para o oeste, o rio voador faz uma grande curva e vira para o leste, abatendo-se sobre o centro e o sul do país.

Todo mundo conhece os casos de destruição e morte que as chuvas trazem em forma de inundações e deslizamentos de terra: as terríveis histórias de famílias esmagadas sob uma imensa quantidade de lama e pedras, algumas dentro do carro, outras dentro de casa, outras em ônibus arrastados para as ravinas.

As piores devastações causadas pelos temporais ocorrem nas favelas. Um desbarrancamento pode sepultar dezenas de pessoas em questão de segundos. Sistemas primitivos de drenagem, esgotos a céu aberto, montes de lixo em putrefação e técnicas de construção muito frágeis rapidamente cobram seu preço sob a pressão desse volume gigantesco de água. Tetos cedem, casas desmoronam. Densos emaranhados de fios elétricos expostos entram em curto-circuito e pegam fogo antes que o dilúvio consiga extinguir as chamas. Os degraus e pedras das calçadas se desprendem e são arrastados morro abaixo pela enxurrada.

Quando as nuvens se dispersam, o ar continua pesado. Os níveis de umidade beiram muitas vezes o insuportável. No morro, à noite, a falta de ar-condicionado dificulta o sono entre uma selva de barulhos: guinchos de macacos, ganidos de cachorros; as vibrações graves e intensas dos bailes funk que varam a noite; o ocasional ratatatá das metralhadoras; brigas de marido e mulher entregues a uma guerra verbal, talvez bêbados, talvez apenas enjoados um do outro.

É numa noite dessas que Vanessa, a jovem mãe, não consegue dormir. Seu belo rosto moreno-claro, em geral sereno, está esgotado de cansaço. É dezembro de 1999, um pouco antes do Natal. A filhinha Eduarda, miúda, nem parece ter nove meses e meio, e chora sem parar. Vanessa pega Eduarda no colo para acalmá-la e nota que ela está suando mais do que o normal nesse calor. O pescoço do bebê está rígido, virado num ângulo que inclina a cabeça até tocar no ombro esquerdo. De manhã, Vanessa diz ao marido, Antônio, que vai levar a menina ao médico.

A atendente do posto de saúde concorda com Vanessa que o bebê talvez tenha dormido numa posição esquisita, e por isso o pescoço está tão duro. Decide pôr um suporte cervical.

Uma semana depois, o pescoço continua rígido e a criança grita de dor. Vanessa agora leva Eduarda ao pronto-socorro de um dos hospitais locais.

Antônio vai trabalhar, perturbado por um começo de sentimento de culpa. Seu medo é que ele possa ter algo a ver com a agoniante condição da filha. Seu escritório, assim como o hospital, fica na Gávea, um dos três bairros abastados de classe média alta em torno da Rocinha, onde ele nasceu e cresceu.

Nos últimos anos, Antônio subiu na empresa, a Globus Express, tornando-se chefe da equipe encarregada da distribuição da *Revista da NET*, a principal publicação do país sobre programas de TV. É responsável por grande parte da Zona Sul, a área que inclui a maioria dos marcos famosos do Rio, como o gigantesco Cristo no Corcovado e as praias de Copacabana e Ipanema. Com o salário modesto do marido, o casal economizou o suficiente para sair do apartamentinho minúsculo da mãe de Antônio e se mudar para um apartamento próprio, igualmente minúsculo. Não é muito, mas é um começo, e a chegada de Eduarda — Duda —, bebê dócil e feliz, espalhou calor pelo pequeno lar. Os pais se sentem abençoados e olham o futuro esperançosos.

Mas agora a criança passa um mês no hospital e seu estado de saúde piora dia a dia. Os médicos receitam vários remédios e nenhum funciona. Sugerem que talvez ela esteja com osteomielite tuberculosa, doença secundária rara em que bactérias infeccionam os ossos de um tuberculoso. Surge um caroço no lado direito do pescoço, que aumenta até ficar do tamanho de um ovo.

Antônio se sente fraquejar ao ouvir a notícia. Julga, numa suposição incorreta, mas não implausível, que transmitiu tuberculose à filha, pois a doença é endêmica nos bairros mais pobres do Rio. Há cartazes afixados com destaque na entrada da Rocinha: "Tossindo três semanas ou mais? VÁ AO MÉDICO. Provavelmente você está com tuberculose".

A infecção transmitida pelo ar se espalha com a máxima rapidez em áreas densamente povoadas, em especial em cortiços, onde parentes e amigos vivem amontoados. A Rocinha tem o índice mais alto de incidência de tuberculose em todo o estado e, em alguns anos, o mais alto do Brasil. No momento, a cada mês cerca de 55 moradores da favela contraem a doença.

Poucos dias antes do nascimento de Duda, Antônio estava com dor de garganta. A dor piorou, pois ele continuou a trabalhar debaixo de sol e de chuva. E não se alimentava direito. Preferia economizar os vales-refeição, que funcionam como moeda corrente na favela, para garantir que a mãe e a esposa grávida tivessem uma alimentação melhor. Apesar da febre e de uma dor de cabeça tão forte que causava alucinações, ele continuou a trabalhar até o dia em que o corpo cedeu — e foi então que diagnosticaram tuberculose.

A filha nasceu quando Antônio estava internado no hospital. Ele ficou proibido de se aproximar do bebê durante duas semanas e depois foi avisado de que não podia passar a noite em casa, devido ao risco de contágio.

Agora que Duda está mal, Antônio acredita que foi ele que transmitiu a doença à filha, apesar de lhe terem dito vários meses antes que sua infecção tinha passado.

Duda inicia um tratamento com antibióticos, mas continua a piorar. Perdeu o apetite, o que debilita suas condições de enfrentar a doença. Pela primeira vez, os pais percebem que sua menininha pode estar morrendo.

Desesperada, Vanessa lança mão de seu último recurso. Graças ao modesto plano de saúde de Antônio, fornecido pela empresa, o casal pode escolher um clínico geral numa lista de médicos conveniados. Vanessa escolhe um nome ao acaso, num gesto que depois atribui à orientação divina.

Pegando a filha, Vanessa desce a ladeira íngreme e sinuosa da rua principal da Rocinha, a estrada da Gávea. Lá embaixo, o Atlântico bate na praia da vizinha São Conrado. Atrás dela, as fileiras tortas das casas pintadas em cores vivas se destacam entre a vegetação verde do morro, formando o panorama característico da favela.

No pé do morro, a estrada cruza com a rodovia que sai do Rio e vai para o oeste. Todo dia de manhã, dezenas de milhares de pessoas se amontoam nos ônibus para ir trabalhar nas áreas abastadas da cidade, como domésticas, motoristas, faxineiras, jardineiros, balconistas e garçons. Vanessa pega um ônibus lotado. Os passageiros, em sua maioria, parecem entorpecidos e resignados. O ônibus segue, sacolejando e estalando, e a carinha da menina se contorce a cada sacudida no pescoço inchado, de um lado e outro, baixando e subindo. É uma situação tão obviamente dolorosa para o bebê que, depois da visita à médica, mãe e filha não podem mais seguir de ônibus, e Vanessa precisa gastar um dinheiro considerável em táxis, usando as economias minguadas.

A clínica fica na Barra da Tijuca. A médica examina Eduarda e diz que também suspeita que seja tuberculose. A febre, os inchaços e caroços, como o ovo do pescocinho de Duda, costumam ser sintomas da doença. Mas, como o tratamento não está dando resultados, ela encaminha a criança ao Instituto Fernandes Figueira, centro médico especializado em crianças, adolescentes e mulheres.

Lá, Antônio e Vanessa se surpreendem quando os médicos informam que o que a filha tem não é tuberculose. "Precisamos fazer uma biópsia", diz um deles. A frase que vem a seguir é um choque para os pais, que choram ao ouvi-la: "Pensamos que pode ser câncer".

A rotina de ambos muda. Vanessa passa os dias e as noites ao lado da filha. Antônio adapta as horas do expediente para poder fazer rodízio com a esposa — ambos estão ficando cansados. Duda vai precisar tomar anestesia geral para fazer a biópsia, o que aumenta a ansiedade. Três dias depois, extraem uma amostra do caroço no pescoço.

Vêm os resultados. Os exames dão negativo: nenhum sinal de câncer.

Entrando o novo milênio, surge uma nova pergunta: se não é câncer, o que será? O bebê ainda sente muita dor. Sob a pele, aumentam as lesões no crânio e na coluna vertebral.

Mais exames.

Dessa vez, ela é levada à unidade de pediatria no Hospital Federal da Lagoa, na Zona Sul. Quando Vanessa entra com a filha, a dra. Soraia Rouxinol e a dra. Maria Célia Guerra dão uma rápida olhada na menina. A uma distância para não serem ouvidas, a dra. Guerra faz um gesto de assentimento à colega. "Histiocitose X."

É um diagnóstico impactante e se confirmará correto. Impactante porque a histiocitose X — cujo nome oficial é histiocitose das células de Langerhans (HCL) — é raríssima.

A medicina enfrenta dois problemas na diagnose da HCL. Ela é incomum, atingindo cerca de uma em 200 mil pessoas. Alguns médicos da equipe na Lagoa creem até que Eduarda pode ser o primeiro caso registrado no Brasil. Além disso, é praticamente impossível ter certeza absoluta do diagnóstico: há uma enorme variação nos sintomas e nas manifestações da doença de paciente para paciente.

Embora a rigor não seja câncer, a HCL apresenta certos processos associados a ele — em especial, a reprodução de células anormais, que então sofrem um ataque incessante do sistema de defesa do corpo. Na descrição de Antônio, o efeito desse processo foi o esfarelamento dos ossos de Eduarda.

Apenas nos últimos anos os pesquisadores têm situado a provável causa genética dessa doença. No começo de 2000, ainda não tinham esse conhecimento, e a bibliografia especializada sobre o assunto era escassa.

Tal como a tuberculose, a HCL é mais perigosa para crianças com menos de dois anos. Os medicamentos fortes usados para combatê-la funcionam entre 80% e 90% dos casos. Se não for tratada, pode ser fatal em alguns casos, mas não em todos. Em outros, ela desaparece de modo tão imprevisível quanto surgiu.

Embora ainda esteja fraca, Eduarda é submetida a um penoso tratamento cirúrgico e quimioterápico. Mas pela primeira vez os pais sentem algum alívio; têm a impressão de que o pesadelo que estão vivendo alguma hora poderá terminar.

Vanessa já foi obrigada a parar de trabalhar e, com a diminuição na renda familiar, começam a atrasar o pagamento do aluguel. O casal não tem escolha a não ser voltar para os cômodos onde a mãe de Antônio mora com Carlos, meio-irmão dele.

É uma típica moradia de cortiço. O espaço é, talvez, a mercadoria mais valiosa na favela; para muitos moradores, luz natural em casa é um luxo. Na deles, não há nada disso. Mesmo numa família unida, a falta de privacidade significa que brigas podem estourar a qualquer instante.

Para chegar à porta da frente, percorre-se uma viela comprida e estreita, com passagem para uma pessoa só por vez, e que logo fica envolvida pela escuridão. Na época das chuvas, o local se torna úmido e malcheiroso. A porta da frente leva a um vestíbulo minúsculo para os sapatos e então vem o aposento comum, com cerca de 4,5 metros quadrados. Antônio e Carlos dormiam ali quando crianças. Além de algumas lembranças, há imagens de madeira de são Jorge, que misturam a iconografia cristã com a de religiões animistas afro-brasileiras, o candomblé e a umbanda. O centro de todas as atividades sociais é a mesinha no meio da sala, na frente de um sofazinho de dois lugares e duas banquetas. As paredes amarelas estão com a pintura descascando e há rachaduras visíveis em quase todos os cantos.

No banheiro, quando funciona, cabe apenas uma pessoa, bem apertada. No momento não está funcionando e é um risco para a saúde. O quarto, logo ao lado da sala, é onde dormiam os pais de Antônio antes de o pai morrer. Tem uma cama e um gaveteiro, que não consegue se decidir se faz parte de uma casinha de bonecas ou se pertence ao mundo real. Agora, Antônio, Vanessa e a bebê vão dividir o quarto.

Moradias assim por toda a Rocinha costumam acomodar de quatro a dez pessoas, uma dormindo aos pés da outra. Mesmo nesse reino da pobreza, existem diferenças drásticas. Os mais pobres vivem em barracos, que podem ser descritos como abrigos de madeira, concreto ou lata, sem banheiro nem serviços. O fornecimento de água e energia elétrica vem se expandindo pela favela e subindo o morro, mas continua a ser intermitente, sujeito a interrupções longas e inexplicadas.

No hospital, os médicos se depararam com um problema. A agulha no peito e nos braços de Duda, por onde é ministrado o medicamento, criou novas feridas. A doença impede que elas se fechem. Além disso, o bebê aproveita todas as oportunidades para agarrar a agulha e os tubos e tenta arrancá-los. Não está recebendo o medicamento. A única maneira, explicam os médicos, é usar um cateter especial inserido fundo no corpo.

Os custos da doença de Duda estão aumentando. Pai e mãe estão exaustos. A família tem de enfrentar decisões muito sérias. É preciso tomar alguma providência em relação ao banheiro: será um risco para a saúde da menina, caso ela volte do hospital viva, mas debilitada. Os custos do cateter e da reforma do banheiro somam mais do que um ano de salário, e as economias de Antônio acabaram. Enquanto isso, ele se reveza com Vanessa junto ao leito da filha, ficando de vigília durante o dia para que ela possa descansar um pouco.

Ele vai ao patrão, que sempre teve na conta de homem decente. Os dois sabem que se Antônio pedir demissão, não poderá receber o seguro-desemprego que o Estado fornece durante seis meses (na época, noventa reais ao mês). Assim, ele pede que o patrão o mande embora. O patrão reluta. A rotatividade da mão de obra é alta, e Antônio é o que está há mais tempo na empresa e é um de seus melhores funcionários. Por fim, o dono da empresa concorda em demiti-lo, mas diz que pode voltar na hora em que quiser.

Para Antônio, é um grande golpe ter de deixar o emprego. Deu-se bem no papel de supervisor. "Eu distribuía a equipe", relembra, "montava a tabela de cada um e decidia quem fazia o quê, continuando, claro, a fazer minha parte nas entregas [...]. A gente tinha umas 2 mil revistas para distribuir numa parte da cidade onde não dava para andar de carro — era tudo feito a pé." Isso demonstra um bom treinamento em logística e uma boa experiência em delegar responsabilidades aos integrantes da equipe.

As coisas estavam para melhorar ainda mais, pois Antônio investira suas modestas economias em tirar carteira de motorista. Acabara de passar nos exames e agora podia ficar encarregado da perua de entregas. Gostava do serviço e, até a doença de Eduarda, conseguia tocar o barco e cumprir seu papel mais importante, o de provedor da esposa e da filha. "Eu era feliz", prossegue Antônio. "Dava para sobreviver, pagar as contas e economizar um pouco. Eu não tinha do que reclamar." Ao relembrar essas coisas, não parece fingir. Pelo contrário, ele parece sentir saudades.

Antônio ainda precisa de cerca de 20 mil reais. Não é homem de jogar. Não é homem de roubar. Só daí a um ano um banco abrirá sua primeira agência na Rocinha, e, de todo modo, um desempregado sem bens, nascido e criado na favela, não teria nenhuma chance de conseguir empréstimo.

Ele conhece apenas um indivíduo que não só pode como provavelmente também gostaria de lhe emprestar o dinheiro. Para a maioria dos moradores da favela e mesmo no mundo exterior, ele é conhecido como Lulu. Nos dois últimos anos, tem sido o chefão inconteste da Rocinha. Comanda o tráfico de drogas.

Compete com os fornecedores de gás e energia elétrica como o ramo de negócios mais próspero na favela. O setor de Lulu é uma indústria milionária. Ele faz empréstimos em geral aos moradores que querem comprar casa própria. Isso atende a duas finalidades. Dinamiza a economia local, mal servida ou nem sequer servida pelo Estado e pelas instituições financeiras mais legítimas. E também recicla os lucros do narcotráfico, que, de outro modo, evidentemente estariam sujeitos a restrições legais.

A área mais barra-pesada da favela fica quase no topo do morro. É a rua 1, e é ali que Lulu tem seu escritório. Acima da rua 1 fica o bairro do Laboriaux, que não só oferece a vista mais espetacular do Rio de Janeiro como se apresenta mais limpo e organizado do que o resto. É lá que Lulu mora.

Sem recursos, Antônio reflete muito sobre o próximo passo. Ele nunca se envolveu com drogas, nunca usou e não tem a menor intenção de fazê-lo. Sente-se revoltado com a violência associada a elas, que ocupa o pano de fundo de sua vida. Nenhum de seus amigos de infância está no ramo. Como ele, todos são trabalhadores — taxistas, pedreiros, garçons. Mas Antônio não vê outra saída para o apuro financeiro. Não comenta seu plano com ninguém, nem mesmo com Vanessa. É algo que decidiu fazer sozinho.

Antônio pede a um amigo que tem contato com Lulu que combine um encontro. Dois dias antes de completar 24 anos, ele começa a longa subida da estrada da Gávea. À esquerda fica a área conhecida como Cachopa. A seguir, outro dos dezesseis bairros da Rocinha, a Dioneia. Após a curva seguinte, vem a rua 2 e, mais adiante, a rua 1. Ali do alto dá para ver a Zona Sul quase inteira — a leste, a Gávea, praticamente à distância de uma pedrada; depois, a Lagoa no centro de tudo, servindo de separação entre Botafogo e os prédios de Ipanema e Leblon; tem-se até uma vista de relance de Copacabana; e, quando a gente se vira para o sul, olhando bem, é possível enxergar algumas das mansões luxuosas de São Conrado, camufladas pela Mata Atlântica.

Esse é o grande posto de observação da Rocinha. Dali, é possível ver todas as pessoas que entram e todas as que saem. É onde o homem mais poderoso da Rocinha, o chefão do tráfico de drogas da favela, tem seu escritório.

Antônio começa a mais longa caminhada de sua vida ao lado do amigo. Nervoso, mas decidido, fica remoendo na cabeça como vai formular o pedido e o que oferecerá em troca. É Fausto procurando Mefistófeles. Mas Antônio não quer conhecimento ilimitado nem prazeres terrenos. Quer apenas que a filha sobreviva, cresça e se desenvolva. Sente que sua vida está prestes a mudar e que as coisas podem dar errado. Mas, mentalmente, retruca a quem possa lhe apontar um dedo acusador: "E o que você faria no meu lugar?".

Há uma curva fechada já perto do topo da estrada da Gávea, numa pracinha. É onde começa a rua 1. Embora seja uma rua importante, só é possível percorrê-la em fila indiana, e um simples carrinho de mão pode gerar um grande congestionamento de pedestres. Antônio segue por ela, passa pelos bares e mercadinhos, depois pelo peixeiro à direita e pelo açougueiro à esquerda, evitando os cocôs de cachorro, as frutas podres e os esgotos abertos, até a bifurcação.

À direita, o caminho logo vira para o sudoeste, seguindo a lateral do morro Dois Irmãos e chegando por fim à zona comercial no sopé — e à normalidade.

À esquerda, entra-se no tradicional bastião do narcotráfico. Homens, mulheres e crianças podem dar a impressão de dormitar ou conversar à toa, mas, na maioria, estão observando os estranhos que se dirigem ao escritório de Lulu. Um vai passando a informação ao outro, de modo que os seguranças do chefão estão prontos para recebê-los da maneira que considerarem adequada

— com franca hostilidade armada ou com aparente indiferença. Se você não mora nem trabalha no final da rua 1, em geral precisa de uma boa razão para aparecer por ali.

Antônio segue pela esquerda. Mas não desperta suspeitas no grupinho de seguranças, pois conhecem o amigo dele. Quando chega no alto da ladeira, ainda se sente nervoso e com um pouco de falta de fôlego. Demorou para tomar a decisão de subir a rua 1, mas agora está disposto a ir até o fim.

Antônio termina a longa subida até o ponto mais alto do morro. Chegando ao destino, ele entra pela porta da frente. Em seus 24 anos, nunca se deparou com uma transformação tão fundamental na vida como essa que resultará de sua peregrinação.

2. Favela
1960-1976

Dona Irene, mãe de Antônio, veio de Teresópolis, situada entre o Rio de Janeiro e Minas Gerais. A cidade é uma estação intermediária nas montanhas, cem quilômetros a nordeste da cidade do Rio. Sua ida para a Rocinha foi um caso incomum. Ela perdeu a mãe, uma índia, aos três anos, era a caçula entre seis filhos.

Com o pai incapaz de lidar com a situação, ela foi apresentada a uma família de italianos que morava no Rio, mas estava passando férias em Teresópolis. Encantados, levaram a garotinha com eles para a Urca, uma das áreas mais elegantes do Rio, e lá foi criada. Perdeu contato com os cinco irmãos que deixou em Teresópolis, cujos nomes agora mal consegue lembrar. Sua infância peripatética pode não ser típica das crianças brasileiras com origem humilde, mas não é muito rara.

A relação de Irene com a família em que foi criada era ambígua. Ela nunca frequentou a escola, mas lhe ensinaram coisas básicas, na expectativa de que trabalhasse para eles como doméstica. Embora semianalfabeta, Irene era teimosa e, a julgar pelo que ela mesma diz, uma menina travessa de gênio alegre. Até hoje mantém um largo sorriso que se abre por qualquer motivo.

Como tantos nascidos nos estratos mais baixos da sociedade brasileira, desde cedo dona Irene foi obrigada a criar ferramentas de sobrevivência para uma vida sempre à beira da miséria, da rua e de outros infortúnios. Tinha apenas doze anos quando deu à luz o primeiro filho. O pai, um rapaz na casa dos vinte anos que conhecia de vista, não tinha a menor intenção de assumir a responsabilidade pela criança, e assim ela não teve muita alternativa a não ser a de entregar o bebê para adoção. Um ano depois, engravidou outra vez, agora de um homem muito mais velho. Pensou em ficar com a criança, mas acabou decidindo entregá-la também. Enterrou as memórias a uma profundidade suficiente para diminuir a dor, mas não tanto que lhe permitisse repetir a experiência.

No final da adolescência, começara a aproveitar ao máximo a juventude no Rio de Janeiro do começo dos anos 1960, quando a fama da cidade como capital do hedonismo ultrapassara as fronteiras nacionais. Irene tinha amigos que trabalhavam no Hotel Glória. Havia poucas instituições cariocas mais glamorosas do que essa obra-prima do art déco. Perto do palácio do governo e das principais instituições financeiras, o hotel atraía um desfile incessante de artistas de cinema, cantores, bailarinos, políticos e empresários ricos.

Um dia, a mocinha de 21 anos, morena, bonita, mignon, brigou com um namorado no Hotel Glória e saiu furiosa para voltar a Copacabana, onde era empregada doméstica e morava na casa de seus patrões mais recentes. Mas era raro que seus rompantes ocasionais chegassem a abafar seu lado coquete, e assim, quando um sujeito bonitão todo confiante sorriu para ela enquanto esperava para atravessar a rua, Irene não resistiu e devolveu o sorriso.

Ele se chamava Fernando, estava na casa dos trinta ou talvez um pouco mais. Irene logo se sentiu atraída por ele e por suas roupas elegantes — sapatos brancos, calça branca e camisa cor de vinho. Não era brasileiro, e sim espanhol, piloto de avião que fazia a rota Madri-Rio.

Alguns meses após o início do romance, ele morreu num acidente de carro. A notícia da morte chegou por vias indiretas até Irene e foi um choque, não só porque ela perdera o exótico amante, mas porque vinha se preparando para lhe contar que trazia no ventre um filho seu. Era Carlos,[1] o irmão mais velho de Antônio. Ao contrário dos outros dois, nascidos no começo de sua adolescência, Irene resolveu ficar com este.

Carlos herdou o físico e, mais importante no Brasil, a cor da pele do pai. A mãe era morena, com traços de índia, mas Carlos tinha a aparência de europeu e branco. Até os sete anos, foi tratado como se fizesse parte da família no lar de classe média de Ipanema, onde, na época, Irene trabalhava como doméstica. Comia junto com a família, ia à escola com os filhos e saía de férias com eles. Quando passeava com Irene, todos imaginavam que ela era apenas sua babá. Na verdade, os patrões queriam adotá-lo, proposta que ela recusou educadamente. Apesar da recusa, os anos de formação de Carlos se definiram pelo privilégio, pela abastança, por um claro senso de hierarquia e um código moral rigoroso. Esse era seu mundo, e Carlos se sentia à vontade nele.

Quando a família anunciou que queria que Irene se mudasse com eles para a França, para lá permanecer por três anos, ela decidiu que o menino devia ficar no Brasil. Carlos, com sete anos, foi enviado para morar com uma família de Duque de Caxias, cidade trinta quilômetros ao norte do Rio. Ali a vida era menos sofisticada e a família que o recebeu era muito rigorosa. Não havia postos de saúde propriamente ditos, e assim lesões e doenças eram tratadas com métodos tradicionais — esfregando pó de café nas feridas ou tomando chá de ervas.

Embora não gozasse mais do conforto de Ipanema, da areia da praia e das avenidas arborizadas, Carlos veio a crer que a experiência lhe ensinou ordem, asseio e honestidade, valores que desde então, insiste ele, têm guiado sua vida. Mas a severidade na criação também lhe ensinou o significado do medo e da raiva.

Irene voltou da França no final de 1973. Não demorou muito e logo voltou a frequentar os lugares de outrora, encontrando-se com os amigos do Hotel Glória. Uma noite, foram a um forró.

Irene sentiu atração imediata por Gerardo, rapaz garboso e magro feito um varapau, que sabia se requebrar com muita verve e estilo. Tinha altura mediana, rosto fino e traços marcados com uma intensidade que desmentia sua índole despreocupada. Pelo sotaque, ela pôde perceber que ele era nordestino, talvez da Paraíba. Nas primeiras ondas de imigrantes, a Paraíba parece ter sido o estado que mais enviava trabalhadores para o sul, a tal ponto que com frequência os moradores das favelas cariocas são chamados simplesmente de "paraibanos", de onde quer que tenham vindo de fato. As novas levas, claro, tendiam a se concentrar em favelas onde pudessem encontrar conterrâneos, e a maioria dos moradores da Rocinha descende da Paraíba. Na verdade, Gerardo Lopes era de outro estado do norte, o Ceará, que tem a segunda maior população da Rocinha.

Quando os patrões de Irene souberam de Gerardo, advertiram-na contra o relacionamento. Foram muito específicos — Gerardo morava na Rocinha, coisa que, para as classes médias cariocas, equivalia ao covil do demônio na terra. Não sendo de dar ouvido a conselhos, Irene decidiu ir morar com o novo amante numa das favelas de crescimento mais rápido no Rio.

As favelas cariocas eram diferentes das da maioria das outras cidades, claro, porque ficavam nos morros. Brotavam neles como ilhas separadas entre si pelas áreas de classe média. Em decorrência disso, a identificação dos moradores com sua comunidade própria sempre foi mais intensa do que em outros lugares, sobretudo São Paulo. No Rio, como disse Chico Buarque, "cada ribanceira é uma nação".[2] Isso viria a ter um impacto significativo no desenvolvimento da economia social do narcotráfico e foi uma causa fundamental para os altos índices e a natureza específica da violência urbana no Rio, em comparação a São Paulo.

Os imigrantes nordestinos originais tendiam a ocupar as vertentes mais baixas dos morros. Nos anos 1920, alguns pequenos sitiantes começaram a criar gado numa área modesta ao lado de São Conrado, vendendo os produtos à população local. Quando a Rocinha começou a empregar mais gente nos anos 1940, a comunidade passou a subir e a ocupar as partes mais altas do morro. Logo se tornou viável levar os produtos até o bairro abastado da Gávea, passando por trás do morro Dois Irmãos.

No começo dos anos 1970, quando Gerardo, o namorado que Irene conheceu no forró, montou casa na Rocinha, a ocupação não chegava a um terço do que é hoje. Mas então a prefeitura construiu o túnel Dois Irmãos[3] sob o morro de mesmo nome, e assim se deu a primeira ligação direta da Rocinha e de São Conrado com o resto da cidade. Foram surgindo novas moradias em faixas cada vez mais altas do morro e, com a melhoria dos transportes, ficou cada vez mais fácil chegar ao Leblon, Ipanema, Gávea e Jardim Botânico, áreas abastadas onde havia muitos empregos.

A "casa" de Gerardo era um mero barraco de madeira e chapa corrugada num terreninho que ele havia comprado de outra família. Minúscula, tinha um banheiro interno separado da cozinha por uma simples chapa de madeira. Mas ficava a dois minutos a pé da densa Mata Atlântica, de cujas árvores pendia uma fartura de mangas, goiabas, framboesas e jacas, à espera apenas de serem colhidas.

Hoje, essa mesma moradia fica na parte intermediária da Rocinha, enterrada numa viela que sai da rua principal que corta a favela de cima a baixo. O crescimento ininterrupto da comunidade nos anos 1980 e 1990 primeiro consumiu qualquer espaço verde que restasse, e depois passou a se dar na vertical, com as moradias se sobrepondo em andares. Sem um guia que me conduzisse pelo labirinto de veias e vasos capilares que alimentam o organismo complexo dessa densa ocupação, hoje seria impossível encontrar a casa de Gerardo e Irene. A área ocupada já perdeu faz muito tempo a maioria das janelas e da ventilação.

Apesar das condições miseráveis, Irene se entrosou de imediato na Rocinha. Logo fez amizades num meio onde não há muita escolha a não ser conviver em bons termos com a vizinhança.

Raríssimas casas, se tanto, tinham um fornecimento confiável de energia elétrica. Alguns moradores se arriscavam a desviar eletricidade da rede principal. Isso demandava "descer um degrau", um processo arriscado de reduzir a voltagem, que podia resultar num tremendo incêndio ou em morrer eletrocutado. As linhas elétricas eram administradas por intermediários locais, numa organização ad hoc chamada Comissão de Luz, que se limitava a extorquir os poucos tostões que os moradores tinham de pagar em troca de uma iluminação fraca e irregular. Para os comerciantes e donos de bar, se quisessem manter a cerveja gelada, não havia grande escolha a não ser pagar. Mas, para a maioria dos moradores, depois que o sol se punha era hora de acender as velas e os lampiões.

As privadas eram baldes ou buracos no chão. Não havia água corrente nas casas, e assim a população de cerca de 30 mil pessoas tinha de se abastecer em alguns poucos reservatórios. Um morador lembra que, durante o verão, "era o caos total. A fila de gente com galões de vinte litros, bacias e baldes de plástico se estendia por quilômetros".[4] Quando as coisas saíam de controle, as "xerifes", mulheres fortes do bairro, acabavam com o tumulto, mesmo que isso significasse jogar o ocasional recalcitrante dentro do esgoto aberto que descia pelo meio do morro.

A frequência escolar era irregular e, depois do ensino primário, a maioria das crianças já começara a trabalhar, e isso se, antes, tivessem chegado a ir à escola. Mas, mesmo que todos os que se criaram na Rocinha nos anos 1960 e 1970 reconheçam a pobreza material, ainda guardam lembranças da infância mais róseas do que as de muita gente. Levando uma vida ao ar livre, muitas vezes quase selvagem, brincavam bastante e faziam incursões pela mata atrás das casas, à procura de comida.

Um grupo, porém, tem uma visão de seus anos de infância sem dúvida mais pessimista do que a dos demais — as mulheres. "Acredite em mim", diz Raquel Oliveira, "não era bolinho ser mulher." Quando criança, Raquel vivia em grande miséria, mas, em comparação a algumas de suas contemporâneas, considerava-se afortunada. "Num bordel, havia umas meninas de treze e catorze anos, as duas já com filho. Aí havia duas de nove anos e uma de dez, grávida. Isso era normal, mas o pior ficava para as meninas obrigadas a trabalhar em Copacabana. Você ia trabalhar e podia acabar levando uma facada. Perdição, é o que te digo."

As crianças daquela geração lembram que não havia armas, mas os roubos e a intimidação policial eram problemas concretos. A maior parte disso, porém, ocorria *fora* da favela, em decorrência do sistema informal de segregação que deixava os moradores vulneráveis quando se arriscavam a descer o morro e ir para o asfalto.

Antônio Francisco Bonfim Lopes nasceu na casa dos pais na Rocinha em 24 de maio de 1976. Quando bebê, chorava muito, mas virou um menino curioso e simpático, de cabelo cortado curto, porém muito denso e crespo, e olhos escuríssimos.

Foi a última geração da Rocinha cujas primeiras lembranças não trazem imagens de violência. Ele recorda as infindáveis brincadeiras com os amigos, correndo à solta por toda a favela. "Mas era muito pobre também", acrescenta. "Meus pais trabalhavam e assim, quando pequeno, me deixavam com uma mulher que tomava conta de mim. Eles pagavam a ela — mas só quando o dinheiro dava."

Nessa época, ainda eram poucos os veículos motorizados a subir e descer a estrada da Gávea, e, desde que Antônio e a turma ficassem dentro dos limites da comunidade, não se expunham ao perigo vindo daquela outra ameaça sempre de tocaia — os policiais militares. "Na verdade, havia duas guaritas na Rocinha naquela época", diz Antônio. "Não faziam muita coisa, só mostravam presença. Não consigo me lembrar de nenhum policial bonzinho. Mas acho que dá para dizer que alguns eram menos ruins. Em todo caso, mesmo quando éramos meninos, eles nos perseguiam e, se nos pegavam, batiam na cabeça da gente."

Para as classes médias, a favela era uma terra inexplorada onde podiam se esconder dragões e demônios. A criançada da favela sentia a mesma coisa, ao contrário — os pais diziam para os filhos se comportarem, senão Lucinho, o bicho-papão local, apareceria de noite e pegaria as crianças quando estivessem dormindo. Antônio acreditava que Lucinho vinha do asfalto para seus ataques, e sem dúvida, para algumas famílias, ele percorria arrogante a favela em seu uniforme da odiada Polícia Militar. Para a meninada da Rocinha, o mais seguro era evitar qualquer coisa fora do morro.

Como a maioria de seus colegas, a vida de Antônio foi comunitária desde o começo. Quando iam trabalhar, as mães entregavam os filhos a outras mulheres, pagando às vezes em dinheiro, às vezes em espécie. Os pais, em geral, eram figuras espectrais que pairavam indistintos no passado recente, mas que, na idade em que a criança podia construir uma memória, já haviam desaparecido fazia muito tempo.

Para Antônio, por sorte, não foi esse o caso — na verdade, seu pai era mais presente do que a mãe. Dona Irene tinha de passar seis dias e seis noites trabalhando para uma família em Copacabana. Só chegava em casa no sábado e ia embora no domingo à noite, para outra semana fora. Gerardo também trabalhava, como barman em Ipanema e, depois, em Copacabana. Embora só voltasse do trabalho no começo da madrugada, pelo menos estava ali quando Antônio acordava. O menino adorava Gerardo, e se lembra do pai como um sujeito calmo e muito afetuoso.

Carlos tem lembranças diferentes do padrasto. Em primeiro lugar, foi Gerardo que o arrastou para esse buraco sórdido; agora estava atacando o bem mais precioso do garoto. "Eu estava no começo da adolescência", explica ele, "e Gerardo desligava minha vitrola e atirava o disco para o outro lado da sala. Às vezes chegava até a cozinhar para Antônio e para ele mesmo, sem deixar nada para mim e me obrigando a me virar sozinho."

A lembrança mais duradoura de Antônio é a tensão movida a álcool que muitas vezes descambava para a violência. "Minha mãe bebia", admite ele com franqueza. "Bom, os dois bebiam. Mas ela chegava em casa e arrumava briga com papai. Eu odiava aquilo. Me deixava muito nervoso." Dá a entender que era a mãe que muitas vezes provocava o problema. Parece identificar dois lados na família, a mãe e Carlos de um lado, ele e o pai de outro.

Os pais se agrediam muito. Conta Antônio que a mãe, quando voltava para casa aos sábados, muitas vezes já chegava caindo de bêbada, doida por uma briga. Acordava o marido e começava a bater nele. Gerardo, também de porre, reagia. Naquele espaço tão pequeno, o drama se desenrolava às plenas vistas de Carlos e Antônio.

Embora vítima de pólio, Carlos tinha uma boa constituição física e era dotado de muita força. Com frequência intervinha para defender a mãe. Ainda pequeno, Antônio assistia horrorizado enquanto o meio-irmão arremetia contra seu pai. Uma vez, reconhece Carlos, ele espancou Gerardo com tanta força que o padrasto teve de ser hospitalizado. "Eu tinha arrancado quase todos os dentes dele na briga", diz Carlos, um tanto encabulado. Antônio comenta, amargurado: "Ele deformou o rosto do meu pai". Durante os conflitos, o menino Antônio se encolhia, fraco demais para fazer alguma coisa, mas, por dentro, desejando muito defender o pai.

Algumas pessoas sentem a mesma antipatia de Carlos em relação a Gerardo. Um amigo da família conta que, além de ser alcoólatra crônico, ele também era um ladrão violento e provocava as discussões tanto quanto a esposa. É difícil ter uma imagem objetiva da personalidade de Gerardo. Mas não resta dúvida de que Antônio presenciou muitas cenas sórdidas em casa durante a infância. O fator mais importante para determinar a probabilidade de um menino desenvolver tendências agressivas e violentas na idade adulta é ter presenciado maus-tratos constantes infligidos à mãe pelo marido ou companheiro. No caso de Antônio, a questão era mais complexa — segundo sua percepção, a vítima de maus-tratos era o pai, não a mãe.

"A comida era feijão com arroz, ou arroz com feijão", lembra ele. Às vezes, no fim de semana, podia haver um pedaço de frango como mistura, mas, quando os tempos eram particularmente difíceis, "tínhamos de comer angu com bofe". Ele estremece à lembrança dessa especialidade baiana. Em geral, os miúdos eram destinados aos cachorros. As frutas da mata forneciam algumas vitaminas importantes, mas, na passagem para os anos 1980, essa fonte de nutrientes começou a secar, minguando com a onda de construção sem nenhum planejamento que subia pelo morro e se infiltrava nos recessos da Rocinha para asfixiar a vegetação. Embora Antônio tenha algumas lembranças felizes dessa época, era uma vida de pobreza constante. Ele era "um pobre farrapo", lembra um conhecido da família. "Tão magrinho. Eu sempre via ele esperando o ônibus, quase sumindo dentro da camiseta esfarrapada."

Quando estava com uns sete anos, a mãe o levou pela primeira vez ao lugar onde trabalhava. Agora ela era empregada de uma família que morava num prédio imponente, com vários andares, numa rua arborizada de Copacabana. Mas o que assombrou Antônio, mais do que a arquitetura, mais do que os aposentos espaçosos, foi a comida — a variedade, as cores, o arranjo cuidadoso nos pratos e travessas. Era um reino inimaginável.

Desde pequeno, Antônio entendeu intuitivamente que a Rocinha era seu mundo. Considerava-se um de seus cidadãos. A despeito do caos, da miséria e da violência, sempre teve a firme convicção de que era o melhor lugar do mundo e que crescer lá era um privilégio, não uma maldição. Para Carlos, ao contrário, era um lugar pavoroso. Ele tinha sido arrancado de uma confortável existência de classe média e lançado a esse monturo. Ele e o irmão ocupavam cada qual um lado da ribanceira de Chico Buarque.

Do emprego da mãe, Antônio foi levado até o bar onde o pai trabalhava, três quadras adiante. Ali, pela primeira vez na vida, viu meninos de sua idade morando na rua. Emudecido, ficou a observar enquanto o pai conversava de maneira afetuosa com eles — alguns esmolambados, outros sem algum membro. "Nunca vou esquecer um moleque chamado Pirata", conta. Tinha um olho só — nada no lugar, nem óculos, nem pedaço de pano, nada. "Achei que parecia que alguém tinha acabado de abrir um buraco na cabeça dele." Dentro do bar, o pai deu a Antônio algumas moedas e lhe disse que as distribuísse aos meninos de rua como Pirata. Explicou que a vida dos garotos era muito mais dura do que a deles; que não tinham pais nem guardiões; que não tinham escolha a não ser esmolar e roubar; e que viviam em medo constante da violência arbitrária, e mesmo da morte, em geral nas mãos de patrulhas policiais que pilhavam e saqueavam. Qualquer trocado que lhe sobrasse, o pai dava aos meninos de rua, e repetia muitas vezes a Antônio que era bom dar. Antônio adorava o pai, e não só como seu guia moral. Insistia que Gerardo era pai e mãe ao mesmo tempo.

3. Cocaína
1979-1989

No final dos anos 1970, aventureiros e caçadores de fortuna de todo o país se dirigiram às margens de dois rios na parte mais remota do oeste brasileiro. Em dois anos, vários povoados improvisados tinham nascido junto ao Madeira e ao Mamoré, no extremo do então território de Rondônia. Esses vilarejos, que no auge chegaram a ter uma população de cerca de 20 mil pessoas (quase todas do sexo masculino), eram muito parecidos com os povoados do Oeste americano que, um século antes, haviam se desenvolvido ao longo da ferrovia.

Barulhentos, caóticos, tumultuados, lamacentos, eram formados quase que só por pequenos negócios, que vendiam tudo o que os homens comprassem — cerveja e destilados, secos e molhados, roupas e comida. Mas os negócios de maior movimento tinham uma única finalidade: comprar e vender ouro.

Essas currutelas eram lugares sem lei. Bancos improvisados se misturavam a bordéis itinerantes, cujas mulheres e cafetões iam de lugarejo em lugarejo, dependendo de onde os negócios prosperassem mais. Brigas, tiroteios, roubos e trapaças variadas eram ocorrências cotidianas, como se não bastassem as longas horas de trabalho exaustivo nos rios e nas margens. Os gastos desses clientes intratáveis com suas roupas enlameadas dependiam, é claro, da quantidade de ouro que tinham encontrado naquela semana, passando os dias a lançar redes e a mergulhar.

Por mais de uma década, essa parte do Oeste brasileiro abrigou um dos maiores garimpos da história do país.[1] As riquezas da Amazônia, em terrenos inóspitos ou inacessíveis, a semanas de distância dos centros litorâneos, passaram séculos fora do alcance dos garimpeiros. Mas, em 1966, o governo militar brasileiro anunciou seus planos para explorar a fronteira extrema do país num programa chamado Operação Amazônia. Com o fervor dos conquistadores espanhóis que haviam decidido encontrar o Eldorado no final do século xv, os generais implementaram um plano ambicioso de abertura de estradas. Numa década, o asfalto estaria cruzando a Floresta Amazônica, cobrindo milhares e milhares de quilômetros. O objetivo era submeter a Amazônia a um período de intenso desenvolvimento econômico, abrindo as enormes reservas de recursos naturais da floresta. Os generais também contavam que essa iniciativa, se não resolvesse, ao menos diminuiria o problema dos desabrigados do Nordeste e do Sul, "levando gente sem terra à terra sem gente".

As estradas permitiam que homens, máquinas e materiais de construção chegassem a um trecho do sistema fluvial do Madeira e do Mamoré com cerca de quatrocentos quilômetros. O Mamoré deságua no Madeira. Em qualquer outro país, o gigantesco Madeira, após receber as águas do Mamoré, seria o rei dos rios. Mas, no Brasil, ele é um mero tributário que alimenta o poderoso Amazonas.

As nascentes do Madeira e do Mamoré ficam no alto dos Andes bolivianos. Quando as águas descem para o Brasil, trazem ricos depósitos de minérios. No verão, entre novembro e março, a neve dos Andes se derrete e se soma às chuvas tropicais, engrossando os rios. As margens se inundam e alagam a floresta por muitos quilômetros, dos dois lados. Os povoamentos ribeirinhos precisam se dispersar até as águas baixarem, no começo do inverno. Ao longo de milênios, esses processos naturais depositaram enormes quantidades de ouro no leito fluvial. Por séculos, o ouro ficou ali, despercebido, intocado.

Quando se confirmou a presença de ouro no começo dos anos 1970, iniciou-se o desenvolvimento do garimpo. A princípio, o processo foi lento, mas, na virada dos anos 1980, já abrigava uns 2 mil homens. Era um trabalho perigoso, sobretudo para os mergulhadores que vasculhavam o leito do rio em busca dos depósitos aluviais.

Quando os mergulhadores localizavam um grande depósito, levavam mangueiras enormes até a área. Como minhocas gigantescas de um mundo distópico, essas mangueiras eram presas a bombas apoiadas em grandes balsas. As mangueiras sugavam tudo o que havia no leito do rio. Esse composto era então levado a terra firme, e outro grupo de garimpeiros peneirava com cuidado o material, para extrair o metal precioso.

No auge do garimpo, no final dos anos 1980, havia cerca de 6 mil balsas nos rios. Mas o custo podia ser alto. Acidentes eram coisa corriqueira. "Em alguns dias, eu chegava a ver três corpos boiando na correnteza, passando por Porto Velho", lembra um dos trabalhadores.[2] Os rios eram fundos, e muitos mergulhadores eram derrubados pelas curvas, para não falar dos ataques, de besouros pequenos a enormes jacarés à espreita.

Mas eles dispunham de uma espécie de alívio. Os dois rios, em determinado trecho, formavam a fronteira do Brasil com a Bolívia. Depois de um dia duro, os garimpeiros tinham contato com comerciantes da outra margem. Os bolivianos lhes vendiam folhas de coca, usadas havia séculos pelos camponeses locais para mascar ou fazer uma infusão, criando um efeito narcótico que abrandava o estresse do trabalho exaustivo. Além disso — e pela primeira vez —, os comerciantes ao longo do rio também estavam vendendo as folhas de coca em forma processada, tanto semirrefinada, como pasta-base, como em pó, a cocaína. Em pouco tempo, muitos garimpeiros perceberam que não só eliminavam as preocupações do dia com os derivados da coca como podiam aumentar seus vencimentos vendendo cocaína.

Os perueiros que levavam os garimpeiros de Porto Velho até o garimpo voltavam para casa com a perua cheia de pasta. Logo encontraram grande clientela entre os madeireiros que desmatavam sem parar a Floresta Amazônica em Rondônia.

As oportunidades para os madeireiros também haviam dado um grande salto desde o advento da Operação Amazônia. Eles tinham uma dupla função econômica: podiam vender madeira, inclusive madeiras nobres como o mogno; e, com isso, preparavam o terreno para uma invasão continuada de fazendeiros, dedicados na maioria a criar gado. As atividades de alguns madeireiros eram legais, autorizadas pelo Estado, embora não necessariamente benéficas para o planeta. Mas muitas delas eram ilícitas. Os madeireiros costumavam usar bandos armados para vencer a resistência dos povos indígenas ou dos ambientalistas, lavavam dinheiro e transportavam bens de origem duvidosa por longas distâncias.

No começo dos anos 1980, esses novos integrantes do tráfico haviam estabelecido contato direto com dois dos três principais exportadores de cocaína da Colômbia. Por muitos anos, os mais importantes foram as Forças Armadas Revolucionárias da Colômbia (Farc), que controlavam uma área da Floresta Amazônica do tamanho da Suíça e dispunham de amplas instalações de cozinha, permitindo o processamento completo da cocaína, desde a folha até o pó. O outro grupo não era o famoso Cartel de Medellín de Pablo Escobar, e sim seu rival mais esperto, o Cartel de Cali, do sul do país, que comprou grandes áreas de terra nos vizinhos Peru e Bolívia, para plantar e refinar a coca.

Assim, surgiram no Brasil dois comércios muito distintos de cocaína. Um era o mercado atacadista, que se concentrava em trazer a cada ano muitas toneladas da droga refinada ao país, por avião e em caminhões, com dois destinos diferentes: Santos, o maior porto do Brasil, que atende a São Paulo e ao Sudeste, e Paramaribo, capital do Suriname, ex-colônia holandesa cujos governantes militares pós-independência estavam entre os mais corruptos do mundo. Desses dois pontos, a cocaína era embarcada em navios com destino à costa atlântica da Espanha ou a Rotterdam. Nos anos 1990, a costa irlandesa, os Bálcãs e a África Ocidental se somaram à lista dos destinos iniciais, antes que a cocaína chegasse aos destinatários finais: os lucrativos mercados em crescimento da União Europeia, sobretudo Inglaterra, Alemanha, França, Itália e Espanha.

Com uma exceção importante,[3] o comércio atacadista de cocaína no Brasil sempre foi dominado por empresários que pouca relação têm com a imagem dos bandidos armados das favelas. Pelo contrário, eles incorporam as atividades de contrabando a empreendimentos legítimos, em especial os associados à agricultura e sobretudo à pecuária, que se difundiu pela região amazônica na esteira do desmatamento ilegal. Têm lucros muito maiores do que os fornecedores que atendem ao mercado brasileiro. Também correm muito menos riscos de ser presos.

Isso não diminui o dinamismo do mercado interno, pois o Brasil se tornou o principal país de trânsito para alimentar o consumo de cocaína na Europa, em veloz crescimento. Os atacadistas na verdade desempenhavam um papel importante no fornecimento às favelas do Rio, de São Paulo e de outros grandes centros. Mas essa era também uma oportunidade para pequenos fornecedores, que transportavam quantidades significativas de pasta ou pó numa mochila e simplesmente pegavam o ônibus até o Rio, onde tinham lucros gordos e certos. Esses autônomos eram chamados de "matutos" e tinham papel especialmente importante para atender à Rocinha.[4] Muitos matutos começaram como garimpeiros no Madeira e no Mamoré antes de descobrir que o comércio da pasta de coca era até mais lucrativo do que peneirar ouro.

E assim outra cascata amazônica se somou ao rio voador para inundar o Rio de Janeiro. Esta vinha não pelo ar, mas por terra. Porém era tão persistente quanto aquela. Em 1984, como comentou um observador, "estava nevando no Rio" — cidade semitropical — o ano todo.

Antônio ainda nem completara nove anos. Mas forças poderosas já se agitavam. A pobreza, o tráfico de drogas e armas, o turbilhão político, a violência urbana e a globalização estavam em vias de se alinhar numa constelação específica, que cerca de quinze anos depois mudaria a trajetória inteira de sua vida.

Quando começou a "nevar" no Rio em 1984, a droga mais costumeira na Rocinha ainda era a maconha. Até então, a cocaína era uma raridade, reservada aos mais abastados, em geral com algumas ligações na alta sociedade. No submundo dos anos 1970, dizia-se simplesmente "branco" para a cocaína e "preto" para a maconha. Isso refletia as cores naturais das drogas, mas também o perfil racial e social de seus consumidores.

A maconha fora um traço da vida na favela por vários anos sem gerar muitas controvérsias. Mal se percebia o tráfico com os moradores, a menos que eles tivessem o hábito de comprar um baseado ocasional. A maconha era uma mera atividade secundária dos dois homens que controlavam os setores da Rocinha na atividade muitíssimo lucrativa do jogo do bicho. Um morava no alto do morro, outro na parte de baixo. Essa rivalidade entre as duas áreas se manteve.

Quando a cocaína entrou na moda, outro indivíduo de considerável dinamismo empresarial abriu seu comércio na favela. Denir Leandro da Silva, conhecido por todos como Dênis da Rocinha, vivia a meio caminho entre a boca de fumo que montou e a rua 2. O início do primeiro rei da droga da favela foi modesto. Mas ele era ambicioso e previu que a cocaína estava prestes a transformar a vida de todos.

Quando o pó vindo da Amazônia começou a chegar na Rocinha, o negócio de Dênis passou a crescer e prosperar. Enquanto isso, ele cultivava uma estratégia de magnanimidade em suas relações com o restante da favela. "Distribuía alimentos e remédios, pagava despesas como as de funerais para os moradores mais pobres, dava doces nos feriados."[5] Em pouco tempo, criara ligações com os distribuidores em número crescente que traziam a droga dos países vizinhos. Montou na Rocinha uma cultura e uma estrutura administrativa que existem até hoje. O centro de sua atividade era o dinheiro, não a violência.

Quando Antônio, menino pequeno, frequentava a academia de judô, sempre ficava empolgado ao ver Dênis, que morava ali perto. Podia ser um daqueles dias em que Dênis distribuía doces à garotada local. Gestos magnânimos como esse tinham impacto profundo em meninos pobres como Antônio e seus amigos. Ver o Dênis da Rocinha era como ver um primeiro-ministro ou um presidente.

Dênis era integrante do Comando Vermelho, o grupo criminoso mais numeroso e mais influente do Rio de Janeiro. No começo dos anos 1980, o Comando Vermelho não estava necessariamente associado ao tráfico de maconha. Ainda chamado muitas vezes de Falange Vermelha, um de seus nomes anteriores, seus principais membros eram sequestradores e assaltantes à mão armada.

As origens do Comando Vermelho remontavam à década anterior, num dos desenvolvimentos secundários de uma das fases mais assustadoras da Guerra Fria. Pois esse grupo criminoso agora lendário, que desfila com seus estoques de cocaína e armas semiautomáticas pelo Rio, foi uma das várias consequências imprevistas da ditadura militar brasileira que tomou o poder em 1º de abril de 1964.

Em 1969, vários integrantes das organizações guerrilheiras mais ousadas do país, o Movimento Revolucionário Oito de Outubro (MR-8), do Rio de Janeiro, e a Aliança Libertadora Nacional (ALN), com sua base principal em São Paulo, começaram a chegar a Ilha Grande. Situada cem quilômetros ao sul do Rio, essa ilha paradisíaca fica a uma hora de barco pelas águas do antigo local de férias da realeza, Angra dos Reis. O destino final dos combatentes clandestinos era uma maravilhosa praia numa pequena baía cercada pelas águas azul-turquesa do Atlântico.

Mas eles não estavam ali para se divertir e descansar de suas atividades revolucionárias. Logo adiante da praia havia um edifício que parecia uma réplica de Colditz, o campo nazista para prisioneiros de guerra. Os sucessivos governos brasileiros haviam se empenhado em tornar a aparência do presídio Cândido Mendes cada vez menos atraente, desde sua criação no começo do século XX. Sendo agora a prisão mais conhecida do país, usava um lema assustador como advertência aos detentos: "O preso foge, o tubarão come".

"Foi o destino desse lugar lindo ficar associado por muito tempo ao sofrimento humano", escreveu William da Silva Lima, um de seus presos mais conhecidos, dos anos 1970, quando entrou pela primeira vez no edifício intimidador. Escravos, vítimas de cólera, amotinados e antifascistas tinham sido jogados lá para apodrecer. "O clima era dominado pelo medo e pela desconfiança, medo não só da violência dos guardas, mas também das ações empreendidas por quadrilhas de prisioneiros para roubar, estuprar e matar os colegas."[6]

Os dois grupos revolucionários, MR-8 e ALN, deviam sua notoriedade ao sequestro conjunto do embaixador americano no Brasil. Também eram festejados entre a clandestinidade e, na verdade, pela esquerda militante do mundo inteiro pelos assaltos a bancos com grande êxito e alta lucratividade para financiar sua resistência armada aos generais.

Apesar da vontade dos militares de apresentá-los como criminosos comuns, o diretor do presídio Cândido Mendes instalou os presos políticos numa parte separada da Unidade B, onde tinham entre seus vizinhos de cela um grupo dos mais empedernidos assaltantes à mão armada que o Rio podia congregar. Entre eles estava William da Silva Lima. Embora fosse da favela, era conhecido como Professor, por seu gosto pela leitura. Suas admiráveis memórias, escritas na prisão, narram em detalhes as aulas de organização que os jovens intelectuais por trás do MR-8 e da ALN ofereciam aos criminosos.

Quando os guerrilheiros assaltavam um banco, tentavam não deixar nada ao acaso. A equipe encarregada do assalto propriamente dito contava com o respaldo de uma brigada de camaradas, que ficavam parados, disfarçados, em torno do banco. Se a polícia aparecesse, na verdade entraria numa grande armadilha, permitindo a fuga dos que estavam pegando o dinheiro. O grupo sempre tomava o cuidado de roubar os carros para a fuga poucas horas antes do assalto, de modo que não houvesse tempo de a ocorrência ser registrada. Havia esconderijos para receber os assaltantes e guardar o dinheiro. E eles sempre mantinham um médico (em geral um estudante de medicina) de prontidão, para atender a qualquer eventual ferido durante o assalto.

De início desconfiados de seus colegas de prisão, que gostavam de enfatizar sua condição política, aos poucos os assaltantes de banco da favela passaram a admirar a dedicação e, sobretudo, a organização dos guerrilheiros.

Para um homem que vivia do roubo, Professor tinha uma invulgar consciência política. Mesmo bandidos renomados como ele ficaram impressionados com tal nível de organização, e logo os revolucionários estavam fazendo circular as obras de Che Guevara e do jovem marxista francês Régis Debray entre os ladrões e assaltantes. Em 1971, oito deles formaram o Grupo União, logo rebatizado como Falange Vermelha e, por fim, Comando Vermelho — muitas vezes identificado apenas pelas iniciais, cv.[7]

Quando os criminosos voltaram às ruas, tinham não apenas uma motivação ideológica para suas atividades — agora roubavam em nome da justiça social —, mas também uma nova estrutura hierárquica. A autoridade derivava basicamente da experiência na prisão: quanto maior a sentença e mais frequentes as fugas, maior a influência que o indivíduo podia reivindicar dentro da organização.

No começo dos anos 1970, havia uma divisão dentro do presídio Cândido Mendes — um segundo grupo de bandidos que se recusava a reconhecer a autoridade da liderança do Comando Vermelho original. Conhecidos como Falange Jacaré, formaram uma nova organização, o Terceiro Comando, que nos anos 1990 iria contestar o poder do Comando Vermelho numa série de terríveis guerras mortíferas entre as facções. Até hoje pode-se identificar uma favela do Terceiro Comando pelos grafites de jacarés armados até os dentes.

O nascimento dessas facções criminosas prenunciou uma imensa transformação na vida das favelas. As estruturas tradicionais de poder e respeito seriam eliminadas por uma das forças sociais mais poderosas que o Brasil já conheceu — os traficantes.

4. Corpos
1980-1987

O otimismo se espalhava em muitas favelas do Rio durante a meninice de Antônio. A ditadura militar imposta em 1964 estava perdendo força. As favelas faziam experiências com a democracia, fortalecendo as associações de moradores. Estas se uniam em torno da necessidade de se reconhecerem os direitos de propriedade dos moradores, mas logo passaram a fazer reivindicações mais audaciosas. Acima de tudo, queriam que a Polícia Militar deixasse de perseguir os pobres do Rio. Da mesma forma, queriam acabar com as práticas extorsivas da Comissão de Luz no fornecimento de energia elétrica. Isso fazia parte das reivindicações para regularizar todos os serviços públicos nos cortiços, incluindo redes de água e de esgoto. Havia enorme necessidade de uma rede de esgoto que substituísse os esgotos a céu aberto, notoriamente imundos, que corriam pelas ruelas estreitas.

Logo a agitação nas favelas deixou de parecer iniciativa de um bando de gente importuna e começou a se configurar como o início de um movimento político. No Rio, a radicalização se tornou uma vanguarda tanto para as associações dos moradores de classe média quanto, e mais importante, para os que queriam substituir os militares no poder. Isso, por sua vez, coincidiu com a militância crescente do sindicalismo em São Paulo, inspirada por um grupo de jovens líderes carismáticos, entre eles o futuro presidente Luiz Inácio Lula da Silva. Sob a pressão dessas e outras forças, o regime militar vinha se enfraquecendo e, à medida que os generais já não pareciam tão convictos de sua missão, a perspectiva de uma grande mudança começou a entusiasmar o país em geral.

As Forças Armadas sinalizaram sua intenção mais ampla de soltar as rédeas do governo em 1982, quando concordaram em permitir que cidades e estados de todo o país realizassem eleições antes de uma eleição nacional.

O aparecimento do movimento de bases no Rio foi um desdobramento importante, anunciando um período de grande otimismo na cidade e no país. O movimento que exigia a volta da democracia se fortaleceu, abrangendo classes e eleitorados muito diferentes. Muitos cariocas se lembram com afeto do período como uma segunda belle époque da cidade, em que reinava o sentimento de esperança.

Enquanto o Rio se preparava para a volta da democracia no nível municipal e estadual, os políticos começaram a perceber pela primeira vez que as favelas constituíam um rico filão de votos em potencial. Eram, no mínimo, mais valiosas do que os bairros de classe média, mais dispersos. Pois, se fosse possível exercer influência nas associações de moradores das favelas, o candidato a prefeito ou a governador poderia contar com um grande número de votos nas urnas. Eles começaram a entender que os líderes das associações poderiam arregimentar votos em troca de benefícios materiais após a vitória do candidato.

A economia das favelas também florescia. O mercado nordestino na parte baixa da Rocinha era uma das maiores feiras ao ar livre do Rio, com vários produtos frescos que chegavam todos os dias, transportados em viagens cansativas que levavam mais de 24 horas. Novas lojas e lanchonetes estavam sendo abertas perto dos pontos de ônibus onde as pessoas pegavam a condução para ir à Barra ou ao Leblon. E a expansão física da Rocinha, com cerca de 2 mil pessoas por ano, indicava que o setor de serviços da cidade crescia de maneira vertiginosa. Os pais de Antônio nunca ficaram desempregados, mas o fluxo constante de novos imigrantes sempre garantia que os salários continuassem lá embaixo.

Na Rocinha, havia duas associações, e cada qual se apresentava como a verdadeira representante dos moradores. Os dois presidentes eram igualmente notáveis, embora muito diferentes entre si. A figura mais carismática de toda a favela era, talvez, Zé do Queijo. Era um retirante nordestino, vindo da Paraíba. Desde sua chegada, nos anos 1960, ele havia monopolizado a distribuição dos terrenos no bairro central da Cachopa durante o rápido crescimento da Rocinha nos anos 1970 e 1980. Com seu basto cabelo crespo e óculos escuros, Zé do Queijo desfilava pela favela com duas pistolas, uma de cada lado. Até hoje, há quem o chame de Lampião da Rocinha, o Robin Hood do Nordeste brasileiro.

Zé do Queijo cultivava de modo deliberado os milhares de retirantes nordestinos que chegavam todos os anos ao Rio, assim fortalecendo sua influência na favela. Recebia-os com empréstimos a juros baixos e auxílio para encontrarem moradia e emprego. Isso gerava uma profunda lealdade entre os recém-chegados, que, desorientados, se sentiam reconfortados com o sotaque familiar de Zé e de bom grado se ligavam ao "homem forte" — na tradição do coronelismo.[1] Encorajado por Eleonora Castaño, uma socióloga da Pontifícia Universidade Católica do Rio de Janeiro, que se apaixonara pela Rocinha e por ele, Zé do Queijo transformou sua rede informal numa das duas associações de moradores. Era um homem robusto e intimidador. Suas pretensões de autoridade política tinham fundamento, mas não eram democráticas nem transparentes.

Sua adversária era uma figura igualmente marcante. Maria Helena Pereira, de 25 anos, uma assistente de ensino de grande vivacidade, fora eleita como presidente da associação original de moradores. Quando a ditadura começou a se enfraquecer, as mulheres das favelas foram das primeiras a se mobilizar, organizando-se e apresentando suas reivindicações. Além de criar os filhos, elas com frequência são as principais ou únicas provedoras do lar. Na falta de creches e escolas primárias, montavam esquemas complicados entre si para que sempre houvesse uma a cuidar dos filhos das vizinhas. Até hoje, as crianças da favela passam entre várias mães, que fazem rodízio para cuidar delas. E até muito pouco tempo as mulheres também tinham de lavar, cozinhar e limpar sem água corrente, e assim precisavam montar escalas para buscar água na torneira comunitária.

A candidatura de Maria Helena para a direção da associação de moradores era patrocinada pela incipiente organização feminista da favela. Ela era a primeira mulher a romper a dominação masculina geral das estruturas políticas locais. Como Zé do Queijo, distribuía os produtos de primeira necessidade para o maior número de pessoas que podia. Na época, o governador do Rio determinara a distribuição de leite às favelas da cidade. A tarefa ficou ao cargo da Polícia Militar, e Maria Helena, tendo amigos no posto próximo da PM, coordenava a distribuição num grande reservatório nas partes mais altas da favela. Enquanto Zé do Queijo dominava as áreas intermediárias da Rocinha, o poder de Maria Helena se concentrava no alto, perto da rua 1, e embaixo, na zona comercial.

Segundo seus amigos, Maria Helena vivia com medo de Zé do Queijo, e às vezes os atritos entre respectivos apoiadores descambavam para a violência. Em 1983, o choque entre ambos alcançara tal intensidade que chamou a atenção de Leonel Brizola, o novo governador democraticamente eleito do Rio de Janeiro.

A eleição de 1983 foi a primeira experiência da Rocinha com a democracia e gerou imenso entusiasmo. O secretário de Estado de Justiça compareceu em pessoa para supervisionar a apuração das urnas, enquanto pequenas delegações de cada bairro se dirigiram cerimoniosamente dos postos eleitorais até o salão em Barcelos para aguardar os resultados. Maria Helena, com cerca de 5 mil votos, ganhou por um fio. Os dois lados alegaram que os votos nos bairros que davam maioria ao adversário tinham sido fraudados. Talvez fosse verdade, mas os dois devem ter entendido que a fraude mútua acabava se anulando. A Rocinha foi celebrada como modelo não só para as demais favelas, mas também para outros bairros.

Embora tenha perdido a eleição, Zé do Queijo não desapareceu. A Cachopa continuou sendo seu reduto, onde a associação de moradores comandada por Maria Helena tinha pouca influência. Mas os dois rivais tinham outros inimigos mais perigosos. Zé do Queijo dirigiu sua animosidade ao tráfico de drogas. E isso o levou inevitavelmente a entrar em conflito com o chefão local, Dênis da Rocinha.

Fazia meia década que se notavam os sinais de mudança. Em 1984, Dênis mostrou sua impiedade ao ordenar o assassinato de um homem que dirigia uma boca de fumo concorrente, no largo do Boiadeiro. Dênis não era propriamente um matador, mas todos sabiam o que deviam fazer quando ele aparecia com determinada bermuda branca. Um morador da favela daquela época relembra: "Se ele saía de casa com aquela bermuda branca, significava que alguém ia morrer naquele dia". E continua: "Não era sempre que acontecia, mas, quando acontecia, todo mundo se dispersava e saía da frente dele. Ele era muito eficiente naquilo — a coisa toda terminava em questão de meia hora, por aí".[2] Depois de despachar a vítima, Dênis voltava para casa e trocava de roupa, como sinal para os colegas moradores de que o perigo tinha passado e a vida podia voltar ao normal.

Como primeiro Dono do Morro, ele inaugurou, talvez de forma inconsciente, o modelo que muitos chefes no Rio passariam a adotar — ganhar o apoio local distribuindo alguns lucros do tráfico de drogas, mas mandando a inimigos e rivais a mensagem muito clara de que a dissidência desencadearia um uso excessivo da força. "O tráfico de drogas foi um mal necessário", afirma Antônio ao rememorar a época de Dênis. "Acredite em mim. Se não fossem os traficantes, todo mundo estaria roubando, todo mundo estaria matando. A gente ia amanhecer morto. O negócio das drogas ocupou o vazio deixado pelo Estado. Do contrário, aquilo ia ficar um território sem lei."

Mais tarde, os donos do morro também construíram um terceiro pilar para sustentar o edifício de seu poder: a corrupção da polícia. Cada chefão punha pesos diferentes nesses pilares, o que significava que o clima mudava drasticamente de favela para favela e de chefão para chefão. As observações de Antônio sobre a aparência de estabilidade fornecida pelos traficantes eram válidas desde que o chefe em questão não se baseasse demais nas armas. Nas favelas em que isso acontecia, a ausência de lei voltava rápido — e o desfecho podia ser de extrema brutalidade.

Enquanto aumentava a rivalidade entre Zé do Queijo e Dênis, ela se refletia na deterioração de outra relação, a saber, entre Maria Helena, adversária de Zé, e Luiz Costa Batista, o rei do jogo do bicho na Rocinha. (A antipatia de Zé e de Batista em relação a Maria Helena aumentava ainda mais por saberem que ela era desesperadamente apaixonada por Dênis — e não era a única, de maneira nenhuma.)

Até a chegada da cocaína às favelas, quem comandava o jogo do bicho comandava todo o submundo. Dênis, chefe das drogas, e Batista, rei do jogo do bicho, julgavam que a associação de moradores era uma fera arisca que primeiro precisava ser domada e depois enjaulada. A luta entre Maria Helena e Zé do Queijo, mais ou menos democrática, converteu-se numa disputa indireta pelo poder entre os representantes locais do tráfico de cocaína e do jogo do bicho. E Dênis não estava brincando a esse respeito — tinha ambições políticas, tendo absorvido os ideais socialistas transmitidos da prisão de Ilha Grande pelos membros fundadores da Falange Vermelha.

Mas, até 1987, os bandidos do jogo do bicho e os do tráfico de drogas mantiveram a cooperação pelo menos numa data anual: 27 de setembro, dia de são Cosme e são Damião, quando se distribuem doces e brinquedos a crianças. Na Rocinha, as duas organizações clandestinas bancavam um caminhão enorme com uma carroceria de seis rodas, que descia devagar pela estrada da Gávea até a parte baixa, distribuindo doces às crianças da favela ao longo de todo o caminho. Mas, naquele ano, a flâmula no alto do caminhão festejava apenas o rei do jogo do bicho — não havia nenhuma indicação do papel de Dênis na festa. Maria Helena ficou furiosa com essa traição ao amante e deixou seus sentimentos bem claros para toda a favela. Os representantes de Dênis ficaram indignados, e foi o que bastou para se porem em pé de guerra. A tensão se espalhou pela Rocinha.

Em outubro de 1987, numa manhã quente e úmida, bateram à porta da casa de Maria Helena. Quem bateu sabia o que estava fazendo, pois ela só abria a porta a um determinado sinal: uma batida rítmica e uma senha. Ao atender, ela levou três tiros no peito e no rosto e morreu na hora.

Ninguém responsabilizou Batista de maneira aberta pela morte de Maria Helena — em parte porque ninguém tinha certeza de que era ele o responsável. Podia ter sido seu arquirrival político, Zé do Queijo. Alguns chegaram a murmurar que Dênis encomendara sua morte. Não parece muito provável, pois consta que ele tinha o sonho de poderem algum dia emigrar juntos para os Estados Unidos e ter filhos.

Outros sugeriram que o assassinato resultou do ríspido confronto dela com o então secretário de Estado de Assuntos Sociais, e que alguém do governo tinha mandado matá-la. Os motivos e a identidade do assassino de Maria Helena continuaram um mistério. Mas sua morte deixou claro que, a partir daquele momento, o envolvimento na política da favela traria riscos muito sérios. Maria Helena não era a primeira nem a última aspirante a política que pereceria nas engrenagens da corrupção política do submundo ou das altas esferas.

Após sua morte, o silêncio envolveu a favela. O mesmo aconteceu três meses depois, quando Zé do Queijo foi executado. Em conversas reservadas, a maioria das pessoas achou que essa morte se dera a mando de Dênis. Mas, se alguém tinha alguma prova concreta, não se dispôs a apresentá-la.

Apesar desses fatos dramáticos, Antônio, como a maioria dos moradores da Rocinha, lembra a época de Dênis como uma era de relativa tranquilidade. Foi um período anterior ao mergulho da Rocinha, assim como de outras favelas, no caos sangrento dos anos 1990. Em comparação à década seguinte, de fato Dênis era uma figura benévola. Como a pequena criminalidade aumentava numa época de grande mudança social, "as pessoas recorriam a ele para resolver seus problemas", segundo Antônio. "Os ladrões, por exemplo, recebiam o recado de que não podiam mais roubar — e paravam de roubar. Se alguém costumava atirar nos outros por causa de alguma discussão numa festa, ficava sabendo que não poderia mais fazer isso" porque Dênis não admitiria.

Na falta de uma polícia operante dentro da favela, Dênis e o tráfico de drogas começaram a ocupar esse papel. Não havia, claro, nenhum regime de prisão para os delitos cometidos e, assim, o sistema penal de Dênis ia desde a advertência verbal à execução.

Por razões pessoais, Antônio preferiria que as sanções impostas pelo comando de Dênis tivessem chegado antes. "Quem sabe? Se estivessem em vigor, talvez meu irmão não pudesse fazer o que fez com meu pai. Talvez ele tivesse mostrado mais respeito."

Apesar da estabilidade que criou, Dênis foi um dos responsáveis por esmagar o delicado botão de democracia na Rocinha, numa época em que ele apenas começara a florescer. A rivalidade entre o cartel de drogas e a máfia do jogo do bicho continuava. Era um jogo de xadrez complicado. Figuras muito bem protegidas como Luiz Batista exerciam influência em círculos políticos e na polícia, alguns deles se coçando de vontade de se envolver nas atividades da favela e nos rendimentos que isso traria. A brigada de vendedores de drogas, sempre crescendo, estava ganhando mais recursos. Esse dinheiro mais tarde geraria um volume extraordinário de armas entrando nas favelas.

Saindo da primeira infância, o menino Antônio começou a fazer vários amigos que viviam perto de sua casa na rua 4.

A favela estava crescendo tão depressa que logo se dividia em bairros claramente distintos. Em cada bairro havia um pequeno bando. O da vizinha Cachopa era formado por imigrantes duros e rijos da Paraíba. Depois havia o grupo do Valão, nome derivado do grande esgoto a céu aberto que corria pelo meio da rua principal. O Roupa Suja era talvez o bairro mais miserável — título pelo qual havia uma concorrência acirrada. Ele também tinha sua quadrilha.

Alguns desses meninos se promoveram a "ratos de praia", o equivalente carioca dos meninos de Fagin em *Oliver Twist*, de Charles Dickens, que planejavam em detalhes ataques aos hotéis e praias de São Conrado, surripiando pertences de pessoas e escapulindo para o ponto de encontro, perto da igreja de Nossa

Senhora da Boa Viagem, na Rocinha. Lá, eles repartiam o butim entre todo o bando. Um dos cúmplices mais valorizados era Federal, um pastor alsaciano, envolvido em "uma elaborada estratégia: um dos garotos ia na frente, assobiando e atirando areia nos pertences da vítima. Era o sinal para o cão se aproximar aos saltos, agarrar o tesouro e sair com ele na boca".[3]

O bando a ser evitado era o da rua 1. Essa rua era um importante ponto de entrada na favela para os novos imigrantes nordestinos. Era também um lugar que as pessoas preferiam deixar o mais rápido possível, de modo que a rotatividade ali era bastante alta, conforme os moradores iam subindo na vida e descendo o morro metro a metro. Quanto mais desciam, mais respeitáveis se tornavam. A área criou uma atmosfera de desesperança que alimentava uma atitude de leve despeito. O valentão da hora se tornava especialmente saliente e agressivo entre sua rapaziada.

A escola de Antônio ficava na Gávea, de modo que, desde os onze anos, todos os dias ele pegava o ônibus que subia o morro e passava pela rua 1, efetivamente o desfiladeiro do morro. A essas alturas, o garoto sabia que ela havia se tornado o centro do narcotráfico da Rocinha, e por isso preferia evitar o bairro. Situada no alto da favela, logo abaixo do seu ponto mais elevado, a rua 1 era um observatório muito prático: dali era possível controlar todas as entradas e saídas da Gávea logo que passava o pico do morro, e enxergar o panorama da favela inteira do outro lado.

Com a chegada dos anos 1990, o clima na Rocinha começou a mudar. E quanto mais velho Antônio ficava, mais gente ele via morrer. "A certa altura, você acordava e descobria que tinham matado mais um durante a noite", conta. Os corpos começaram a aparecer uns dois anos depois que ele começou a cursar a quinta série. Logo os rumores de um novo cadáver — às vezes um anônimo, às vezes um conhecido de vista — se tornaram quase diários.

Certa vez, quando Antônio ainda não tinha nem dez anos, um amigo chegou esbaforido e, puxando-o pela camisa, insistiu para que o acompanhasse. "Tem um corpo", ele cochichou, "tem um corpo que você precisa ver." Eles entraram numa construção de concreto abandonada, com uma janela sem vidraça por onde entrava a luz. No chão havia um corpo coberto com um pano branco. Os dois ergueram o pano devagar. Em vez de um rosto, havia uma massa de carne e ossos. Horrorizado, Antônio viu que a maior parte da cabeça fora destroçada a tiros e os miolos estavam grudados na parede. Os meninos largaram o pano e saíram correndo, apavorados. Antônio nunca mais se esqueceu daquela imagem.

Em 1987, Gerardo, pai de Antônio, tinha começado a trabalhar num barzinho na rua Bolívar, em Copacabana, bem perto da praia e duas casas adiante do cine Roxy, outra grande relíquia do período art déco carioca.

Numa tarde de primavera em 1988, ele estava atendendo no balcão quando um rapaz entrou e pediu uma cerveja. O freguês ficou sentado discretamente por uma hora, mais ou menos, e então foi ao banheiro. Saiu segurando uma pistola, que apontou para o dono do bar, e exigiu a féria do dia. Num gesto de coragem desesperada para salvar a vida do patrão, Gerardo cravou os dentes no braço do assaltante. Gritando de dor, o rapaz abaixou a arma e disparou no joelho de Gerardo. Ao cair no chão, levou junto o naco de carne que arrancou do braço do assaltante. A única coisa em que conseguiu pensar naquela hora, como disse mais tarde à esposa, foi que nunca mais veria o filho.

Fugindo do caos, o patrão de Gerardo correu para uma viatura que, por acaso, estava estacionada na frente do Roxy. Poucos segundos após o tiro, os policiais derrubaram e imobilizaram o assaltante no chão. Prenderam-no e levaram-no embora.

À meia-noite e meia, Antônio, com doze anos, voltou do Hotel Intercontinental — uma caminhada de dez minutos, no bairro rico de São Conrado. Ele havia abandonado os estudos para trabalhar. Um de seus serviços era apanhar bolas nas quadras do Intercontinental. Trabalhava como boleiro seis horas por dia, a partir das seis da tarde, pegando bolas para os tenistas amadores do Rio. Correr e pegar. Pegar e correr. Em dezoito meses de serviço, os integrantes da elite tenista de São Conrado raramente haviam trocado alguma palavra com o menino, exceto para pedir que pegasse outra bola. "Eu me sentia como um daqueles disparadores automáticos de bolas", diz ele, e afasta o pensamento como se fosse algo natural. Os jogadores de tênis a que ele servia faziam parte da classe média alta do Rio, mas, para Antônio, era como se viessem de outro planeta.

Seu pai costumava voltar do bar no começo da madrugada. A mãe, claro, dormia no emprego em Copacabana. Sem telefone na favela, Antônio ficou sem saber de nada até a manhã seguinte, quando os paramédicos trouxeram Gerardo para casa, com a perna engessada. Foi um serviço muito rápido para um joelho cuja rótula acabara de ser estraçalhada, mesmo pelos padrões do atendimento médico no Brasil.

Com o marido sem trabalhar, dona Irene arrumou outro emprego numa construção na Barra — trabalho físico pesado para uma mulher franzina na faixa dos quarenta anos, mas o salário era um pouco maior do que o de empregada doméstica. Antônio recebia apenas alguns trocados como boleiro no Intercontinental, enquanto Carlos ainda não arranjara emprego. Com um dependente inválido e renda menor, a família caiu abaixo da linha da pobreza.

Imóvel e inativo, Gerardo, que sempre fora um sujeito forte e trabalhador, vivia assediado pela depressão e pelo desespero. Até então muito sociável, agora falava cada vez menos e com uma inédita indiferença. À medida que ele enfraquecia, o filho assumiu o papel de enfermeiro. A ferida da perna nunca fechou. Pelo contrário, havia partículas de metal infeccionando sob a epiderme, ameaçando o sistema cardiovascular, e os pulmões já eram fracos devido a uma tuberculose. Pouco antes de se passar um ano desde que levara o tiro no joelho, e nem sequer tendo chegado aos quarenta anos, Gerardo sofreu um grave derrame. Uma semana depois, um forte ataque cardíaco seguido pela falência pulmonar acabou por liquidá-lo. É bem verdade que seu desejo de rever o filho fora atendido, mas apenas para que o menino o visse definhar e morrer.

Antônio não se sentiu capaz de comparecer ao enterro do homem que considerava como pai e mãe. E jurou que nunca entraria em vida num cemitério.

5. Colapso moral
1989-1999

Em 1987, enquanto aproveitava as praias e as mulheres de Florianópolis, Dênis da Rocinha foi preso. Quando a notícia de sua detenção chegou à favela, ela se pôs em rebelião contra os vizinhos de classe média, "montando um espetáculo de violência que a imprensa, de forma sensacionalista, chamou de 'guerra civil'", disse uma observadora. Ela conta que os moradores da Rocinha foram para as ruas e bloquearam a entrada do túnel Zuzu Angel, causando o maior congestionamento da história em grande parte da Zona Sul. A polícia, com sua habitual abordagem intransigente, desimpediu o túnel usando gás lacrimogêneo e balas de borracha. Mas não pôde impedir que os revoltosos atirassem pedras nos carros que passavam. Os protestos só pararam quando, por fim, Dênis enviou da prisão um recado para que parassem.

A solidariedade a Dênis mostrou como, em cinco anos, o chefe de um cartel de drogas se tornara o líder de uma comunidade cada vez mais frustrada. Dênis era um assassino, mas administrava seu sistema arbitrário de justiça e consolidava seu controle da favela sem recorrer a armas de grande calibre.

Sua prisão criou um medo generalizado na Rocinha. Carlos Santos, um segurança da rua 1, meneou a cabeça quando soube da notícia. A Rocinha, disse ele preocupado, "vai virar bagunça. Agora vão começar as brigas entre quadrilhas e a gente fica no meio, como sempre".[1]

Embora preso na famosa cadeia de Bangu, Dênis continuou a comandar o narcotráfico de dentro da cela. Sua autoridade na Rocinha se manteve inconteste. Ele próprio havia indicado seus sucessores e dispunha de fundos suficientes para garantir que os guardas da prisão fechassem os olhos às mensagens que enviava para sua organização. Tinha tanta autoridade que, por alguns anos, foi capaz de garantir que não eclodisse nenhuma luta pelo poder durante sua ausência.

Mas os subordinados eram impetuosos, sobretudo por serem muito jovens. Brasileirinho, o mais novo do quarteto que assumira o comando da operação de drogas, tinha apenas onze anos. Poucos meses depois da prisão de Dênis, ele participou de um rápido evento de grande simbolismo, que foi talvez o melhor prenúncio a assinalar a escuridão que desceria sobre o Rio de Janeiro durante a década de 1990 e mesmo depois.

Após o enterro de um dos quatro representantes de Dênis, morto pela polícia, os outros líderes, entre eles Brasileirinho, vestidos de branco, subiram a um dos telhados da Rocinha. Lá ergueram suas semiautomáticas e dispararam uma salva ao camarada morto, fazendo lembrar as cerimônias paramilitares do resto do mundo. Era um desafio arrogante à polícia e à autoridade do governo numa época em que o Estado brasileiro ingressava num período de crise profunda.

Em 1989, as primeiras eleições presidenciais diretas depois de 25 anos se sobrepuseram a todos os outros acontecimentos. Foi uma conquista enorme. Mas, enquanto se erguia o sol da democracia, aumentavam as sombras em algumas partes do país.

Além do drástico aumento da violência relacionada às drogas, a hiperinflação voltara ainda mais forte, após o fracasso do programa econômico implementado pela equipe de transição do presidente José Sarney.

A eleição de Fernando Collor de Mello foi um pesadelo em quase todos os aspectos imagináveis. Deixando de lado a inflação, o congelamento da poupança e a redução ou suspensão das tarifas de importação, todos ao mesmo tempo, culminando no impeachment do presidente, a perigosa fragilidade da democracia recém-restaurada coincidiu com a inundação de cocaína no país. Esse novo setor se infiltrava em todas as áreas da vida, e grupos do narcotráfico internacional vinham adquirindo importância cada vez maior no ramo.

O dinheiro da corrupção de Collor era, em grande parte, lavado em Miami — prática que seu próprio irmão revelou em uma entrevista decisiva para a queda do presidente. Miami era a fonte primária dos armamentos cada vez mais pesados que entravam no Brasil, em geral em remessas que passavam pelo Paraguai. O coordenador da força-tarefa antidrogas do Rio, Francisco Carlos Garisto, reclamou muito do tráfico de armas. "Os Estados Unidos vendem armas a qualquer um, e pouco se importam se elas vão para a Irlanda ou para o Brasil", disse ele, acrescentando que 99% das armas apreendidas entre as organizações criminosas do Rio provinham da Flórida.

Isso não batia com os fatos. Dois terços das pistolas e revólveres confiscados de bandidos cariocas nos anos 1980 e 1990 eram, na verdade, de origem nacional. O país fora por muitos anos um importante produtor de armas de pequeno calibre — e continua a ser, figurando hoje como o segundo maior exportador do hemisfério, depois dos Estados Unidos. Mas as metralhadoras que permitiram ao narcotráfico enfrentar e depois superar os armamentos da polícia do Rio eram, de fato, importadas do exterior.

Foi durante o primeiro ano de Collor na presidência que a polícia do Rio de Janeiro encontrou a primeira semiautomática, uma Ruger 556 fabricada em Connecticut, nas mãos de um traficante do Complexo do Alemão, na Zona Norte da cidade. Essa foi a grande guinada. Armas como a Ruger eram infinitamente superiores às dos policiais. Os traficantes de drogas agora estavam em condições de se tornar uma força paramilitar autônoma, o que viria a transformar seu potencial de violência em poder político.

As Rugers, os Colt AR-15, as Kalashnikovs e, depois, as Uzis garantiam nítida vantagem dos grupos criminosos das favelas sobre a polícia local, em geral equipada com armas inferiores, fabricadas no Brasil (para apoiar a produção nacional e diminuir os custos). Os próprios policiais de baixo soldo, bem como integrantes das Forças Armadas, sempre passíveis de corrupção, tornaram-se fornecedores importantes de armas para as organizações do crime.

O AR-15, o favorito dos traficantes, custava cerca de 2 mil dólares nos Estados Unidos. No Rio, o preço girava em torno de 4 mil a 5 mil dólares, de forma que, enquanto os traficantes brasileiros obtinham grandes lucros com a venda de cocaína aos Estados Unidos e à Europa, os negociantes de armas americanos recuperavam boa parte desse dinheiro. A lógica da guerra às drogas, ainda firmemente adotada em Washington e na maioria dos países europeus, criara um círculo vicioso de matanças e excessos que uniam os fabricantes de armas dos Estados Unidos, os traficantes da América do Sul e os consumidores de cocaína das classes médias de Berlim a Los Angeles.

O processo que levou à proibição das drogas, entre elas maconha, cocaína e heroína, coincidiu nos Estados Unidos com o movimento que reivindicava a proibição das bebidas alcoólicas. Nos anos 1920, a polícia federal começou a prender usuários de álcool e drogas, mas o presidente Roosevelt, depois de cumprir sua promessa de anular a proibição das bebidas, impôs restrições ainda mais severas ao consumo de drogas no país. Também incentivou os países dos vários continentes a entrar na luta contra a produção, distribuição e consumo de drogas, agora ilegais.

Nos anos 1960 houve um grande aumento do uso de drogas no Ocidente, quando os *baby boomers* adquiriram o hábito de consumir não só maconha e heroína (popularizada pelos soldados que lutavam no Vietnã, muitos dos quais se tornaram usuários constantes para enfrentar o trauma da guerra), mas também drogas psicodélicas como o LSD. Em 1971, essa popularidade levou o presidente Nixon, com suas políticas conservadoras, a declarar "guerra às drogas". Desde então, um volume significativo de recursos passou a ser aplicado no combate ao consumo no país e à produção e distribuição no exterior. Nixon criou a Drugs Enforcement Administration (DEA), agência governamental antidrogas, dando-lhe grandes poderes e enviando agentes por todo o mundo para colaborar com as agências policiais locais na perseguição aos produtores e traficantes.

O impacto econômico da guerra às drogas foi igual ao impacto da proibição do álcool em Nova York, Chicago, Flórida, Atlantic City e Los Angeles. A demanda por uma substância proibida levou a um grande aumento nos preços, pois o valor da compra incluía uma taxa ou um ágio exigido pelos produtores e distribuidores para o fornecimento de uma mercadoria ilícita. A subida dos preços da heroína, desde o cultivo à venda nas ruas europeias ou americanas, é mil vezes superior à dos lucros obtidos na cafeicultura.

Esses lucros garantem que traficantes, a fim de proteger seus mercados, tenham condições de contar com armamentos e efetivos organizacionais com poder suficiente para enfrentar o Estado. No caso mais famoso, Pablo Escobar, do Cartel de Medellín, chegou a certa altura a se oferecer para quitar toda a dívida nacional da Colômbia.

Segundo amplas pesquisas realizadas sob o governo britânico em 2004, apenas 20% das drogas ilícitas importadas que entram a cada ano no Reino Unido são interceptadas pela polícia. Para que a atividade dos traficantes deixasse de ser lucrativa sob a guerra às drogas, seria preciso apreender 80% do tráfico. Essa guerra não tem feito grande coisa a não ser encher as cadeias com pequenos usuários, criar um problema crônico de saúde pública e levar centenas de bilhões de dólares ao ano para as mãos de terroristas e criminosos.

A única coisa que a guerra às drogas não conseguiu fazer no mundo ocidental foi cumprir seu objetivo: que as pessoas parassem de usá-las. O consumo nunca foi tão grande. Mas o impacto da política americana e europeia tem sido muito mais cruento nos países de produção e distribuição das drogas. Desde os anos 1980, quando a indústria da cocaína criou um apelo de massas, centenas de milhares de centro-americanos e sul-americanos têm sido mortos em decorrência da guerra às drogas. Como gringo de um país que é ardoroso defensor dessa política, poucas coisas me parecem mais imorais (e a concorrência é acirrada).

A transição democrática no Brasil e nos países vizinhos durante as décadas de 1980 e 1990 levou ao surgimento daquilo que um observador perspicaz definiu como a primeira "empresa multinacional da América Latina e o primeiro exemplo de genuína integração econômica: a produção, o processamento e a distribuição de cocaína".[2]

Em 1982, antes que o comércio ilegal de cocaína mudasse o cenário econômico e social da cidade, o índice de assassinatos no Rio de Janeiro era igual ao de Nova York: 23 homicídios por 100 mil habitantes. Sete anos depois, em 1989, os números de Nova York mostravam uma diminuição lenta e constante. No Rio, quase triplicaram, indo para 63 por 100 mil.[3]

Essas estatísticas revelam muito sobre o Brasil. Antes da epidemia de cocaína, não se matavam pessoas em grande quantidade. A cultura local não era intrinsecamente mais violenta do que a norte-americana. O declínio do Rio, iniciado no final dos anos 1980, decorreu sobretudo de uma política que havia falhado por décadas a fio: a guerra às drogas. Primeiro a Colômbia, depois o Caribe e o Brasil, e por fim o México têm pagado com o sangue de centenas de milhares de homens, mulheres e crianças por uma política de proibição dos narcóticos que, se fizesse parte de uma estratégia do setor privado, teria sido abandonada décadas atrás por ser contraproducente.

No Brasil, tais circunstâncias desencadearam conflitos urbanos complexos que, nos anos 1990, afetaram o Rio, sobretudo a Rocinha e muitas outras favelas, mais do que qualquer outra cidade no país. Em termos do total de mortes registradas, foi um conflito de pequeno porte. Mas, nas favelas, os índices de homicídio eram comparáveis aos de países em guerra.[4]

No começo, o conflito se dava entre traficantes e policiais. Então aconteceu algo singular no Rio que não ocorreu em nenhum outro lugar do Brasil: desencadeou-se uma guerra implacável entre os próprios traficantes, uma guerra que transformou a Rocinha, até então uma comunidade pobre mas pacífica, aninhada no majestoso cenário da Mata Atlântica, num turbilhão de morte e miséria.

O mundo além das fronteiras brasileiras também estava mudando. Os Estados Unidos e a Grã-Bretanha tinham detonado o Big Bang — a desregulamentação dos mercados financeiros que, com o tempo, iria alterar a estrutura do capitalismo global e pôr em foco a desigualdade das riquezas. No Leste Europeu, o comunismo caiu, criando uma vasta zona sem lei, que se estendia da Iugoslávia a oeste até as fronteiras da China a leste, onde surgiria uma grande variedade de máfias em busca de novas oportunidades comerciais. Volumes enormes de dinheiro foram injetados na economia. O mundo teve uma explosão de crescimento, e a cocaína explodiu junto com ele.

Em 1980, os cartéis colombianos estavam exportando cerca de cem toneladas de cocaína para os Estados Unidos. Uma década depois, esse número havia decuplicado. A onda da cocaína alcançou a Europa cerca de cinco anos após ter penetrado nos neurônios das classes de profissionais liberais americanas. Seguindo-se às revoluções no Leste Europeu e na União Soviética em 1989 e 1990, as novas máfias daquela região procuraram conexões com grupos do crime organizado da Itália e, por meio deles, estabeleceram relações diretas com os cartéis colombianos para a importação de quantidades sempre maiores de cocaína para a Europa.

Como empresários muito dinâmicos, os cartéis colombianos reagiram a essa nova demanda abrindo duas rotas básicas para o comércio atacadista da cocaína refinada que passavam pelo Brasil. A primeira delas ia pelo norte, entrava na ex-colônia holandesa do Suriname e atravessava o Atlântico. A segunda ia para o sul, até o porto de Santos.

Como regra geral, quando um país se torna parte de uma rota importante do narcotráfico, ele logo cria um mercado consumidor próprio, e isso sem dúvida se aplicava ao Brasil. Suas fronteiras com a Colômbia, Peru, Bolívia e Paraguai — todos produtores de drogas — se estendem por quase 9500 quilômetros. Grande parte é ocupada pela densa Floresta Amazônica, onde é fácil limpar algumas pequenas áreas para construir as pistas de aterrissagem necessárias para importar desses quatro vizinhos a oeste toneladas incontáveis de cocaína em pasta ou em pó e fardos compactos de maconha. No final dos anos 1980, havia centenas dessas pistas espalhadas por toda a área.

Os controladores do tráfico retiravam uma pequena porcentagem do que recebiam no território e enviavam o restante para a Europa. Os dois principais mercados internos dessa mercadoria em moda recente eram São Paulo e Rio de Janeiro, a cidade festeira.

Devido à sua localização entre São Conrado, Gávea e Leblon, a Rocinha se tornou o distribuidor principal de cocaína para os jovens dos três bairros de classe média alta. Embora alguns jovens da favela adquirissem gosto pela coca, ela era e ainda é, como em todo o resto do mundo, uma droga da garotada rica. Em vista da enorme desigualdade social do país, os endinheirados estavam dispostos a pagar pelo pó um preço lá em cima.

As consequências disso para a Rocinha foram colossais. Embora a favela vizinha do Vidigal, do outro lado de São Conrado e muito mais perto do Leblon, tivesse tomado a dianteira no fornecimento, a Rocinha era muitíssimo maior e, fato fundamental, parecia um pouco menos perigosa para a rapaziada rica que queria pó.

Na década seguinte, tiroteios, torturas e excessos se tornaram muito mais frequentes nas favelas. A maioria esmagadora dos moradores da Rocinha aprendeu a se adaptar à nova estrutura de poder, sobretudo ficando de cabeça baixa, em termos literais e figurados. Por fim, 60% do gigantesco consumo de cocaína no Rio passou a ser traficado pela Rocinha.

6. Subindo o morro
Junho de 2000

O nome do Dono do Morro é Luciano Barbosa da Silva — que todos conhecem por Lulu. É admirado em toda a Rocinha, mas pouca gente chegou a vê-lo. Na verdade, mesmo alguns dos que trabalham para ele nunca o viram. Um garoto cerca de dez anos mais novo do que Antônio, com uma semiautomática atravessada no peito, mostra-lhe o escritório de Lulu.

Depois de uns vinte minutos, Lulu entra na sala, sorrindo, acompanhado por três "soldados" portando armas, mas ele mesmo desarmado. É magro e miúdo, com cabelo preto e um bigodinho no rosto de ossos salientes, mas o mais marcante é a ausência de qualquer ar ameaçador. O Dono parece mais o Mágico de Oz do que um Dom Corleone. Com 22 anos, é quase três anos mais novo do que Antônio.

Lulu cumprimenta o visitante com cordialidade e pergunta por que ele pediu essa audiência. Antônio conta a história da filha Eduarda e diz que não tem mais como bancar os custos do tratamento e de suas despesas diárias. "Minha filha vai morrer se eu não fizer nada", explica.

Lulu ouve em silêncio. Ao final da história, é brusco e direto: "De quanto você precisa?".

"Para pagar o tratamento, reformar o banheiro e tocar o dia a dia, uns 20 mil reais."

Lulu responde, sem hesitar: "Acho que podemos dar um jeito", e faz um aceno para um dos subordinados, que desaparece no interior da casa de três quartos.

A questão do pagamento paira na sala como o cheiro de maresia que às vezes vem do mar e se espalha pela Rocinha. Enquanto Lulu tenta desanuviar o ambiente, Antônio diz, de supetão: "Eu venho trabalhar para você. É o único jeito de conseguir pagar a dívida". Lulu parece surpreso, mas não diz nada. O subordinado volta e conta as notas. Antônio pega o dinheiro e aperta a mão de Lulu.

"Bom", diz o Dono do Morro devagar, "se é isso mesmo que você quer, pode trabalhar na segurança. Pode começar aqui na rua 1."

Antônio se arrisca a pedir um favor, sem saber se será recebido como uma solicitação razoável ou uma impertinência, pois acabaram de se conhecer e ele pediu uma dinheirama. "Eu preferia trabalhar na parte baixa da Rocinha, se possível, para ficar mais perto da família." Lulu não hesita: "Claro; vá ver o gerente em Barcelos e ele vai te dizer onde começar". O bairro comercial de Barcelos é uma das áreas mais movimentadas da favela, mas mesmo assim é um começo bem modesto. Antônio receberá instruções de ficar numa quebrada e, se vir algum policial, deve avisar com um grito combinado de antemão.

Do escritório de Lulu, ele desce a estrada da Gávea até a rua 4. Subiu o morro como Antônio. Desce como outro homem, a partir de agora conhecido pelo apelido de "Nem". Não havia nenhuma razão especial para isso, a não ser que era o caçula da família e sempre o chamaram Neném e Nem.

Antônio, o homem e suas aspirações, é posto de lado. Vanessa espera por ele. Não sabe como reagir. A filha tem uma chance de sobrevivência, mas ela admite que a vida da família vai mudar. Afinal, acabam de se despedir dos anos 1990. E o fino fio de sangue permeado de cocaína que chegou nas favelas no final dos anos 1980 agora é um rio correndo veloz.

PARTE II

HÚBRIS

No começo dos anos 1990, ocorreram no prazo de um ano dois fatos que indicavam que o Rio de Janeiro flertava com o colapso social e político. O primeiro deles, numa favela chamada Vigário Geral, mostrou que o Estado perdera o controle de suas forças legais e policiais. A polícia do Rio, em especial a Polícia Militar, tornara-se tão perigosa quanto qualquer facção do narcotráfico. O segundo, o assassinato de um traficante importante, desencadeou uma guerra mortal entre as favelas.

Essa guerra foi se aproximando cada vez mais da Rocinha.

7. Massacre
1993

> *O problema do tráfico só vai ser resolvido com sangue. É a única língua que eles entendem.*
>
> Mário Azevedo, policial do 21º DP,
> Rio de Janeiro, 1995[1]

Pouco antes das 23 horas do dia 28 de agosto de 1993, um sábado, o sargento Aílton Benedito Ferreira Santos recebeu um telefonema. Na mesma hora ele juntou mais três colegas e saíram numa viatura. O sargento não comunicou aos superiores que estava saindo, ao que tudo indicava para investigar um aviso de que havia homens armados na praça Catolé do Rocha, a menos de um quilômetro do posto policial.

O fato de não ter comunicado sua saída ao comando local não foi um lapso. Significava que ele ia aprontar alguma. Aílton era bastante conhecido por ali como chefe de um bando de extorsionários, todos da Polícia Militar. Como muitos PMs, eles aumentavam os magros salários com chantagens e propinas de traficantes de drogas. Suas principais áreas de atuação eram duas favelas da Zona Norte, Vigário Geral e a vizinha Parada de Lucas. Em termos locais, Aílton era poderoso, mas tinha inimigos perigosos. Numa de suas operações, cerca de dois anos antes, ele tentara extorquir e depois matara o irmão e a cunhada grávida de Flávio Negrão, o homem que agora era o Dono de Vigário Geral.

Catolé do Rocha fica a cerca de quinhentos metros de Vigário Geral, numa área plana logo do outro lado do Aeroporto Internacional do Galeão. Ninguém sabe ao certo o que o sargento Aílton estava fazendo lá naquela noite. Mais tarde, Negrão declarou que estava à espera de 67 quilos de cocaína vinda de São Paulo. O sargento e seus colegas queriam uma fatia daquele precioso bolo. A polícia e a imprensa deram outra versão. Segundo elas, a missão de Aílton não era tão grandiosa. Tratava-se de uma simples incursão para pegar a propina habitual que recebia do pessoal de Negrão. Em muitas favelas, parte dos lucros do tráfico era destinada aos policiais locais, para não incomodarem os traficantes.

Independente das expectativas de Aílton, estavam erradas. Os 67 quilos nunca apareceram. Era uma armadilha.

Quando a viatura chegou à praça, uma Kombi, um Fusca e um Fiat cinza cercaram o carro. Surgiram dez homens, disparando sem cessar. Com suas pouco confiáveis pistolas brasileiras, os policiais não eram páreo para os atacantes, armados com AR-15s e pistolas de grande calibre. Dois colegas de Aílton morreram quase na hora, enquanto ele e o outro conseguiram se proteger atrás de um carro estacionado. No banco de passageiros desse carro havia uma mocinha de quinze anos, que estava ali naquela noite por mero acaso — outra espectadora inocente na guerra às drogas. Primeiro, ela ficou em estado de choque com o tiroteio; depois, ao levar uma bala na perna, sentiu uma dor excruciante.

Aílton e o outro policial tiveram menos sorte. Após uma troca de tiros que durou quinze minutos, os dois morreram. Os atacantes jogaram os quatro corpos na traseira da viatura e saíram, abandonando o veículo depois de quinhentos metros; o tanque de gasolina fora atingido durante o tiroteio e estava vazio. Voltemos à praça: a mocinha sobreviveu, bem como os cerca de cinquenta circunstantes que estavam por lá quando o problema estourou.

Mais tarde, Flávio Negrão declarou que os assassinos dos policiais não eram gente sua, e sim uma equipe de investigadores à paisana que queriam para eles os 67 quilos de cocaína. Mas admitiu que fizera circular o boato de que a coca ia aparecer na praça naquela noite como tática diversionista para manter em segredo sua verdadeira rota até Vigário Geral. O chefão das drogas negou de forma categórica qualquer envolvimento nos assassinatos. Mesmo assim, até hoje a imprensa e a polícia insistem que os quatro policiais foram mortos por homens de Negrão.

Os policiais militares de toda a cidade do Rio estavam de ânimo sombrio durante o enterro dos quatro colegas, sepultados com todas as honras no domingo à tarde. Crescia a insatisfação entre a soldadesca da PM. Muitos achavam que o governador Leonel Brizola, junto com seu secretário de Segurança Pública e o superintendente-chefe da Polícia Militar no Rio, estava dificultando a vida dos policiais ao privá-los de recursos. Eram mal remunerados e corriam o risco de ser mortos pelos traficantes. Os policiais argumentavam que Brizola, velho esquerdista, mostrava preocupação muito maior com os direitos humanos dos traficantes e de outros criminosos das favelas. Os assassinos dos policiais sempre saíam em liberdade, diziam.

Frustrados com a falta de respaldo político, insatisfeitos com o salário baixo e o equipamento insuficiente, para não mencionar os perigos diários que enfrentavam, os oficiais da PM vinham tomando os problemas nas próprias mãos de forma gradual desde o começo dos anos 1980. O surgimento das organizações do tráfico de cocaína e o desgoverno dos anos Collor haviam contribuído para aumentar a sensação de isolamento e de paranoia. Suas atividades paralelas contavam com o apoio tácito de seus comandantes, bem como de uma grande parte da classe média, atemorizada pela ameaça que percebia nas favelas.

Esses policiais formaram o núcleo de grupos embrionários de extermínio, que também recrutavam guardas penitenciários, atiradores e ex-soldados. Esses grupos, que vieram a ser conhecidos como esquadrões da morte, conseguiram expulsar os grupos de traficantes de um número considerável de favelas, sobretudo das situadas no norte do Rio, longe dos mercados de cocaína da Zona Sul. Ao mesmo tempo, converteram-se em grupos de proteção organizada, muito semelhantes à máfia italiana. Não demorou muito e tomaram o controle de todos os serviços nas favelas — água, eletricidade, correios, transportes e comunicações —, que geravam lucros significativos, garantidos por suas armas de estatuto legal.

O assassinato do sargento Aílton e colegas foi o ponto de inflexão em todo esse processo.

Quase 24 horas após os eventos na praça Catolé do Rocha, um grupo muito maior, com quarenta a cinquenta homens, entrou na praça Córsega, logo ao sul de onde os quatro PMs tinham sido abatidos. Usando máscaras de lã e camisetas pretas e vermelhas de visível aparência paramilitar, esses homens estavam equipados com armas muito melhores do que Aílton e sua equipe. Dando o tom da noite, mataram sem aviso um rapaz de dezoito anos que tomava cerveja num quiosque. Dali, atravessaram a praça onde os colegas tinham sido assassinados, passaram a ponte que cruzava a linha do trem urbano e entraram em Vigário Geral, onde arrancaram as linhas dos telefones públicos da favela.

A poucos metros dos trilhos, um grupo de operários, sentados num boteco, empolgava-se com a vitória esmagadora do Brasil contra a Bolívia por seis a zero numa partida eliminatória para a Copa do Mundo. De repente, vários dos mascarados irromperam pela porta. Anunciaram que eram policiais e exigiram suas carteiras de identidade. Antes que os clientes tivessem tempo de pegar os documentos, um dos milicianos atirou uma granada no meio deles e vários outros abriram fogo. Mataram sete.

Dentro de uma casa do outro lado da rua, alguém ouviu o tumulto vindo do bar e bateu a janela para fechá-la. Os atacantes correram até a porta da frente e entraram num lar onde treze pessoas de uma família estavam reunidas para passar a noite juntas. Entre muita gritaria e pânico, os matadores passaram a discutir se poupariam as cinco crianças da casa. A mais velha, com dez anos, aproveitou a oportunidade para fugir com os quatro irmãozinhos mais novos, um deles ainda de colo, com menos de um ano. Os demais membros da família, fiéis devotos da Assembleia de Deus, foram mortos; a mãe, de 56 anos, expirou com uma Bíblia apertada junto ao peito.

Cinco outros moradores de Vigário Geral foram chacinados a esmo naquela noite, num total de 21 mortos. Numa década de muito derramamento de sangue, o Rio nunca presenciara nada parecido com aquele massacre. A cidade ainda se recuperava dos horrendos acontecimentos na igreja da Candelária, ocorridos apenas um mês antes, quando seis crianças e dois adolescentes em situação de rua que dormiam sob a marquise de um dos marcos religiosos mais famosos do Rio foram assassinados a sangue-frio por policiais de outro esquadrão da morte. As ocorrências em Vigário Geral reiteravam, como se fosse necessário, a que ponto o Estado havia perdido o controle sobre a polícia — ou talvez até que ponto o Estado agora sancionava as aberrações da atividade policial.

Nos anos iniciais da década de 1990, a polícia do Rio estava se transformando com rapidez numa força de combate autônoma, cujos interesses podiam coincidir ou não com os interesses do Estado. Seja como for, ela não estava mais fazendo o serviço a que se destinava. "Para olhar esse período, você precisa se desprender da ilusão de que a polícia estava agindo como órgão para fazer valer a lei", explicou um ex-consultor da Secretaria de Segurança Pública do Rio. "Era simplesmente uma das partes em guerra, disputando o controle financeiro sobre as favelas e o tráfico de drogas."

Por um breve período, a chacina de Vigário Geral congregou vários setores do Rio: empresários, associações de moradores, acadêmicos e grandes empresas dos meios de comunicação. Numa comovente demonstração de unidade, eles organizaram um Dia do Silêncio: durante cinco minutos, a cidade inteira parou, em homenagem aos que haviam morrido.

A história do pós-guerra no Rio envolvia duas comunidades: os que moravam nas favelas e os que moravam fora e nunca entraram lá. Para estes, as favelas representavam um mundo desconhecido e assustador, com grandes perigos à espreita. Os assaltos, os roubos de carros e o coro constante das semiautomáticas eram sinais sinistros de que aquela cultura alienígena estava transpondo seus limites no morro de forma gradual e subvertendo a Cidade Maravilhosa.

Sintonizados com tais sentimentos, os candidatos da próxima eleição para o governo do estado começaram a pleitear mais apoio para a polícia e uma ação mais decidida contra os traficantes e as favelas que os abrigavam. Sob pressão, o governador esquerdista Brizola por fim anunciou um novo plano, a Operação Rio. Em acordo com o governo federal, as autoridades do Rio resolveram chamar o Exército.

Apesar disso, Vigário Geral não caiu no esquecimento. As entidades que colaboraram para criar o Dia do Silêncio também geraram várias das ONGs mais notáveis do Rio, que até hoje trabalham procurando maneiras de diminuir a violência na cidade.[2]

Como quase todos os favelados, Antônio ficou chocado com Vigário Geral. Ele era um cidadão respeitador da lei, que acabava de ingressar em seu primeiro emprego propriamente dito, como distribuidor de revistas na Globus Express. Era uma confirmação pavorosa daquilo que muita gente nas favelas imaginava fazia vinte anos — que a polícia não era polícia no sentido convencional do termo, mas uma facção em guerra com outras facções das favelas. A principal diferença de abordagem, aos olhos de Antônio, era que a polícia não sentia nenhuma consideração nem responsabilidade pelos moradores. Ele lembraria essa lição mais tarde: evitar o confronto com a polícia sempre que possível, pois ela dificultaria muito mais a vida.

Vigário Geral era controlada pelo Comando Vermelho. A vizinha Parada de Lucas pertencia ao Terceiro Comando. Cada território era área proibida para o outro, e se alguém se perdesse, mesmo algum cidadão comum que não tinha nada a ver com o tráfico, corria o risco de enfrentar graves problemas. Se um dos soldados do tráfico transpusesse a fronteira, poderia se precipitar uma pequena guerra. A rua que separava os dois territórios era chamada de Vietnã.

Mas, depois do massacre, a associação dos moradores de Vigário Geral apelou à sua correspondente em Parada de Lucas. Em solidariedade aos colegas favelados, a liderança do Terceiro Comando concordou em encerrar a rixa com o Comando Vermelho em Vigário Geral. Tal solidariedade, porém, era exceção.

8. Orlando Jogador
1994

Quando Demétrio Martins foi arrastado da vala cheia de lama onde caíra e jogado ao lado da estrada, ele sentiu como se um pedaço de gelo descesse devagar sobre o corpo, depois uma dor excruciante e então uma ventania que parecia subir pelas pernas, chegando às entranhas. Era como se seu espírito estivesse subindo e ele pudesse ver seu corpo inerte no chão. Foi então que ouviu Deus lhe dizer: "Tenho um plano para você".

Seu espírito voltou ao corpo, mas ele não conseguia mais sentir as pernas e os braços. Por mais que tentasse, também não conseguia mexer a cabeça. As únicas partes do corpo que respondiam às solicitações do cérebro eram os olhos, dardejando de maneira frenética de um lado a outro. Sentiu que alguém, com pulso firme, girava sua cabeça. Então viu o rosto do pastor que, havia dois anos, tinha previsto que ele difundiria a palavra do Senhor numa cadeira de rodas. Agora, prestes a perder os sentidos, ouviu a voz do pastor: "Você não vai morrer".

O primeiro encontro de Demétrio Martins com o pastor tinha ocorrido dois anos antes de ele ser baleado. Aos vinte e poucos anos, Martins era um traficante importante, cheio de vida, metido a valentão. Trabalhava como gerente do Comando Vermelho em sua maior operação, a imensa rede com mais de doze favelas conhecida como Complexo do Alemão.

Era um serviço puxado e de muita responsabilidade. Demétrio era encarregado de gerenciar as entradas de um grande número de bocas de fumo antes do final do turno da noite, que terminava às oito da manhã. No começo, as bocas de fumo vendiam maconha; mas agora esses pontos em proliferação, embora ainda tivessem maconha, vendiam sobretudo cocaína. As bocas de fumo variavam de tamanho — um rapazote com cocaína escondida na mochila era uma loja ambulante —, mas em favelas grandes ou em conglomerados de favelas como o Complexo do Alemão, por onde a polícia se aventurava apenas de vez em quando, eram locais fixos com bastante movimento.

Demétrio tinha de garantir que todas as bocas estivessem bem abastecidas. Isso significava um grande volume de dinheiro trocando de mãos para a aquisição de fumo e coca. Mas ele gostava do serviço. Gostava do dinheiro e gostava de ostentá-lo. Gostava do respeito que o dinheiro lhe comprava na comunidade.

Seu patrão, Orlando Jogador,[1] havia lhe ensinado a importância do respeito. Orlando era o chefão do Alemão e controlava a maior operação da época no varejo da cocaína em todo o Rio. Para o observador externo, as várias favelas que formavam o Complexo se fundem umas nas outras, às vezes parecendo se estender até o horizonte. Ali moram de 200 mil a 300 mil pessoas, em várias ondulações gigantescas, ondas imensas capturadas num momento estático. A leste, a igreja da Penha, conhecida como a igreja da Rocha, ergue-se solitária no único morro que não é forrado de barracos incrustados como cracas.

O respeito com que Orlando Jogador tratava a comunidade agregava um valor considerável ao fato de pertencer a seus quadros. Na ausência do Estado, era ele o responsável pela previdência social e pela justiça. E ministrava-as de maneira judiciosa. As pessoas falavam a seu respeito, e ainda falam, com uma reverência que beirava o sagrado.

Demétrio se sentia orgulhoso por trabalhar para tal patrão. Mas, apesar de toda a sua pose de importante — as joias, as armas, as mulheres —, ele sabia que precisava se comportar de maneira responsável. Orlando Jogador lhe incutira isso: devia pensar antes de agir, e o respeito a ele não devia provir só de sua habilidade em disparar uma arma ou distribuir muito dinheiro. Isso, claro, não significava que ele e seus trinta soldados armados não quisessem compor uma imagem aterrorizante ao patrulhar a favela de madrugada.

Orlando Jogador foi o primeiro traficante a instituir algo que de fato poderia ser considerado um sistema de previdência social numa favela. "Ele tinha regras", explica Adriano, um de seus soldados, que se aposentou faz muito tempo. "Regras para nós e regras para a comunidade." Quanto aos soldados, foi o primeiro a implantar um sistema em que qualquer um que quisesse deixar a organização podia sair sem medo de retaliação. Alguns outros chefes consideravam esse procedimento uma deslealdade inaceitável, a ser punida com a morte. Orlando, pelo contrário, incentivava a saída de quem tivesse encontrado trabalho fora do tráfico. Não eram muitos os que saíam, claro, pois o rendimento econômico no mundo real era pífio em comparação ao oferecido pela indústria da coca.

Para muitos moradores, ele pagava assistência médica, fornecia cesta básica e cobria despesas de sepultamento. Em vista do tamanho do Alemão, isso indica o nível de lucratividade da operação. "O negócio gerava somas enormes", confirma Demétrio.

E havia justiça. Ao contrário da maioria dos traficantes da época, Orlando Jogador instituiu um tribunal informal para decidir, por exemplo, se um homem havia mesmo cometido estupro como afirmava a denunciante (ou, muitas vezes, a mãe da denunciante). Se ele se desse por satisfeito com as provas de que ocorrera o crime, então, no caso do estupro, o perpetrador era executado. As formas de tortura e execução mais escabrosas que, na década seguinte, vieram a caracterizar os regimes de algumas favelas ainda não haviam se tornado prática regular. O método preferido de executar um transgressor ainda era um rápido tiro na cabeça.

Assim, Orlando ministrava uma espécie de justiça. Mas continuava a ser um ditador: tomava para si o monopólio da violência e não prestava contas de seu governo. Para a sorte do povo do Alemão, porém, era um ditador esclarecido. Alto e magro, é lembrado pelos olhos verdes brilhantes e pelo temperamento calmo, que passou a integrar a aura quase religiosa que cerca sua figura.

Sem dúvida, essa política de auxiliar os moradores onde o Estado simplesmente abandonara suas obrigações refletia a moral e as convicções pessoais de Orlando Jogador. Mas também fazia parte de sua estratégia de negócios. Ele era, de longe, o maior varejista de coca em todo o Rio de Janeiro; ao cuidar dos moradores comuns, garantia um ambiente pacífico no qual podia conduzir suas atividades. Não demorou muito e se tornou responsável pela maior porcentagem do faturamento do Comando Vermelho. Isso gerava respeito, mas também despertava inveja.

Um dia, Demétrio estava com seu grupo armado quando um desconhecido se aproximou. O homem avançou direto na direção dele e, apertando sua Bíblia contra a arma de Demétrio, disse: "Essa arma que você leva na mão só vai tirar a vida se Deus quiser. E vou lhe dizer uma coisa sem medo de contestação. Se você não abandonar o mais rápido possível essa vida que leva, chegará a Ele pela dor. Vai bradar e vai pregar a palavra de Deus numa cadeira de rodas. Assim falou o Senhor". Demétrio abanou a cabeça, impediu que seus homens atacassem o pregador, seguiu em frente e não pensou mais no assunto.

Lembrou-se dele num dia de manhã, uns dois anos depois, quando acabava de coletar a féria das bocas de fumo e estava indo para casa. Disse a seus rapazes que se dispersassem e começou a andar para o lado onde a favela encontra a mata, quando ouviu um tiro. Virou-se e viu a polícia. Começou a correr, mas o segundo tiro o atingiu nas costas e ele caiu. Os policiais o arrastaram e o deixaram na beira da estrada, talvez na intenção de voltar mais tarde para "sumir" com o corpo.

Foi aí que sentiu a alma deixar o corpo e ouviu a voz de Deus. Depois que foi constatado que ele nunca mais voltaria a andar, Demétrio Martins se tornou pastor Demétrio e há mais de vinte anos prega nas mesmas quebradas onde antes vendia pó.

Algumas semanas depois que Demétrio foi baleado, Orlando Jogador concordou em encontrar o chefe de uma favela vizinha. Era Uê,[2] homem muito inteligente, experiente, ambicioso e violento. Controlava três favelas nas redondezas e sua base ficava no morro do Adeus, vizinho ao Complexo do Alemão. Fazia anos que a relação entre os dois era tensa, e corria o boato de que Orlando matara o irmão de Uê.

Orlando queria retomar as relações em bons termos e, assim, quando Uê propôs um encontro, ele concordou de imediato. Uê chegou no alto do morro com seu bando de seguranças armados, ao que tudo indicava para negociar a compra de armas e munição. Como traficante mais poderoso do Rio, Orlando Jogador tinha amplo acesso a grandes quantidades de ambas.

O clima da reunião era festivo, com os dois lados bebendo e contando casos. De repente, pouco depois da meia-noite de 14 de junho de 1994, os soldados de Uê tiraram as armas e mataram doze homens do Alemão, entre eles Orlando Jogador, que recebeu dez tiros, disparados na maioria pelo notório AR-15.

Os homens de Uê comemoraram com selvageria, disparando as armas para o ar e arrastando os cadáveres de Orlando e seus soldados pelo centro do Alemão, num horrendo desfile da vitória. Então largaram os corpos em várias partes da cidade. Metade deles, inclusive o de Orlando, ficou nos arredores da estação Maria da Graça do metrô. O objetivo com isso era garantir que todo mundo no Alemão recebesse o recado de que houvera uma mudança de regime. Mas as consequências desses assassinatos foram de alcance ainda maior. Eles levaram a uma guerra de facções entre os cartéis de drogas no Rio que quase destruiu a cidade e continua a assolá-la até hoje.

A adoção da violência gratuita por parte de Uê mostrava a que ponto o Rio perdera o rumo. Segundo Marina Magessi, a detetive da Polícia Civil que o prendeu em março de 1996, ele se tornou "um grande chefão do tráfico porque adorava viver em guerra". A investigação de Magessi, que levou à prisão de Uê num hotel em Fortaleza, foi especialmente significativa por ser uma das primeiras a fazer grande uso de grampos em celulares. A detetive comentou que teria sido quase impossível rastreá-lo se não fosse a Embratel. Ela considerava que a crueldade de Uê empatava com sua inteligência e acredita que foi ele quem bolou a pavorosa punição conhecida como "micro-ondas", em que se "prepara" a vítima dentro de pneus velhos, então despeja-se gasolina e ateia-se fogo a eles.[3] O método do micro-ondas demonstrava a que ponto alguns traficantes haviam abandonado qualquer vestígio de humanidade.

Quando as pessoas que conheci no Alemão relataram as mudanças implantadas por Uê depois que ele assumiu o controle, o que me ocorreu foi que parecia um golpe de forças totalitárias. Muitos soldados de Orlando Jogador fugiram do complexo quando as tropas de Uê, recrutadas de comunidades de todo o Rio, entraram no território. Os apoiadores do líder morto que permaneceram foram perseguidos pela guarda pretoriana de Uê e executados ou expulsos de suas favelas. Os cidadãos comuns foram obrigados a jurar lealdade a Uê, ainda que um tanto a esmo. Mesmo nos bons tempos, as pessoas nas favelas relutam em falar sobre o tráfico de drogas, sobretudo com gente de fora. Mas, quando Uê consolidou sua posição, tinham medo de falar até entre elas mesmas.

Fosse manifestação de pura e simples ignorância ou uma tentativa deliberada de atiçar uma situação já explosiva, a polícia declarou à imprensa que a cúpula do Comando Vermelho dera ordens a Uê para assumir o controle do Complexo do Alemão. Segundo a polícia, Marcinho vp, líder do Comando Vermelho que estava na prisão, achou que Orlando Jogador tinha extrapolado suas funções e a cúpula queria uma parcela maior dos dividendos do negócio.

Mas, de fato, o contrário é que era verdade. Longe de entregar o Complexo ao Comando Vermelho, Uê fortaleceu os laços de amizade com vários chefes da cidade pertencentes ao Terceiro Comando, grande rival do cv. O Terceiro Comando concordou em se aliar a Uê, que, junto com seus associados mais próximos, formou uma terceira facção do narcotráfico no Rio — a Amigos dos Amigos, ou ADA, como é hoje conhecida.

Desde o começo, a ADA se opôs ao domínio do Comando Vermelho sobre o mercado de drogas do Rio, e a partir daí muitas favelas se tornaram campos de batalha reais ou potenciais na luta das três facções pela supremacia. Enquanto vários participantes descreviam a guerra entre esses grupos, lembrei-me de *1984*, de George Orwell, em que as três potências geopolíticas, Oceania, Eurásia e Lestásia, vivem num estado de "guerra perpétua" num sistema rotativo de alianças. Algumas das maiores aglomerações de favelas, como o Complexo da Maré, viriam a abrigar as três facções, levando a níveis excepcionalmente elevados de violência. O cenário orwelliano se reavivou ainda mais após 2002, quando boa parte do Terceiro Comando reformulou a facção criando o Terceiro Comando Puro (TCP), que rompeu a aliança com a ADA.

As guerras do tráfico no Rio de Janeiro se desenvolviam numa só direção. A própria geografia da cidade, com encostas íngremes, ribanceiras e trechos de Mata Atlântica, incentivou a divisão das facções, quando esta começou a se desenvolver. Favelas como Rocinha ou Vidigal, na Zona Sul, eram isoladas em termos físicos, com as fronteiras naturais da vegetação, da água ou da altitude. O senso de individualismo territorial e de patriotismo altamente localizado era muito maior nessa cidade do que em qualquer outro lugar do Brasil.

Além disso, quando a luta entre as facções se tornou rotina diária, a polícia logo descobriu que poderia tirar vantagem disso. Os três grupos dedicavam grande parte de seus esforços e de seus armamentos tentando se matar uns aos outros. Disso resultou que os cartéis perderam seu recurso mais valioso: o número de homens. Se uma favela se enfraquecia por causa das lutas entre facções, ela ficava mais vulnerável à extorsão, prática agora generalizada entre as várias forças policiais do Rio. Em 1995, o índice de homicídios da cidade chegou a um atordoante patamar de 70,6 para 100 mil habitantes — não muito longe do índice da Colômbia na mesma época, quando os cartéis de Medellín e Cali estavam no auge do poder.[4] Mais de 90% dessas mortes ocorriam nas favelas, e 90% eram de homens entre catorze e 26 anos.

A introdução da cocaína em São Paulo também acarretou um drástico aumento da violência na cidade. Mas os paulistanos ricos tinham uma vantagem em relação a seus correlatos cariocas devido às diferenças de geografia entre as duas cidades. São Paulo é muito menos montanhosa do que o Rio, e, assim, quando a grande corrente imigratória vinda do Nordeste se acelerou a partir dos anos 1950, a nova força de trabalho não povoou os espaços vazios bem no centro da cidade, como aconteceu no Rio. Em vez disso, formaram-se comunidades espraiadas numa rede urbana plana muito mais distantes do centro e dos principais bairros empresariais e residenciais.

Tal como no Rio, grande parte da violência associada ao narcotráfico se concentrava nas favelas. Mas, como ficavam situadas na periferia, as classes médias e altas de São Paulo se viam menos expostas ao uso de armas de fogo e às carnificinas diárias.

O grande centro econômico do país chegou mais tarde ao mundo dos grupos do crime organizado. A história específica dos bandidos cariocas que conheceram os presos políticos em Ilha Grande, durante a ditadura militar, não se aplica a São Paulo.[5] Em outubro de 1992, porém, a Polícia Militar e as forças especiais de São Paulo perpetraram um massacre dentro do Carandiru, causando a morte de 111 detentos, abatidos como gado. Em reação, um grupo de presos formou uma organização chamada Primeiro Comando da Capital (PCC). Em sua declaração inaugural sobre a missão a que se propunha, em termos tomados à linguagem do movimento pelos direitos humanos, o PCC afirmava que fora criado para defender os presos e os favelados. Mais tarde, o Comando Vermelho afirmou que havia orientado a cúpula do PCC em suas fases iniciais, e sem dúvida a retórica da organização de São Paulo refletia a antiga estratégia do Comando Vermelho de projetar uma imagem de libertação social para as favelas.

O PCC estabeleceu um conjunto de regras estritas e cobrava mensalidade de seus associados. O calote era punido às vezes até com a execução do devedor. Em contraste com a atitude mais desprendida dos grupos cariocas, o PCC, fiel a suas origens paulistanas, sempre manteve registros meticulosos de suas receitas e despesas. Nas ocasiões em que esses registros computadorizados caem nas mãos dos promotores do Ministério Público, fica muito mais fácil reconstituir as atividades financeiras e a estrutura de filiados do PCC.

Em agudo contraste com o crescimento da violência e da concorrência entre as facções no Rio, não houve ninguém do mundo do crime de São Paulo que contestasse com seriedade o PCC. Em pouco tempo, a organização começou a se espalhar para outros estados brasileiros e também montou escritórios no Paraguai, Bolívia e Colômbia. Estava em vias de se tornar a maior, a mais lucrativa e mais bem organizada organização criminosa de todas as Américas, inclusive o México.

Houve um lugar onde o PCC não tentou se infiltrar: o Rio de Janeiro. "Minha impressão é que o PCC deu uma olhada na confusão entre as facções aqui no Rio e disse para si mesmo: 'Obrigado, mas não, obrigado; creio que não precisamos nos meter nessa confusão'", comentou um agente da inteligência da polícia carioca.[6]

Mas o PCC de fato mantinha relações cordiais com o Comando Vermelho, e quando suas operações em nível nacional começaram a se expandir, ampliou-se também a capacidade de aumentar sua influência sobre o mercado atacadista no Brasil em geral.

Embora o Comando Vermelho conservasse sua posição dominante no tráfico de drogas no Rio, a recente ADA e seus aliados no Terceiro Comando estavam se mostrando concorrentes efetivos. Mesmo dentro das favelas do CV houve alguns atritos quando os vários chefes locais tentaram brigar por mais autonomia em relação à cúpula da facção. Uma dessas favelas era a Rocinha.

9. A lei de Lulu
1999-2004

No começo de 1999, a vida na Rocinha estava bem mais pacífica. Luciano Barbosa da Silva, conhecido como "Magro" ou como Lulu da Rocinha, por fim assumira o controle de toda a favela, nas partes de baixo e de cima. Desde a prisão de Dênis da Rocinha em 1987, uma série de chefes havia controlado a área em nome do Comando Vermelho. A expectativa média de vida dos chefes da Rocinha, depois que chegassem ao topo, era de cerca de dez meses. Tinham a carreira interrompida pela prisão ou, em muitos casos, pelo assassinato. Durante esse período, era usual que a Rocinha ficasse distribuída entre dois ou três chefes, escolhidos a dedo por Dênis, de sua cela.

A jogada de Dênis era dividir para reinar, o que criava sérios atritos entre os rapazes que controlavam o alto da Rocinha e os que dirigiam a parte de baixo. A autoridade deles derivava dos estoques de armas que haviam acumulado com os lucros do tráfico de cocaína. Em geral, tinham entre dezessete e 28 anos. Alguns eram sensatos, outros eram quase psicopatas, que não hesitavam em matar. Mas, quando Dênis deu sua bênção a Lulu em 1998, o clima na Rocinha melhorou de maneira considerável.

Lulu, na verdade, era primo de Dênis, mas em tudo diferente da maioria dos traficantes. Filho de pais evangélicos, natural da Paraíba, estado que fornecia o maior número de moradores da Rocinha, uma das características incomuns de Lulu como chefe era sua invisibilidade. Os moradores da favela o veneravam, mas raramente ou nunca o viam, e menos ainda falavam com ele.

Lulu morava no Laboriaux, bem no topo da Rocinha, bairro um tanto afastado do resto da favela. O caminho para lá é uma ladeira íngreme que sai do alto da estrada da Gávea. À direita, na exuberante Mata Atlântica, ficam as mansões luxuosas da Gávea, com jardins bem cuidados, piscinas, campos de futebol e quadras de tênis particulares. Mais além, a Lagoa, em torno da qual se distribuem num grande círculo os outros bairros elegantes da Zona Sul: Leblon, Ipanema, Jardim Botânico, Copacabana e Botafogo. Quando se olha para trás, é possível ver a Rocinha descendo pelo morro na direção de São Conrado e do oceano Atlântico.

Continuando a subir o morro até o Laboriaux, a atmosfera é bucólica e relaxante. O local ainda tem cara de favela, mas é mais limpo e ajeitado. Quem chega no final da rua se vê envolvido pela floresta tropical. É talvez o lugar mais bonito de todas as favelas do Rio.

Lulu construíra sua casa bem no final do Laboriaux, onde começa a floresta. Ficava à maior distância possível da grande agitação das bocas de fumo, das armas, dos mototáxis e do comércio movimentado da favela, mas ainda ficava dentro dela. Hoje a mata vem avançando e cobrindo os alicerces e as paredes da casa. Mas, na época de Lulu, era uma moradia de classe média, bonita e bem acabada, com vistas espetaculares.

Ele tinha uma segunda casa ali perto, na rua 1. Era onde ficava o escritório e o centro da operação da venda de drogas, que por sua vez não ficava muito longe do depósito central de armas.

Poucos traficantes tinham uma visão mais clara de suas funções do que Lulu. Cinco anos antes, o sentimento e o profundo apego ao Complexo do Alemão haviam motivado Orlando Jogador. Tal como ele, Lulu entendia que, como Dono do Morro, devia criar um círculo virtuoso que assegurasse o sustento da favela, devolvendo parte dos lucros à comunidade e criando um clima de crescimento econômico. Era uma estratégia comercial consciente. "Sou um empresário", dizia ele. "Não quero guerra, porque guerra é ruim para os negócios."

Nos anos 1990, a Rocinha teve de se adaptar à era dos senhores da droga, mas, na verdade, ela foi por muitos anos um lugar menos violento do que os demais. Como está situada longe dos eixos rivais do narcotráfico — o Complexo do Alemão, o Complexo da Maré e o restante da Zona Norte —, foi de início poupada de grande parte das lutas entre as facções. "A Rocinha era diferente", explica Carlos Costa, jornalista e ativista social nascido e criado na comunidade. "Raramente se caracterizou pelo confronto. A grande questão ali era a comercialização do narcotráfico." Mas os problemas pipocavam quando os chefes saíam a lazer ou a negócios (coisa que faziam com frequência). Muitas vezes, Lulu sumia por dias, semanas ou até meses a fio, e então estouravam brigas entre seus rapazes, não se pagava a propina dos policiais e surgiam confrontos armados.

Lulu criou um conselho cuja função era intermediar as disputas entre seus traficantes e os líderes comunitários, bem como entre seus próprios gerentes e soldados. Sempre insistia que deviam chegar a um acordo. Muitas vezes, os pais iam reclamar que os soldados de Lulu estavam vendendo drogas a seus filhos, e o chefe, de maneira sistemática, impunha restrições à venda de drogas ao povo da favela. Era um procedimento deliberado de autorregulação, na medida em que reduzia o pessoal disponível para trabalhar com ele, mas rendia dividendos dentro da comunidade.

Como Orlando Jogador, ele incentivava aqueles soldados seus que quisessem sair para encontrar trabalho lícito e os ajudava.

Conversei com muitos moradores da Rocinha sobre Lulu. Nunca encontrei uma única pessoa que não descrevesse seu período no poder como uma idade de ouro. "Ele era incomparável, uma pessoa que eu gostava e admirava e admiro até hoje", disse William da Rocinha, ex-presidente da associação de moradores. "Ele ajudou muita gente aqui na Rocinha, mas também tinha amigos na sociedade lá fora — celebridades, jogadores de futebol, empresários. Nunca conheci outro traficante como ele."

Embora muitas vezes invisível, Lulu sempre ouvia e respondia aos moradores que o abordavam. Simone da Silva estava voltando para a Rocinha depois de um raro passeio com o namorado pelo Leblon, o bairro de compras mais elegante do Rio. Simone trabalhava seis dias por semana num supermercado, como demonstradora de produtos da Johnson & Johnson, por um salário muito modesto. O namorado estava com o relógio que ela lhe dera como presente de aniversário. A moça tinha economizado vários meses para poder comprá-lo. Quando o ônibus passou pelo canal imundo que divide o Leblon em duas partes, um rapaz viu o relógio. Com um canivete saliente sob o blusão alaranjado, ele obrigou o namorado de Simone a lhe entregar o relógio e depois saltou do ônibus. Simone correu atrás dele, mas não conseguiu alcançá-lo. Conseguiu, no entanto, reconhecê-lo — o rapaz era da Rocinha, tal como ela. Pela lei de Lulu, os ladrões da favela estavam proibidos de roubar os moradores locais.

Na volta para casa, Simone encontrou um amigo e achou que ele podia ajudá-la. "Preciso falar com o Dono", disse. "Você me põe em contato com ele?"

Seguindo as instruções dadas, por volta das 23h30 ela foi até o fundo do Valão, bairro cujo nome vem do esgoto a céu aberto que corre por ele. Não tinha como errar a entrada. Vários rapazes armados e uma ou duas mulheres estavam ao ar livre, conversando e rindo sob as luzes fracas da rua. Gente entrava e saía, decerto entregando a féria das bocas de fumo, pois o final do turno era à meia-noite.

Simone sempre evitara contato com qualquer um dos "vagabundos", como ela se referia ao pessoal do tráfico. "Quando cheguei, juntei coragem e pedi para falar com Lulu."

"Quem quer falar com ele e sobre o quê?", respondeu brusco um dos rapazes do grupo.

A voz de Simone mal se fez ouvir: "Só posso dizer para ele".

Disseram-lhe que esperasse, e por fim o grupo abriu alas, mostrando um homem magro, de bigode, sentado numa cadeira de plástico. O rosto ficava oculto pela sombra, mas ele estava de chinelo de dedo e trazia uma corrente de ouro no pescoço, com um círculo e a letra L em ouro branco. Como de hábito, estava desarmado.

"Quer falar comigo?", perguntou ele em tom muito prático.

Simone explicou que tinha sido roubada e descreveu o meliante. Lulu ouviu, atento, e então respondeu: "Bom, é uma boa hora, pois os trombadinhas devem estar chegando agora para prestar contas". Os ladrões que operavam fora da Rocinha eram obrigados a lhe mostrar os artigos que tinham pegado e explicar a proveniência deles. Então Lulu cobrava-lhes uma taxa.

Simone recuou e saiu das vistas de Lulu. Dois minutos depois, o ladrão apareceu. Ela avançou e lhe deu um soco no peito, exigindo que devolvesse o relógio, que estava no pulso dele. "Você contou pro Lulu?", perguntou ele nervoso. "Contei", respondeu Simone, "mas eu não sabia teu nome." O rapaz devolveu o relógio, dizendo, porém, que se ela levasse o assunto em frente com Lulu, ele iria atrás dela. A ameaça era clara.

Simone, contente em ter recuperado seu precioso relógio, não pensou mais no assunto. Uma semana depois, no entanto, ela ouviu falar que o ladrão tinha sido assassinado. Nunca soube se a morte dele teve algo a ver com sua reclamação.

Além de ministrar justiça, Lulu também operava como financiador informal, emprestando dinheiro para as pessoas darem entrada num imóvel. Com isso, matava dois coelhos com uma só cajadada: era uma lavagem construtiva do dinheiro, com investimento dos lucros do tráfico na economia legítima, e também lhe trazia a aprovação da comunidade.

Um elemento primordial para seu sucesso era o suborno maciço das forças policiais, em especial os policiais lotados na favela. Mediante pagamento, eles atuavam como seus informantes na linha de frente, avisando quando havia qualquer movimento suspeito nas proximidades, tanto de traficantes rivais quanto de outros setores da polícia.

O suborno dos policiais trazia também outras vantagens. Cessaram as tentativas de extorquir moradores e o clima de calma e prosperidade beneficiava toda a economia. Com Lulu, os bancos abriram suas primeiras filiais na favela; o Bob's considerou que havia segurança suficiente no local para abrir uma filial no meio da estrada da Gávea; começaram a proliferar as lojas que vendiam televisões e outros eletrodomésticos, e um comerciante empreendedor chegou a abrir a primeira sex shop numa favela. Acima de tudo, foi a época da explosão de três grandes setores de serviços: a Light, empresa de energia elétrica; os serviços de mototáxis, que entravam e saíam zunindo pelas ruelas como abelhas desorientadas; e os distribuidores de botijões de gás, usados por toda parte para cozinhar.

Tais condições levaram a uma drástica redução nos níveis de violência na Rocinha. Em 2002, depois de três anos sob o regime de Lulu, havia apenas 21 mortes por causas não naturais por 100 mil habitantes — menos que um terço abaixo da média carioca. Ainda não era Viena ou Milão, mas era um dos lugares mais seguros do Brasil urbano.

O resultado foi que a Rocinha sob Lulu veio a ser conhecida como "a favela de classe média" — e parecia mesmo, pelo grande movimento nas áreas comerciais. No entanto, não se tratava de uma história apenas de sucesso. Apesar dos bancos e dos salões de beleza, a Rocinha ainda enfrentava enormes problemas sociais, ligados à extrema pobreza. No trecho sudeste, da Roupa Suja até o final da rua 1, o fedor, as casas derruídas e os bebês desnutridos ainda hoje são sinais de uma deterioração e de uma miséria social das mais profundas do mundo. Em 2004, um importante centro de estudos mostrou que a Rocinha ocupava posições muito baixas na maioria dos índices de desenvolvimento, em especial na educação, com um quinto da população vivendo abaixo da linha de pobreza.[1] Os serviços sanitários básicos ainda eram totalmente inadequados e as doenças perseguiam a maior parte da favela como animais insaciáveis. Mesmo assim, onde podia ajudar, Lulu ajudava.

Embora a Rocinha fosse uma das favelas mais seguras do Rio na época de Lulu, ainda assim era, tal como o Complexo do Alemão na época de Orlando Jogador, uma ditadura esclarecida com um chefe que não prestava contas a ninguém e cujo poder se fundava, em última instância, num bando de rapazes sem treino, portando armas de alto calibre.

O Dono estava ciente da inveja, das possíveis traições e de potenciais conflitos entre seus soldados, mas nem sempre lidava com esses problemas tão bem quanto poderia. Sob a superfície, as queixas estavam aumentando, sobretudo entre os seguranças e gerentes, que somavam cerca de 25 pessoas.

Nem tinha entrado na organização dois anos antes, e Lulu confiava cada vez mais nele — mas não como seu sucessor. Não havia nenhum mecanismo instituído para escolher o sucessor em caso de morte ou desaparecimento do líder. Era raro o chefe que deixava instruções claras sobre o próximo a empunhar o cetro após sua partida, e essa ambiguidade era fonte constante de problemas.

Lulu nunca anunciara nada, mas as pessoas em geral supunham que eram dois os escolhidos. Para a parte baixa da Rocinha, havia Bem-Te-Vi, um festeiro rematado que Lulu tratava como irmão mais novo. O apelido provavelmente refletia seu temperamento alegre e vivaz. Lulu disse a Nem que Bem-Te-Vi ia ser um dos próximos chefes. "Mas sei", acrescentou com uma risada, "que ele vai transformar isso aqui numa confusão danada!" Poucos riram quando Bem-Te-Vi de fato chegou ao poder.

O alto da Rocinha ficaria com Zarur, sujeito mais sensato que, segundo um observador, com os anos passara a controlar sua propensão à brutalidade. Mas havia outros pretendentes: homens como Lion, de gênio esquentado, e Band, que detinha autoridade efetiva, pois seu pai tinha sido um dos fundadores do Comando Vermelho. Essas incertezas quanto ao futuro, somadas às ambições pessoais, constituíam uma séria ameaça à paz da Rocinha.

Nessa época, Nem não era visto como sujeito com estofo para a liderança. Não era um grande atirador. Discreto, cumpria suas tarefas com eficiência e sem reclamar. Tinha mais idade do que muitos outros e, tendo trabalhado no mundo exterior num emprego propriamente dito por muitos anos antes de entrar na gangue de Lulu, adquirira maior senso de responsabilidade.

Nem vinha pagando sistematicamente sua dívida desde que Lulu lhe adiantara o dinheiro para pagar o tratamento da filha dois anos antes, conseguindo quitá-la em 2004. Nessas alturas, já subira dentro da organização. Certo dia, no começo de 2003, às dezenove horas, Lulu ligou e lhe disse que fosse imediatamente para um encontro. "Achei estranho", lembra Nem, "pois na época ele não costumava convocar um bagre miúdo como eu ao anoitecer." O chefe explicou que um de seus soldados tinha aparecido morto na Vila Verde, perto da entrada da favela. "Não sabemos quem foi", explicou ele, "então preciso que você cuide da segurança na Cachopa." Aquilo vinha na sequência da morte não explicada de um civil que trabalhava numa estação de rádio local. "A gente não pode deixar essa zona continuar, ainda mais que está afetando os moradores", disse Lulu a Nem. "Tua tarefa é dar um jeito nisso."

Era uma promoção. Nem agora alcançara a posição equivalente ao "*made man*", o "iniciado", da máfia nova-iorquina. A partir daí, ele passou a comandar três gerentes de bocas de fumo e cerca de 25 homens armados. O agente da Cachopa era responsável por grande parte da Rocinha — da Vila Verde até a Dioneia. A área contava com o segundo maior contingente de toda a operação de drogas, ficando atrás apenas da principal região comercial em Barcelos e Valão.

Com maiores responsabilidades e posição social mais alta, Nem começava a mudar. Na vida pessoal, pouco a pouco passara a adotar os códigos e comportamentos do mundo da bandidagem em que agora atuava profissionalmente.

Em 2002, Simone da Silva, a moça que tivera o relógio roubado, era mãe solteira de uma menina de três anos. "Tentei sobreviver por conta própria", contou, "mas a grana era tão apertada que eu não conseguia garantir comida todo dia para minha filha." Embora Simone fosse nascida e criada na Rocinha, sua mãe voltara para a Paraíba, sua terra natal, e acharam melhor que levasse junto a menina, Thayná.

Simone era esbelta e atraente, com traços finamente cinzelados, nariz pontudo e olhos observadores. Um dia, ela estava perto da rua 2, a caminho do trabalho, quando uma moça que mal conhecia se aproximou com um celular na mão. "Alguém quer falar contigo", ela disse, estendendo o celular. Simone ouviu uma voz jovial, que perguntou: "É a moça que usa minha camiseta favorita?". Com frequência ela usava uma camiseta listrada de preto e vermelho do time do Flamengo. "Estou te vendo", prosseguiu a voz. "Todo dia te vejo indo para o trabalho. Vamos combinar uma hora para a gente se conhecer um pouco melhor?" Simone lhe disse educadamente que caísse fora. Mas as ligações misteriosas continuaram, e mais ou menos uma semana depois uma das garotas que lhe estendiam o celular disse: "Ele está te esperando agora no Valão". "Ele é bandido?", perguntou Simone, e a garota respondeu que não. Simone não tinha a menor vontade de se meter com o povo das drogas.

Ela entrou no bar onde Nem estava sentado sozinho. Ele foi extremamente educado e, depois de conversarem um pouco, ela aceitou almoçar com ele no domingo seguinte. "Aquele primeiro almoço foi fantástico", lembra ela. "Ele não avançou pra cima de mim, a gente nem mesmo se beijou, e ficamos juntos até quinze para meia-noite, quando ele disse que tinha de ir embora e terminar um serviço."

Simone não fazia a menor ideia de que Nem estava no tráfico. Na verdade, ele lhe mostrou sua velha carteirinha de funcionário da empresa de distribuição de revistas para convencê-la de que era um membro respeitável da comunidade. "Também me falou que era separado. Claro que na hora não percebi que era tudo um monte de mentiras."

Ele sempre ia para a casa de Simone no começo da madrugada, depois de terminar o trabalho, e ficava até o meio da manhã. Falava com muito afeto sobre a filha Eduarda, mas ressalvou que não tinha mais nada com Vanessa. Disse que ela morava na casa da sogra, sua mãe, enquanto ele ficava no andar de baixo.

Depois de algum tempo, Simone começou a ouvir um falatório. "A mulherada dizia coisas do tipo 'Não se meta com a Simone agora, porque ela está firme com um dos caras'. Todo mundo sabia quem ele era e o que fazia, menos eu. Eu não era muito de ficar na rua." Um dia Simone pediu que Nem fosse franco com ela, e ele foi. A promessa era que, se Nem dissesse a verdade, ela não o largaria.

Alguns dias depois, Simone recebeu uma ligação.

"Simone, sabe quem eu sou?"

"Não, não sei."

"Sou a mulher do Nem."

"Mas ele me disse que é separado."

"Separado nada. Durmo com ele toda noite."

Simone sabia que isso não era totalmente verdade, pois era ela que estava dormindo com ele toda noite. Vanessa falava em tom agressivo, mas, poucos minutos depois, estava sentada na sala de Simone e as duas, animadas, se puseram a trocar histórias. "Achei que você era só mais um capricho passageiro, como todas as outras", contou Vanessa, "mas resolvi entrar em contato quando percebi que com você era a sério." As duas combinaram que Simone ligaria para Nem, pedindo que ele fosse até sua casa com urgência. Quando entrou e viu Vanessa ali, ele se apavorou e saiu correndo.

A transição de Nem de homem sério de família para mulherengo havia sido rápida, mas não tinha nada de imprevisível. Espera-se de um sujeito importante numa favela que ele projete virilidade e magnetismo pessoal em seu comportamento público. Considera-se a voracidade sexual uma norma, e ninguém se surpreende se ele dorme com muitas mulheres. Na verdade, seria considerado estranho se ele não demonstrasse seu poder e seu controle sobre o sexo oposto. Quando as mulheres unem forças, como fizeram Vanessa e Simone, às vezes os homens ficam perdidos, sem saber o que fazer. No caso de Nem, ele simplesmente sumiu por uns quinze dias, embora depois a situação tenha desencadeado episódios de violência assustadora. A conduta de Lulu era uma leve exceção à regra. Mantinha três mulheres na favela, e todas se davam mais ou menos bem. Só de vez em quando ele tinha algum caso com mulheres de fora, inclusive algumas celebridades importantes.

Mas, em relação a seu pessoal, nada disso interessava a Lulu, desde que caras como Nem estivessem cumprindo suas tarefas como deviam. E Nem sem dúvida cumpria.

O núcleo da estratégia de Lulu era claro: mantenha tudo em paz e os negócios prosperarão. À medida que subia na organização, Nem também começou a conhecer em detalhes a administração dos negócios, sobretudo num de seus aspectos mais críticos: a contabilidade.

As questões de segurança, de alerta quanto aos informantes da polícia e de abastecimento regular das bocas de fumo não eram nada em comparação com o problema de controlar o fluxo monetário. Lulu era mestre nisso e passou vários conselhos a Nem, que pôde complementá-los com sua experiência anterior de subgerente na empresa de distribuição de revistas. Uma contabilidade adequada requeria registros claros dos débitos e créditos. Com a sofisticação crescente dos negócios, os traficantes recompensariam a lealdade dos clientes, vendendo a prazo se eles estivessem com a grana curta. Nesse caso, o freguês podia negociar o pagamento em prestações.

Num aspecto, a nova função de Nem era um tanto decepcionante. A Cachopa era um tédio tremendo: ao contrário dos bairros comerciais, ali não havia nenhum bar, as lojas eram raras e depois das seis o local parecia morto. Logo Nem achou aquilo muito sem graça e ficava doido de vontade de agitar no centro da parte baixa da Rocinha. "Lulu me impedia de ficar com os outros como Bem-Te-Vi", lembra. "Eram um bando de irresponsáveis, ele me dizia, e não queria que eu me misturasse com eles. 'Gosto muito do Bem-Te-Vi', dizia, 'mas não quero você seduzido pela mania de festa dele.'" Assim, Nem tinha de prestar contas de seus movimentos. Certa vez, foi convidado para a festa de aniversário de Zarur. "Pode ir e desejar feliz aniversário para ele", disse Lulu, "mas depois quero você de volta no teu posto."

De um ponto de vista prático, o maior problema com o reinado de Lulu era que ele mesmo não gostava da coisa. Não queria a responsabilidade e o desgaste de comandar uma favela, mesmo sendo muito querido pela comunidade. Sempre que possível, sumia da Rocinha por semanas ou meses, delegando os negócios às mãos de gente menos competente. A estabilidade ficava comprometida: durante suas ausências, as coisas tendiam a desmoronar.

Alice Azevedo[2] lembra que certa ocasião, quando Lulu estava fora, o sobrinho dela, com quinze anos na época, começou a sair com uma namorada nova. Sem que ele soubesse, a garota já vinha saindo com um dos traficantes, que logo ficou sabendo o que se passava. Uns rapazes de Lulu pegaram o garoto. "Levaram ele para a rua 1", conta Alice, "e lá começaram a torturar."

Uma semana depois, Lulu voltou. Ainda sem nenhum sinal do sobrinho, Alice foi com a tia e vários filhos até o Laboriaux, para pedir pelo rapaz. Lulu recebeu todos na laje da casa, ouviu em silêncio e de imediato chamou os responsáveis. Eles apareceram trazendo o garoto quase desmaiado, apenas de cueca, roxo de pancadas e sem comer havia uma semana. Lulu mandou que o soltassem na mesma hora e exigiu que os perpetradores pedissem desculpas à mãe do garoto, coisa que fizeram. Apesar disso, a vítima continuou aterrorizada e se mudou da Rocinha na primeira oportunidade. Quanto à garota, já tinham raspado sua cabeça e a expulsado da favela. O episódio, um entre muitos parecidos quando Lulu estava fora, mostrava a precariedade da ordem social e o quanto ela dependia de um único indivíduo.

10. Fratura
2001-2004

Em vista da grandiosa fama de Lulu na Rocinha, fiquei surpreso quando, pela primeira vez em nossas conversas, Nem começou a questionar sua capacidade administrativa. Em resumo, Nem gostava muito dele, como todo mundo. Mas, na questão das longas ausências do chefe sem que indicasse com clareza quem se incumbiria dos negócios no meio-tempo, Nem não poupou críticas. Na verdade, é a única pessoa da Rocinha que ouvi apontar algum defeito em Lulu. "Sempre que ele saía, os outros começavam a se enfrentar, querendo medir forças e se exibir." Nem lembra, por exemplo, quando Lion andou espalhando que Zarur era "um fodido":

> Lion estava andando com seu pessoal armado e aí Zarur apareceu com o dele. Nessa altura, resolvi que era hora de sumir e dei uma corrida para uma viela para mijar. E aí ouço Zarur dizer: "Então, Lion, você acha que sou um fodido?". E eu pensando: "Porra, o que faço agora? Essa viela é uma merda de um beco sem saída, a coisa está para estourar e não vou ter como escapar". Então ouço Lion

dizer: "Abaixe a arma, Babão!". Babão era um dos caras de Zarur. "Mantenha apontada", diz Zarur. No fim, Babão toma o assunto nas mãos e diz: "Vou abaixar e então me afasto". Fim do confronto. Espero todos irem embora e então saio de cabeça baixa, o mais depressa possível.

Toda vez que Lulu saía, a gente tinha essas merdas acontecendo. Ele não deixava nenhuma linha de comando clara. Falei que a próxima vez que eu visse que ele ia viajar de novo, iria cair fora até ele voltar. "Fiz um trato contigo", eu disse, "não com aqueles caras — e anote minhas palavras: eles vão acabar se matando."

Outra possível razão para Lulu estar sempre procurando algum pretexto para deixar a favela era que, desde 2001, ele sabia que estava em rota de colisão com a cúpula de sua própria facção, o Comando Vermelho. Em janeiro daquele ano, Dênis da Rocinha, o homem que dera início à coisa toda vinte anos antes, foi assassinado em sua cela na prisão. O mais chocante é que isso aconteceu por ordem da cúpula do CV, ao qual Dênis servira com lealdade durante duas décadas.

A cadeia era um dos locais menos seguros para os criminosos, pois os salários miseráveis e as péssimas condições de trabalho dos agentes penitenciários garantiam que os detentos pudessem conseguir qualquer coisa. Em Bangu, o complexo de presídios mais famoso do Rio, os presos com influência no lado de fora podem comprar o que quiserem, de celulares a refeições quentes e aparelhos de videogame, e, claro, a quantidade que quiserem de drogas, bebidas alcoólicas e até armas. Mas a mercadoria mais importante de todas é o celular, com o qual os líderes de todas as facções do tráfico carioca, bem como do PCC em São Paulo, podem dirigir seus impérios de dentro das paredes de suas próprias celas.

A decisão de matar Dênis também refletia a determinação do Comando Vermelho de reforçar o controle sobre suas favelas diante dos problemas resultantes do avanço das novas facções rivais, o Terceiro Comando e a ADA. Ambas estavam crescendo. As duas figuras principais do Comando Vermelho, Marcinho VP e Fernandinho Beira-Mar, representavam uma nova geração de dirigentes dinâmicos e decididos. Os dois haviam subido na organização, sobretudo Marcinho, após a morte de Orlando Jogador. Marcinho trabalhara para Orlando e, junto com integrantes mais jovens do CV, estava doido para se vingar de Uê após as matanças de 1994. Os integrantes da velha guarda do Comando Vermelho, alguns dos quais haviam cumprido pena em Ilha Grande, acreditavam que Orlando Jogador teria provocado Uê e chegaram a ponto de exonerá-lo de culpa pelo massacre no Alemão. A facção estava dividida internamente entre as gerações, e os mais velhos se sentiam chocados ao ver a que grau os jovens valentões estavam dispostos a aumentar o recurso à violência e intensificar o volume de cocaína na cidade.

Quando Lulu chegou ao poder na Rocinha, o pessoal da nova geração tinha sólido controle do Comando Vermelho. Vinham observando o aumento nas vendas e nos lucros da favela e queriam uma porcentagem maior. Dênis, que a nova cúpula do CV desdenhava por ser da velha guarda, não admitia tais avanços em seu território e em seu poder. O assassinato de Dênis, comentou um agente de inteligência do Batalhão de Operações Policiais Especiais (Bope), da Polícia Militar, foi o estopim que desencadeou todos os horrores que aconteceram depois na Rocinha.

Beira-Mar não tinha um envolvimento tão direto na gestão do dia a dia dos redutos do Comando Vermelho, como o Complexo do Alemão, cujo controle Marcinho retomara pelo CV. Na verdade, ele estava construindo sua fama de figura mais poderosa na economia das drogas no Brasil. Tornou-se o único indivíduo que conseguiu se desprender do banditismo de favela e ingressou no ramo atacadista. Passou para o atacado criando vínculos próximos com as Farc na Colômbia. Até então, grande parte da cocaína que entrava no Rio era levada por matutos, autônomos que transportavam eles mesmos pequenas quantidades do Paraguai e da Bolívia até o Rio de Janeiro.[1]

Os matutos corriam riscos consideráveis. Primeiro, tinham de negociar um preço viável junto aos fornecedores bolivianos, paraguaios ou colombianos. Então, precisavam entrar com o produto no país, evitando a polícia, os militares e eventuais ladrões. Depois, tinham de obter um preço decente com os traficantes nas favelas. No começo dos anos 2000, vários matutos foram mortos, como se houvesse um assassino em série à solta entre eles, com alguma birra contra mulas. Essas histórias nunca chegaram à imprensa, eram apenas nomes, indivíduos avulsos, alguns bolivianos ou paraguaios, outros brasileiros. Mas os envolvidos no narcotráfico nas favelas cariocas desconfiaram que havia algo esquisito por trás daquelas mortes. Lulu chegou à conclusão de que alguém do Comando Vermelho devia muito dinheiro aos matutos e, em vez de pagar, preferiu matá-los.

Isso coincidiu com a influência crescente de Beira-Mar na chegada do atacado no Rio. Não existem provas que indiquem qualquer ligação mais forte entre Beira-Mar e a morte dos matutos. Mas esses acontecimentos sem dúvida fortaleceram seu poder, pois lhe permitiram aumentar o controle sobre as entregas do atacado.

A essa altura, Marcinho VP e Beira-Mar começaram a avaliar as opções se quisessem reforçar sua influência sobre a Rocinha. A preferência deles acabou recaindo sobre um homem conhecido como Dudu, que nascera ali e onde iria de fato operar como agente dos dois.

A pressão sobre a Rocinha aumentou após a morte de Dênis em 2001. A cúpula do Comando Vermelho exigiu que Lulu lhe entregasse uma porcentagem maior dos lucros da favela. Ele negou. No começo de 2004, a situação estava ficando crítica. Segundo o setor de inteligência da polícia, Beira-Mar continuou a conversar de maneira sigilosa com integrantes do pessoal de Lulu, em especial com possíveis rivais de um de seus mais prováveis sucessores, Bem-Te-Vi.

A degringolada na situação deixou Lulu profundamente perturbado. Ele já começara a fazer planos concretos para sair da Rocinha e do narcotráfico. No começo de 2003, enviou um emissário a Luiz Eduardo Soares, que havia trabalhado como coordenador de Segurança, Justiça e Cidadania do governo do Rio e agora, em Brasília, ocupava o cargo de secretário nacional de Segurança Pública. Lulu perguntou a Soares se podiam chegar a um acordo. Disse que queria se entregar ou talvez, para ser mais exato, queria sair da atual profissão e "se aposentar". Soares, antropólogo, escritor e consultor político de talento, respondeu que, em termos pessoais, torcia muito para que Lulu conseguisse se aposentar. Infelizmente, também era funcionário público na época. Isso significava, lamentavelmente, que, se Lulu quisesse marcar um encontro, Soares não teria outra opção a não ser prendê-lo. Frisou que lhe desejava tudo de bom e que Lulu o contatasse sempre que precisasse.

Dez meses depois, Soares estava numa sessão de candomblé em Salvador, junto com várias pessoas, entre elas a mulher de Gilberto Gil. Flora Gil era grande amiga de Lulu. Como empresária, levara vários artistas para se apresentar na Rocinha, como o próprio Gil e Ivete Sangalo. Depois, ajudou a arrecadar mais de 500 mil reais para a construção de um centro cultural na favela. As amizades de Lulu com personalidades tão eminentes dão uma medida de seu carisma.

Soares estava envolvido no ritual hipnótico do candomblé quando alguém lhe bateu no ombro. Era Lulu. "Professor", disse ele com um sorriso gentil. "Consegui! Saí do negócio!" O antropólogo ficou muito contente e respondeu: "E a boa notícia é que não estou mais no cargo e, assim, não tenho mais a obrigação de te prender. Só posso te dar os parabéns!". Quando Lulu deixou a sessão, a mulher de Soares alertou que talvez a história ainda não tivesse terminado.

Alguns meses depois, certa tarde, durante um período sabático em Porto Alegre, o telefone de Luiz Eduardo Soares tocou. Era Lulu.

"Tive de voltar para a Rocinha. Eles me sequestraram."

"Quem? O Comando Vermelho?"

"Não. A Polícia Civil."

Lulu estava visitando a mãe na Paraíba quando quatro mascarados da Polícia Civil do Rio invadiram a casa e o jogaram num carro. Os policiais tinham percorrido 2400 quilômetros para realizar essa missão e estavam, claro, fora de sua jurisdição. Mero detalhe. Lulu era uma figura importante demais na complexa economia da corrupção carioca para permitirem que ele saísse. A polícia o obrigou a voltar a suas atividades de chefe.

"Claro que achei que iam me matar", contou Lulu ao professor Soares. "Pelo contrário. Disseram: 'Vamos te matar se você não voltar para a Rocinha. Desde que você saiu, o lugar virou a maior zona e a violência está se espalhando nas áreas vizinhas. Você vai voltar e dar um jeito na coisa.'" Por mais que quisesse escapar, Lulu continuou preso dentro da Rocinha e do narcotráfico — pela polícia, bem como por seus clientes, seus soldados e pelos moradores da favela.

Assim, no começo de 2004 lá estava ele de volta à Rocinha. Logo se viu obrigado a lidar com uma situação complicada, que surgiu perto do Carnaval. Parecia que aquele ia ser um dos maiores Carnavais dos últimos tempos. O turismo revivia. O *Queen Mary* era um dos oito transatlânticos que atracariam no Rio para a semana de samba e festa que começaria em 22 de fevereiro. Naquele ano, chegaram ao Rio 80 mil turistas estrangeiros, somando-se aos 380 mil turistas nacionais. Ia ser um recorde de público. Os hotéis estavam lotados, e centenas de milhares de pessoas tinham ingressos para os desfiles no Sambódromo.

O Carnaval costuma ser uma época em que a polícia e as facções do narcotráfico respeitam uma trégua tácita. Há necessidade de policiais para manter a ordem durante esse imenso acontecimento público, do qual fazem parte enormes eventos de rua. Para os traficantes do varejo, é nada mais, nada menos que o clímax do ano. Explosões de violência não interessam a nenhum dos lados.

Naquele ano, o clima na Rocinha era de grande entusiasmo, pois sua escola de samba tinha boas chances de ser promovida do Grupo A para o Grupo Especial. Mas, com as expectativas, surgiram também novas preocupações.

Um mês antes do começo do Carnaval, Dudu, ex-chefe doido para recuperar o trono, recebera licença para deixar a prisão e passar o fim de semana visitando a mãe — muito embora fosse considerado de alta periculosidade. Claro que ele não voltou à prisão e foi se encafuar no Complexo do Alemão, onde os policiais não o encontrariam. Como disse Luiz Eduardo Soares: "Puxa, que horror! Um traficante de drogas condenado com vasta ficha corrida de homicídios e estupros não volta à prisão depois da licença de fim de semana".

Os líderes do Comando Vermelho haviam dado sua bênção a Dudu para retomar a Rocinha. Escreveram a Lulu com instruções para deixar Dudu voltar à favela e aceitar dividir com ele a chefia do tráfico.

Dudu — nome completo: Eduíno Eustáquio Araújo Filho — era um rapaz complicado. Um de seus ex-professores se referiu a ele como "um meninão" que gostava de brincar com todo mundo.[2] Na opinião geral, era um adolescente inteligente e muito simpático, mas que tinha se envolvido com a malandragem da rua 1. Com vinte e poucos anos, foi detido e encarcerado, e na prisão conheceu os traficantes do Comando Vermelho. Quando voltou à liberdade, as pessoas notaram que o jovem agora estava mais perigoso e impulsivo. Começou a subir e descer a estrada da Gávea com sua moto armado de duas grandes pistolas, que sempre levava no cinto.

No começo, Dudu ministrava sua justiça violenta com alegre jovialidade. Se alguém fosse contrário a seu candidato favorito numa eleição, ou ainda não tivesse pago pelas drogas que comprara, ou estivesse saindo com uma garota em que ele estava de olho, o psicopata se aproximava sorridente e dizia: "Vou te matar". Em geral falava rindo, o que podia dar a entender que era brincadeira. Também podia significar que estava falando sério.

Mas, na época em que se tornou um dos chefes da Rocinha em 1994, já andava brincando muito menos. Ficou paranoico, e as ameaças eram cada vez mais sérias. Adotava um estilo mais frio quando achava que alguém o traíra. "Tinha o cara da via Ápia que ele simplesmente não ia com a cara", lembra um grande cronista da vida na Rocinha. "Foi até ele sorrindo e — bum! — deu um tiro bem na cara dele."

O rosto de Nem se retorce de asco ao ouvir o nome de Dudu. "Além da matança e tudo o mais, era um estuprador, coisa que não se admite numa comunidade", diz ele.

Os moradores da Rocinha lembram o breve reinado de Dudu como uma época de terrível crueldade. A memória de Nem o ajuda — Dudu era notório estuprador. Como todos os outros traficantes, não prestava contas a ninguém, mas, se havia alguma lei que as pessoas esperavam que fosse respeitada pelos chefes da favela, era que o estupro era inadmissível. Com efeito, o próprio Comando Vermelho condenava de maneira explícita esse crime. O terror arbitrário de Dudu contra homens e mulheres logo fez com que muitos moradores se virassem contra ele. Mas não comentavam nada com ninguém, o que não era de admirar. Em suas lembranças, consideram aquela época como o período mais obscuro da vida na Rocinha desde a década de 1980.

Dudu morava na rua 2, ao lado do centro geográfico da Rocinha. Mandou um mestre de obras abrir uma passagem secreta numa das paredes da casa, por onde poderia desaparecer caso a polícia surgisse. Por essa passagem, chegava a outra casa, um pouco mais adiante. Assim, Dudu podia escapar durante uma batida, deixando os policiais perplexos e de mãos vazias.

Mas alguém avisou o esquadrão antidrogas da existência do corredor. Assim, quando foram prender Dudu em 1995, os policiais ficaram à espera na outra casa, para pegá-lo quando saísse por ali. Ele foi condenado a um longo tempo de prisão, e a chefia da Rocinha — como sempre, determinada por Dênis em sua cela — passou para um triunvirato que incluía Lulu.

Então, quando o Comando Vermelho instruiu Lulu a aceitar a volta de Dudu à favela e a designá-lo chefe da parte baixa da Rocinha, Lulu foi categórico e não aceitou. Era uma insubordinação inédita entre as fileiras da maior organização criminosa do Rio e todos imaginaram que não passaria impune.

Tão logo souberam que Dudu tinha fugido da prisão, os moradores da Rocinha começaram a se preparar para o conflito. Dezenas de homens se apresentaram ao grupo de segurança de Lulu, para servir como voluntários, e solicitaram que se distribuíssem armas aos cidadãos leais, a fim de proteger a favela contra ataques.

Lulu passara a confiar muito em Nem, por seu papel na estrutura e por sua capacidade de organização. Seu braço direito se mostrava um conselheiro sensato, que se empenhava sobretudo num maior cuidado na distribuição e no uso das armas. Mas, se sua vida profissional se caracterizava pela cautela e pela argúcia, a vida pessoal andava mais complicada do que nunca.

No começo de 2004, Simone estava no sétimo mês de gravidez, esperando uma filha de Nem, Fernanda. A primeira filha dela, Thayná, voltara da casa da avó na Paraíba para a Rocinha depois que Nem, num típico gesto generoso, se prontificou a sustentá-la. Chegou a adotá-la, e a menina já o chamava de "pai".

Uma tarde, Simone foi ao médico na via Ápia para um exame pré-natal. Na hora em que entrou na sala de espera, topou com Vanessa, também com gravidez adiantada.

"Simone? De quem é?", perguntou Vanessa.

"Ué... do Nem."

"Ah, não... não pode ser. *Este aqui* é do Nem."

Certo, decidiram as duas. Chega de história. Foram até a casa da mãe de Nem, onde ele dormia pesado depois de uma exaustiva noite de trabalho nas bocas de fumo da Cachopa.

"Adivinha quem encontrei no médico?", Vanessa berrou no ouvido dele.

"Porra, Vanessa, cheguei tarde. Deixa pra lá. Depois a gente se fala."

"Simone! E sabe o que mais? Ela está grávida. E sabe quem é o pai?"

"Como assim? Simone? Eu não sabia que ela estava grávida. De quem?"

Nesse momento, Simone entrou no quartinho minúsculo e se intrometeu na conversa em tom de ironia: "Você não sabe quem me engravidou, Nem?".

Nem bateu a porta com força, bravo e ao mesmo tempo embaraçado.

"Parem com essas bobagens ou atiro nas duas!"

"Você, atirar em mim, que estou esperando um filho teu, não acredito!", gritou Simone.

Tudo isso acontecia enquanto Vanessa forçava e abria a porta, e Nem batia e fechava de volta, numa cena que mais parecia uma farsa conjugal.

"Mas eu conhecia esse lado bravo dele", contou Simone mais tarde, "e a certa altura fiquei mesmo com medo que ele atirasse em mim."

De pura fúria, foi Simone que acabou partindo para a violência, quebrando o vidro da única janela da casa, e depois disso teve de voltar à clínica para levar dois pontos na mão ensanguentada.

De novo confrontado pelas mulheres enfurecidas, Nem fez as malas e sumiu por algum tempo. "É", relembra ele, "durante uns quinze dias fiquei fugido não só da polícia, mas de duas mulheres também!" Quando nasceram as crianças, Fernanda e Enzo, com dois meses de diferença, ele comentou que sempre quisera ter gêmeos, mas, se não era possível, estava ótimo assim. E sem dúvida essa era uma prova visível de sua virilidade, caso fosse necessário.

Se o relacionamento com as mulheres ia se complicando cada vez mais, por outro lado Nem continuava um pai muito presente. Eduarda, agora com quatro anos, era uma menina muito viva e de inteligência excepcional, que todos os parentes e amigos adoravam. Não havia mais nenhum sinal da doença das células de Langerhans. Nem também era igualmente cioso em cumprir suas responsabilidades com Thayná, a filha adotiva. "Ele nunca deixou as crianças na mão", diz Simone. "Comprava coisas para elas. Brincava com elas, lia para elas. Era e continua a ser um pai exemplar."

Embora ainda tivesse sentimentos ambíguos em relação à mãe, devido ao destino do pai, ele admirava a dedicação dela ao trabalho e à família. Os dois se aproximavam cada vez mais. Quando Nem ingressou na operação de Lulu, dona Irene lhe perguntara por que havia feito isso. Ele não respondeu. O máximo que se dispusera a dizer foi que era um favor a um conhecido, e que estava fazendo isso por causa da filha. Com o tempo, ficou claro que não era uma mudança apenas temporária, e dona Irene foi tomada pela preocupação, sobretudo à noite. Toda vez que ouvia tiros, ficava apavorada, temendo que o filho não voltasse na manhã seguinte.

Em 22 de fevereiro, na noite do grande desfile de Carnaval, William da Rocinha estava com a esposa no centro da cidade quando seu celular tocou. Seis dias antes, William, então com 33 anos, se tornara presidente da associação de moradores. Seu percurso até a política tinha sido sinuoso: das funduras da pobreza e da dependência de drogas ao auge do sucesso na carreira de DJ e apresentador de rádio. Depois de largar a cocaína, ele passara a se engajar cada vez mais na política da comunidade, mantendo uma relação construtiva com Lulu, que ajudava a financiar seus bailes funk.

Como rocinhense da gema, William tinha plena consciência das dificuldades que seu eleitorado enfrentaria com Dudu fora da prisão, mas, como todos os outros, imaginava que as coisas não explodiriam durante o Carnaval. A ligação em 22 de fevereiro mudou tudo isso. Uma unidade das forças especiais da Polícia Militar acabara de matar a tiros três adolescentes que saíam de um baile funk na Rocinha.

Como presidente recém-eleito da associação, William correu até o local. Havia cerca de quinhentas pessoas reunidas, enquanto a polícia mobilizava reforços às pressas para impedir que a fúria dos moradores estourasse.

No dia seguinte, todos os veículos de comunicação deram a mesma versão: os três garotos estavam envolvidos no tráfico de drogas. Não havia nenhuma prova que sustentasse a alegação, mas a imprensa a publicou mesmo assim. Em poucos dias, William e seus colegas montaram um dossiê de provas que demonstrava, sem dar margem a dúvidas, que eram apenas três garotos inocentes se divertindo um pouco.[3] Por ironia, a polícia dera autorização para o baile.

A partir daí, havia três forças hostis preparadas para a batalha — os traficantes da Rocinha; Dudu e seu bando de mercenários; e a Polícia Militar. Estava tudo pronto para explodir.

11. A Paixão da Rocinha
Abril de 2004

Véspera da Sexta-Feira Santa e Cristo se mantém calado, em desafio. O sumo sacerdote Caifás brada, incrédulo: "Não respondeste nada?".

Seu interrogatório de Jesus ainda não rendeu resultados. Por entre uns oitenta homens e mulheres em torno do sumo sacerdote e do profeta, avança um pequeno grupo de soldados romanos. Alguns estão de sandálias. Preparam-se para espancar e humilhar o herege pela insolência. A multidão fica cada vez mais inquieta.

O discípulo Pedro chora. Acaba de cumprir a profecia de Jesus, renegando três vezes o mestre. Encontra-se num dos lados do Sinédrio, que está decidindo o destino de Cristo, uma das cenas principais da via crucis. A atividade tem lugar junto à garagem onde os ônibus municipais ficam estacionados durante a noite.

No exato momento em que a condenação de Caifás durante o julgamento de Jesus atinge o clímax, todos são tomados de um súbito terror. Os sacerdotes, os soldados romanos, os aldeões, os discípulos e até o próprio Cristo se abaixam para se proteger de uma repentina saraivada de balas, à qual se segue uma explosão elétrica soltando fogo. Projéteis luminosos tracejam o céu num vermelho demoníaco. É como se Satã tivesse enviado suas principais legiões para interromper a Paixão de Cristo, pensa Aurélio Mesquita.

Todos conhecem as regras do jogo: encontrar abrigo o mais rápido possível, sem gerar pânico nem correria. Aurélio é o que reage mais depressa. É o fundador e diretor da Via Sacra, a recriação anual da jornada de Jesus até a Cruz na Rocinha. Magro, mas cheio de energia, ele faz um sinal para os atores o seguirem até sua casinha, a cem metros dali. Trinta pessoas, entre elas várias crianças, se apertam num espaço em que normalmente cabem quatro pessoas.

O estrépito da guerra prolifera em torno do elenco. Claro que abandonaram o ensaio geral da Via Sacra. Na entrada da favela intensifica-se a batalha pela Rocinha. Em apoio a Dudu, chegaram cerca de sessenta rapazes do Vidigal, a favela vizinha, vestidos de preto, armados até os dentes, para tomar o controle da Rocinha e de sua concessão de cocaína, a mais lucrativa de todo o Rio de Janeiro. Nessa semana morrerão doze pessoas, e a Rocinha mergulhará num caos que se estenderá por mais dezoito meses.

Meia hora antes de os sinos da igreja anunciarem a Sexta-Feira da Paixão, Telma Veloso Pinto, uma dona de casa de 38 anos, dirige seu carro, com o marido e três sobrinhos, da Barra para o apartamento novo em Botafogo. Em vez de pegar o túnel do morro Dois Irmãos, ela opta pelo caminho mais panorâmico: a avenida que segue pela costa entre as duas favelas em guerra, Vidigal e Rocinha, que vai dar na praia do Leblon.

O carro da dona de casa, um Citroën ágil e fácil de manobrar, vem muito a calhar para os bandidos do Vidigal, que estão requisitando automóveis que usarão para o ataque à Rocinha. Cinco homens fortemente armados saem da mata e fazem sinal para Telma parar. Ela reage pisando fundo no acelerador e os atiradores começam a disparar suas metralhadoras contra o carro. O marido agarra a direção e puxa o carro para o acostamento, querendo parar. Então vê que a esposa morreu. Ele e os três sobrinhos estão feridos. Telma é a primeira a cair na tentativa de invasão da Rocinha. Como vários outros que vão morrer, ela é uma vítima inocente e acidental.

Enquanto se enfiam nos carros roubados, os invasores imaginam contar com o elemento surpresa. Na verdade, há cerca de cem soldados do tráfico posicionados de maneira estratégica em torno da Rocinha, armados e aguardando para saudar a invasão.

Lulu está mortalmente cansado de seu cargo importante e opressivo. Mas nessa ocasião ele se mantém firme. Sabe que Dudu, seu antecessor e rival, está decidido a retomar a favela. Sente que tem a grande responsabilidade de defender seu feudo e os moradores. O povo da Rocinha também está doido para que Lulu ganhe. Ninguém esqueceu o medo que marcou o reinado de Dudu. Ninguém quer que ele volte.

Lulu montou uma ampla rede de inteligência ao longo dos anos. Tem muitos contatos na polícia e por todas as favelas que estão sob o controle da facção à qual pertence, o Comando Vermelho. Com a proximidade da Sexta-Feira Santa, porém, Lulu não pode esperar nenhuma clemência de seus camaradas do CV. Ele ignorou a carta da cúpula da organização que lhe ordenava entregar a concessão da parte baixa da Rocinha a Dudu. A única coisa que pode fazer é se preparar para o ataque.

Foi talvez prevendo um desdobramento desses que Lulu também vem cultivando amizades entre os dois principais rivais do Comando Vermelho, o Terceiro Comando Puro (TCP)[1] e a ADA.

O mais importante é que Lulu tem um informante do Vidigal, que faz parte das forças de ataque. Há duas ou três semanas ele vem vazando informações sobre os planos de invasão. Na quinta-feira, Lulu sabe que o pessoal de Dudu chegará pouco antes da meia-noite.

Nem confirma a notícia. Ele também soube do ataque iminente. Tem sob seu comando cerca de 25 soldados armados, mas não é uma força muito organizada. Na maioria, são rapazes na adolescência e na casa dos vinte anos, uns varapaus usando camiseta de time de futebol, calção e tênis ou chinelo de dedo. Muitos ficam nanicos em comparação ao tamanho das armas que portam e, embora Nem e os membros mais maduros tentem lhes incutir alguma disciplina, saem sistematicamente do controle quando estão fora das vistas dos chefes.

O caminho que leva os garotos a entrar nessa carreira é bem conhecido. Os guias são indóceis: desemprego, testosterona, consumismo e carência — carência de figura paterna, de escola, de Estado e de um futuro. Na era da globalização, vivem cercados por imagens de glamour e bens materiais. Nas favelas, para muitos só há um caminho para chegar a tais coisas: o dinheiro do tráfico.

A autoridade de Nem cresceu; agora, aquele magricela desengonçado que o próprio irmão viu agachado no chão, segurando desajeitado um rifle semiautomático, não passa de uma imagem muito remota. No começo, Carlos implorava que Nem largasse o trabalho no tráfico. Percebia que o irmão não gostava do serviço nem era talhado para ele — que ficava aflito com os riscos constantes. Tudo isso contrariava profundamente seu caráter. Mas, após a morte de Gerardo, as relações entre os dois nunca chegaram a se restaurar por completo e, assim, o conselho de Carlos caiu no vazio.

Por outro lado, Lulu está impressionado com a capacidade de Nem para acalmar a Cachopa e as áreas vizinhas. Quando lhe passa alguma tarefa, Nem a realiza muito rápido e com grande eficiência, e ainda por cima prestando contas de cada centavo tirado do caixa pequeno. Embora sem formação, ele tem um talento natural para os negócios.

Essa noite, há uma divergência de opinião entre os dois. Nem acha que Lulu deve posicionar seus homens na entrada da Rocinha, numa emboscada para pegar os invasores de Dudu, e se oferece para se pôr à frente do destacamento. "Quando tentarem entrar, não vai sobrar um vivo", insiste Nem. Segundo as fontes de informação deles, os atacantes vão entrar na Rocinha pelo lado do Atlântico, e não pela Gávea a leste. Nem garante que sua equipe pode afastá-los antes que cheguem a entrar na favela. Está convicto de que, nesse caso, a melhor defesa é o ataque e pede permissão a Lulu para estacionar seus atiradores naquele ponto. Depois de quatro anos na segurança, Nem é muito mais firme em suas proposições do que quando começou nessa área. Tem certeza de que Lulu está cometendo um grave erro e lhe diz isso. Mas Lulu abana a cabeça e responde: "Vamos deixar que eles atirem primeiro, para o mundo ver quem são os agressores".

Nessa época, Nem não deixava de expressar suas opiniões e de discutir com Lulu, quando julgava que o chefe estava errado. Mas, quando Lulu tomava a decisão final, Nem executava as ordens ao pé da letra.

Assim, no começo da invasão, Nem está na parte alta do morro, perto da borda da mata. Quando ouve os tiros lá embaixo, grita no walkie-talkie: "Deixa eu descer, por favor!". Lulu espera um pouco mais, até o momento em que o combate chega à via Ápia, a principal rua de comércio junto à entrada da Rocinha. Só então permite que Nem desça o morro com seus soldados.

Mais ou menos nessa hora, Fabiana dos Santos Oliveira, de 24 anos, que trabalha em casa cuidando dos filhos de outras famílias, está na garupa da *scooter* do marido, descendo a estrada da

Gávea até a via Ápia. Com o barulho da guerra zunindo em torno, eles estão com mais pressa do que o normal para ir buscar no pé do morro a irmã de Fabiana, que volta do trabalho na cidade.

Enquanto isso, as forças invasoras deviam estar encontrando a primeira linha de defesa da Rocinha no bairro de Vila Verde. Embora Lulu queira garantir que sejam os invasores a dar o primeiro tiro, ele e Nem estão contando que a invasão será retardada pelos combatentes escondidos nessa área residencial, que fica à esquerda de quem entra na favela.

De repente estala uma notícia inesperada e preocupante no walkie-talkie: Dudu e seus homens passaram pela Vila Verde sem nenhum problema. Está acontecendo algum revés.

Os atacantes abrem caminho a fogo até a Curva do S, um trecho muito sinuoso numa subida no começo da estrada da Gávea. Muitas décadas atrás, quando a Rocinha não era favela, mas uma fazendola, a Curva do S era o grande marco da corrida de automóveis do Rio, e o argentino Juan Manuel Fangio, o maior piloto de Fórmula 1 da história, fez o percurso por ela.

Nessa noite, a defesa da Curva do S estava a cargo do traficante chamado Band, um dos principais homens de Lulu, mas ele não combateu os invasores. Nem faz novo contato com Lulu, sugerindo que há algo de errado. O chefe confirma a informação alarmante. Eles foram traídos. Band está colaborando com o inimigo. Antes, era um integrante valioso da operação de Dudu. Agora fica claro que Band tem mantido contato com seu ex-chefe. Lulu diz a Nem que, se repelirem os atacantes, vai eliminar Band.

Lulu alerta Nem para evitar a estrada principal, e ele então faz o contorno pela favela, por ruelas e quebradas escuras, até a Cachopa.

Fabiana e o marido entram na Curva do S, onde se deparam com saraivadas contínuas. Os invasores estão abandonando os carros que roubaram. Largando-os na Curva do S, começam a subir o morro atirando sem cessar, seguindo em direção à igreja. Uma bala atinge Fabiana no peito e a derruba da *scooter*. O marido salta do banco para ajudá-la, mas é alvejado no cotovelo e precisa se jogar ao chão para se proteger. Fabiana grita pedindo socorro, porém o tiroteio é tão intenso que, quando alguém consegue se aproximar, ela já está morta.

As trocas de tiros acabam com trechos inteiros da rede elétrica já muito precária. Vastas áreas de escuridão se espalham pela favela.

William da Rocinha está falando ao celular com Lulu e com o comandante da Polícia Militar, que chegou à entrada da favela. Lulu lhe pede que diga ao comandante que ele e seu pessoal não têm nenhum atrito com a polícia e não vão entrar em combate com a PM. Estão apenas se defendendo dos "bandidos", como ele se refere aos homens de Dudu. William pede à polícia que avance com cuidado e não entre nas áreas sob o controle de Lulu. Por ora, há um amplo acordo entre Lulu e as forças da lei.

À meia-noite e meia, chegam os reforços da PM. Fecham a avenida costeira, que liga a Rocinha ao Vidigal, e o túnel Dois Irmãos. Mas, durante essa primeira fase do combate, os policiais concordam em não intervir de maneira direta. Na verdade, um tanque vai rolando pela estrada da Gávea, porém os dois grupos de bandidos o deixam passar. Já estão com problemas suficientes lutando entre si. Nenhum deles quer que a polícia se envolva também.

No dia seguinte, o comandante declara que o avanço de seus homens, uma terceira facção armada na escuridão, teria levado com toda probabilidade a um número ainda maior de baixas civis. É um argumento plausível.

Quando Nem chega à margem oeste da Rocinha, onde começa a mata, Lulu fala outra vez com ele. "Descubra o que está acontecendo com nossa rapaziada na Dioneia", diz, referindo-se ao bairro no alto da favela, "e então mande eles descerem. Temos de isolar e cercar os atacantes." Na mesma hora Nem entra em contato com o grupo e ordena que se encaminhem até o exército de Dudu e bloqueiem seu avanço na subida do morro. Mas, ao avistar os invasores, os rapazes desse grupo acham que os inimigos têm superioridade nas armas e fogem para o reduto na rua 1.

Nem liga de novo para eles: "Onde vocês estão agora?".

"Na rua 1."

"Puta que o pariu, o que vocês estão fazendo aí? Vocês são uns merdas. Desçam já para cá!"

Mas eles não descem. Vão se esconder na mata. Nem anota mentalmente o fato. Está registrando as falhas e os erros táticos. Acima de tudo, pensa: "Esses moleques são novos e inexperientes demais".

No coração comercial da Rocinha, o Valão, com a barulheira que vem da estrada da Gávea, Wellington da Silva percebe que há uma luta em curso. Conhecido como Maluquinho, Wellington tem 27 anos e é um dos skatistas mais famosos do país, bicampeão do Rio e vice-campeão nacional. É uma figura muito conhecida e estimada na comunidade, e sente orgulho de sua amizade com Lulu. Pondo uma pistola debaixo da camiseta — que traz a frase QUEREMOS PAZ MAS NÃO FUGIMOS DA GUERRA —, ele toma o rumo da Cachopa.

Ao chegar lá, por volta das duas da manhã, Wellington ouve sons de festa e vê um grupo de soldados ali por perto. Faz sinal para eles: "Oi! Pessoal, pessoal, sou eu, Maluquinho!". É um erro. Não é o pessoal de Lulu que está ali, mas a tropa de Dudu, e com o próprio líder, que diz: "Você parece de parafuso frouxo, Maluquinho". Dá-lhe um tiro numa das pernas e depois outro no braço esquerdo. Maluquinho suplica que Dudu poupe sua vida, invocando os dois filhos pequenos. Dudu diz que o skatista tem sido muito claro sobre sua lealdade a Lulu, o que faz dele um inimigo, e o mata com um tiro à queima-roupa.

Logo depois, Dudu se retira para a mata com seus homens. Levaram muito mais tempo do que tinham imaginado para chegar à Cachopa. Poucos dos invasores são mesmo da Rocinha, e por isso não conhecem bem a geografia da favela. Decidem ficar na moita pelo resto da madrugada.

Nem desce e encontra o corpo de Maluquinho. Contata Lulu e dá a má notícia. De repente, os walkie-talkies de todo mundo ganham vida, recebendo uma mensagem. É Dudu, transmitindo em todas as frequências. "A gente volta amanhã às seis da tarde", exulta ele. "Até mais pra todos!"

12. Mr. Jones
Abril de 2004

Umas duas horas depois do nascer do sol na Sexta-Feira Santa, só quem precisa mesmo sair de casa é que sai, e se esgueirando. Hoje o comércio não funciona, nenhuma loja abre, e quem tem de ir trabalhar vai o mais ligeiro possível. Às onze, o diretor, os montadores de cena e os atores da Via Sacra fazem uma reunião rápida. Logo resolvem que vão desistir da apresentação dessa noite — é a primeira vez em doze anos que a Paixão de Cristo é cancelada. Apesar da enorme decepção, os artistas são unânimes e não querem pôr a vida de ninguém em risco por causa da apresentação. Despedem-se e vão para casa.

A associação dos moradores está espalhando a notícia de que haverá um toque de recolher informal a partir das cinco da tarde. Todos creem que os homens de Dudu atacarão de novo essa noite. Lulu e seus comandantes, porém, estão menos preocupados do que antes. Julgam que, apesar da superioridade numérica, as forças de Dudu se mostraram desorganizadas e não dispunham de táticas nem de estratégias. Era quase como se fosse, acima de tudo, uma advertência e uma demonstração. Mesmo assim, preparam-se para a volta dos invasores.

Para eles, mais grave é a reação política e dos meios de comunicação. As manchetes dos jornais falam na "Guerra da Rocinha". Os editoriais e artigos principais exigem uma ação decisiva contra os "bandidos e traficantes". Os próximos dias serão mais complicados, pois agora as autoridades determinaram uma enorme intervenção policial. São enviados cerca de mil soldados adicionais, 350 da PM regular e 650 do Bope. Começa a ocupação da favela.

Graças ao filme *Tropa de elite*, muita gente no mundo todo conhece o Bope. Seu símbolo é uma caveira com uma faca cravada no alto, tendo ao fundo duas garruchas cruzadas, e pretende amedrontar, o que de fato consegue. Seus blindados são conhecidos como Caveirões. "Vitória sobre a morte", promete o hino oficial do batalhão, enquanto os oficiais que pertencem a igrejas evangélicas referem-se a si mesmos como "Caveiras de Cristo".

O Bope deu origem a vários grupos congêneres em outros estados brasileiros e há muitos equivalentes no planeta. Mas poucos conseguem se equiparar à fama assustadora do modelo que se desenvolveu no Rio. Suas origens datam de 1974, durante o auge da repressão da ditadura militar. Uma tentativa malograda de encerrar uma crise com reféns numa das prisões cariocas, que resultou na morte, entre outras, do diretor do presídio, levou um alto oficial da PM a defender a criação de uma nova unidade destinada a lidar com situações de emergência no setor da segurança.

A primeira equipe especializada nasceu quatro anos depois e passou por várias encarnações, até ser afinal batizada como Batalhão de Operações Policiais Especiais em 1991.

O Bope é uma força militar impiedosa que se desenvolveu quase em simbiose com o tráfico de drogas. É a arma mais poderosa do governo para intervir nesse ramo de negócios que tanto prejudicou o equilíbrio social no Brasil. O Bope é a expressão mais intimidadora do poder do Estado.

Quando Nem se arrisca a sair à tarde na Sexta-Feira Santa, a primeira coisa que vê são dois Caveirões. Ele se acocora num esconderijo da Cachopa. Por rádio, avisa suas equipes na favela. "Se houver troca de tiros, não fiquem correndo feito doidos porque vão correr para a morte — nas mãos da polícia ou do inimigo. Todo mundo precisa ficar junto e coordenado."

Os efetivos de Lulu e Nem têm uma grande vantagem. Conhecem cada centímetro do interior da favela. A pessoa precisa ter muitos anos de prática andando por essa rede atordoante de vielas e quebradas para conseguir saber com certeza em que lugar da favela está; do contrário, é impossível. O próprio Dudu conhece o local, claro. Mas a maioria dos seus atacantes vem de favelas distantes, e assim eles nunca sabem direito onde se encontram. A polícia tem mapas dos bairros e ruas principais, mas as vias menores, e para onde elas levam, continuam a ser um mistério perigoso demais para tentar deslindar: são grandes as chances de que haja uma arma esperando no final.

A rua 1, no alto da favela, agora está cheia de policiais do Bope. É uma vantagem para os defensores, pois reduz os pontos de entrada para o pessoal de Dudu, que desce dos esconderijos na mata. Nem e mais cinco sobem para a laje da casa da Cachopa e tomam posição.

Dali, Nem e os comparsas monitoram todas as entradas e saídas da mata. Por rádio, Dudu anuncia uma mensagem de propaganda: "Preparem-se para a nova era do Comando Vermelho". Nem responde com "A quadrilha do estuprador vai quebrar a cara", referindo-se à fama de Dudu como violentador de mulheres.

Lá pelas seis e meia da tarde, a luta recomeça, mas dessa vez dura apenas meia hora. Os agentes do Bope matam dois soldados do tráfico, um da quadrilha de Lulu e outro da de Dudu.

Durante o combate, um policial do Bope localiza a casa de um suspeito. O bandido não está, mas a esposa dele, sim, junto com o zoológico particular do traficante, que inclui um jacaré e uma preguiça. Por alguma razão, o policial solta os animais silvestres (o que é um pouco injusto com a preguiça, em vista do tiroteio que acontece lá fora). Então vira-se para a mulher e começa a bater nela. Nesse momento, o traficante que ama bichos chega em casa, dá um tiro no agente e o mata.

A ocorrência é fatídica. O policial era um membro muito estimado de sua guarnição. O Bope agora quer vingança.

A avaliação de Lulu quanto às capacidades de Dudu está se revelando muito precisa. A invasão não está dando certo. Os homens de Dudu se retiram para a mata, depois voltam para o Vidigal e retornam para casa. Dudu encontra refúgio no Complexo do Alemão, uma rede espraiada de favelas que é o reduto mais poderoso do Comando Vermelho.

Mas a invasão malograda abalou o Rio de Janeiro. O evento domina a Páscoa. Reagindo com rapidez à pressão dos meios de comunicação, o vice-prefeito anuncia sua intenção de encarcerar a favela inteira, construindo um enorme paredão em torno dela. E declara que a barreira de três metros de altura atenderia a uma dupla finalidade: restringir os movimentos dos bandidos e impedir que a favela avance mais para a floresta tropical onde está situada.

A maior parte da ampla classe média ostentosa do Rio não tem nenhum conhecimento direto da Rocinha. Nunca se arriscam a entrar nessa cidade de porte médio comprimida numa área não maior do que a de um vilarejo. Dependem dos moradores da Rocinha para boa parte dos serviços — cozinhar, lavar, passar, fazer faxina, dirigir, cuidar do jardim etc. Mas ao mesmo tempo sentem medo em silêncio. O que mais temem é que as entranhas escuras e corrosivas da favela, como imaginam, irão transbordar para seus bairros arborizados, trazendo o caos e a violência.

Assim, a ideia de transformar a comunidade num gueto ainda mais segregado do que já é encontra verdadeiro apoio entre setores da classe média. Já outros, incluindo políticos e acadêmicos de destaque, recebem com horror e incredulidade essa proposta de encarnação concreta de "cidade partida".[1]

Na favela espalha-se a incerteza. A polícia rasteja pelas ruelas e um exército de jornalistas se reúne na entrada, preparando matérias sempre mais abusivas e sensacionalistas sobre a Rocinha e seus moradores.

No Sábado de Aleluia, Nem visita Lulu no quartel-general da rua 1. Levanta a questão da organização dos soldados. Apesar do temperamento calmo do chefe, ainda assim Nem precisa de coragem para questionar sua estratégia. Mas, depois dos acontecimentos dos dois últimos dias, ele sente que precisa falar. Está preocupado com o fracasso da operação de segurança na parte baixa da Rocinha — os rapazes que fugiram e a evidente traição de Band. "A política de entregar armas aos moleques só porque trabalharam muito tempo nos pontos de venda não está dando certo", diz Nem. "Eles precisam ter experiência adequada."

Lulu reflete a respeito e então faz um gesto, dizendo a Nem: "Tudo bem. Vou te dar umas armas e você decide a melhor distribuição delas". A lenta e constante acumulação de poder de Nem significa que, de agora em diante, haverá uma política rigorosa em relação às armas — apenas os que souberem usá-las de maneira responsável terão permissão para isso. Aqueles que andarem se exibindo com elas pela comunidade como se fossem brinquedos — para impressionar as moças e intimidar os rapazes — terão as armas confiscadas.

Na segunda-feira depois da Páscoa, terminada a invasão, os policiais rastejam pela favela. Nem é apanhado por uma patrulha. Na verdade, estão procurando outro membro da quadrilha, com apelido parecido, Neném, que é um dos principais atiradores de

Lulu. Como os policiais parecem não saber quem é Nem, isso indica que seu serviço de informações é vago e que Nem ainda não é uma figura de destaque na organização.

Os policiais exigem que ele denuncie o paradeiro de Neném. Para reforçar a exigência, algemam Nem e põem um saco plástico em sua cabeça, para impedi-lo de respirar. Na esperança de que parem com a tortura, Nem diz que é mesmo Neném e que pegaram a presa certa. "Sabemos que você se chama Nem!", responde um deles. "E queremos Neném", diz outro. Mas Nem julga que eles estão um pouco confusos e decide que é hora de negociar.

Lulu lhe ensinou a arte de negociar com a polícia — uma ferramenta importante no instrumental de trabalho de um traficante. Nem já foi chamado mais de vinte vezes para conseguir a liberação de outros membros da quadrilha, inclusive o próprio Lulu. Com as mãos algemadas nas costas e o saco plástico ainda ali perto, Nem muda o tom. "Tudo bem, vamos falar sério", diz. Tiram as algemas. O policial abre a negociação.

"Quanto você pode soltar? Cinquenta mil reais?"

"Nem de longe tenho tudo isso."

"Trinta mil?"

"Me desculpe, você vai ter de me algemar outra vez."

"Como assim?"

"Bom, não tenho trinta, muito menos cinquenta, então acho que você vai ter de me prender."

"Tudo bem, quanto você consegue?"

"Dez mil."

"Dez? Tá maluco?"

"Olha, quando dou minha palavra, vou até o fim, e prefiro ir para a cadeia do que combinar uma coisa que não vou poder cumprir."

"Sobe para quinze e está liberado."

"Tá certo. Vou ter de pegar emprestado os 5 mil a mais, mas trato feito."

Ao ser liberado na terça-feira, Nem liga para Lulu, que lhe dá os parabéns pela soltura e lhe diz que vá vê-lo nos próximos dias para conversarem sobre a "grande decisão" que está para tomar. O chefe, Nem supõe, está pensando em transferir a lealdade da Rocinha para outra facção, renunciando aos vinte anos de laços com o Comando Vermelho e se bandeando para um de seus rivais, o TCP ou a ADA.

Faz dias que ninguém da organização vê Lulu, e William resolve ligar para ele pelo rádio: "Estamos com gente aqui na rua querendo saber o que está acontecendo — se está tudo certo ou não". Lulu lhe assegura que as coisas estão sob controle. Está escondido no Laboriaux, bem no alto da favela, e confirma que lá em cima está tudo tranquilo. William continua a receber relatórios sobre a intensa atividade do Bope na rua 1, logo abaixo do Laboriaux, e assim sobe a estrada da Gávea para investigar.

Até o momento, é impensável que o Comando Vermelho possa perder o controle do maior centro do narcotráfico do Rio. Lulu já discutiu essa questão com Dênis da Rocinha. Da sua cela na prisão, o fundador da operação de tráfico da Rocinha disse que sua honra ficaria manchada para sempre se a favela rompesse com o Comando Vermelho, e assim ele deteve a iniciativa de Lulu.

Após o assassinato de Dênis em 2001, Lulu e outros líderes da Rocinha compareceram a uma reunião no Complexo do Alemão, na qual a cúpula CV negou qualquer envolvimento na morte de Dênis e assegurou a autoridade de Lulu na favela.

Para Lulu, a invasão de 2004 significa que o Comando Vermelho rompeu o acordo. Sua lealdade à facção está se desfazendo. O serviço de inteligência da Polícia Civil carioca faz a mesma avaliação. Os policiais acreditam que a liderança do CV quer ficar com uma fatia ainda maior dos lucros da Rocinha do que a que tem agora. Já Nem crê que Dudu não passa de uma marionete que seria forçada a entregar os lucros à liderança do Comando Vermelho, caso a invasão desse certo.

A ADA, rival mais recente do Comando Vermelho, está crescendo com uma rapidez impressionante. Ao contrário do CV, ela não tem uma hierarquia centralizada. É uma coligação de favelas, cada qual com sua liderança própria. Além disso, seu interesse principal se concentra no êxito através do comércio, e não na coerção por meio da violência — ainda que a violência continue a ser uma ferramenta indispensável.

Depois de falar com Nem pelo rádio e combinar um encontro para esse mesmo dia, Lulu volta tranquilo para o videogame que está jogando com um amigo de infância. Os dois ignoram que dezenas de agentes do Bope, ainda furiosos com a morte do colega, estão subindo o morro. As forças especiais rumam para o Laboriaux.

William também está subindo o morro. Chegando à rua 1, ouve alguns tiros — não muitos, porém. Vê um Caveirão e tira uma foto de policiais removendo algo que parece ser um corpo enrolado num tapete. Ainda não sabe que é o corpo de Lulu.

No dia seguinte, a imprensa carioca noticia que cerca de cem policiais passaram quinze minutos trocando tiros com Lulu e outro indivíduo, até abatê-los. Mas testemunhas oculares da Rocinha dizem que Lulu e o amigo estavam desarmados e que não houve uma troca de tiros, e sim um assassinato cuidadosamente planejado. Os corpos mostravam ferimentos a bala e também marcas de facadas.

Mais tarde, no mesmo dia, um porta-voz da polícia declara à imprensa que o amigo de Lulu era outro traficante famoso. Na verdade, era um motorista de mototáxi, homem respeitador da lei que não tinha nenhuma ligação com o narcotráfico — a não ser o azar de ser amigo de Lulu desde a infância.

O pessoal da Rocinha acredita que o chefe foi liquidado como vingança pela morte do agente do Bope na Sexta-Feira Santa. William comenta amargurado que o assassinato aconteceu por ordem direta dos escalões mais altos do governo carioca.

Em circunstâncias normais, é quase impossível que as autoridades entrem numa favela e prendam ou matem um traficante importante. O primeiro problema são os vazamentos: um chefe competente sempre dispõe de uma rede de informantes confiáveis dentro da polícia, e assim fica sabendo de antemão de qualquer batida. No instante em que a polícia ou as forças especiais chegam, há dezenas de olheiros formais e informais acompanhando cuidadosamente seus movimentos. Além disso, a Rocinha tem apenas duas entradas — uma no alto, outra em baixo —, e é quase um suicídio se afastar do traçado principal e entrar numa das inúmeras vielas que não constam no mapa e têm uma topografia bastante propícia para a defesa do território. Não há como fazer prisões direcionadas e, em áreas tão densamente povoadas, qualquer confronto armado traz muitos riscos de atingir inocentes. De vez em quando, a polícia faz batidas de surpresa, mas apenas contra peixes pequenos que estão vendendo drogas às claras, sem o devido cuidado.

A guerra da Páscoa permite que a polícia entre em massa na Rocinha. É apenas nessas circunstâncias excepcionais que o chefe fica vulnerável em seu território. Mesmo assim, Lulu não previa tal desfecho. "Lembre", assinala Nem, "não existe pena de morte no Brasil. Então, quando surgem situações como a da Rocinha na Páscoa de 2004, o caos representa uma oportunidade para aqueles policiais que querem se vingar e aplicar a pena de morte de qualquer jeito."

O governo, por seu lado, comemora a morte de Lulu como um sério golpe contra as quadrilhas do narcotráfico, sugerindo que a população da Rocinha e das áreas vizinhas, São Conrado e Gávea, ficará de novo em segurança. É difícil saber se as autoridades se dão conta da bobagem que estão dizendo. Quase todo mundo — e sem dúvida todo mundo nas favelas — sabe que, se matarem o rei, os cortesãos logo se virarão uns contra os outros, numa luta sangrenta pela coroa. A autoridade inconteste de Lulu garantia que o conflito latente entre a parte baixa e a parte alta da Rocinha nunca eclodisse. Agora eclodirá. Vão se passar muitos meses até que a comunidade volte a ter alguma aparência de segurança.

William está profundamente preocupado. Ele sabe que não existe uma linha sucessória clara definida. A parte baixa da Rocinha é o território de Bem-Te-Vi, um dos aliados mais chegados de Lulu, mas outro grupo armado do alto da Rocinha contesta sua autoridade. Band, o bandido que deixou de defender a Vila Verde, faz parte desse grupo. A favela está prestes a entrar num período de instabilidade constante.

13. O rei está morto
2004

Quando o Bope mata Lulu, tudo muda.

Agora os índices de homicídios na favela disparam e em três meses triplicam. Continuarão nesse patamar por mais quinze meses. Bandidos estão se matando entre eles, estão matando policiais, policiais estão matando bandidos, e civis inocentes também estão morrendo ou se ferindo nesse fogo cruzado. O Vidigal, a pequena favela vizinha, entra na dança. Continua leal ao Comando Vermelho e constitui uma ameaça à nova aliança da Rocinha com a ADA. Foi dali que partiu a invasão da Páscoa. Um repeteco é sempre possível.

A notícia da morte de Lulu é um tremendo golpe para Nem. Foi ele quem veio em seu auxílio quando a vida da filha estava em risco. Nos últimos quatro anos, Lulu alimentou e incentivou a carreira de Nem no tráfico. Ministrava justiça com sabedoria, dava bons conselhos, ouvia com atenção as críticas, protegia a favela e mantinha a paz. Era mais um pai assassinado.

Nem toma uma decisão rápida e liga para Bem-Te-Vi, um dos possíveis sucessores designados por Lulu em termos bastante vagos. "Pelo amor de Deus", diz, já exasperado com a visível indiferença de Bem-Te-Vi frente aos problemas organizacionais que se aproximam, "você não entende o que vai acontecer? Os rapazes estão começando a se matar uns aos outros — Zarur, Band, Lion — e ainda por cima a parte baixa está contra o alto da Rocinha!" Nem sabe muito bem que Zarur e Lion nunca se deram bem — afinal, ouviu Lion se referir a Zarur como um fodido e viu quando os dois quase se envolveram num tiroteio. "Foi Band que envenenou Lion contra Zarur", relembra. "Se não fosse Band, acho que Lion e Zarur teriam se acertado."

Avaliando a volatilidade e as divisões dentro dos efetivos da rua 1 e o clima de tensão geral entre a parte baixa e a parte alta da Rocinha, Nem toma uma importante decisão: sair. Traça um plano rápido para fugir da favela e abandonar seus interesses no negócio. No dia seguinte à morte de Lulu, pega Eduarda e Vanessa, de gravidez já muito adiantada, apanha um cartão de crédito, um talão de cheques e a carteira de motorista. Sente-se extremamente tenso — mais do que muitos imaginam. Está deixando a Rocinha e o tráfico, mas está também deixando a amante, Simone, que logo dará à luz a segunda filha dele.

Nem, Vanessa e Eduarda vão para o balneário da Praia Seca, a duas horas de carro a leste do Rio. Ele diz a Vanessa que abandonou o tráfico e vai recomeçar a vida como taxista. Nos últimos meses, andou praticando no volante como parte de um plano de retirada, caso as coisas desandassem na Rocinha. Agora desandaram. Essa é a primeira das várias vezes que Nem tenta — e não consegue — escapar da Rocinha e do narcotráfico.

Então ele recebe a notícia de que a polícia está ameaçando sua mãe por causa dos 15 mil reais que prometeu no episódio do saco plástico e não pagou. Tem de voltar — e, para saldar a dívida, usa uma parte do empréstimo bancário que usaria para começar a vida de taxista.

Nessa altura, Nem está quase sem nenhum tostão — na verdade, está endividado de novo. Não vê alternativa a não ser trabalhar para Bem-Te-Vi. O novo chefe é irremediavelmente vacilante e não conseguiu afirmar sua autoridade entre as equipes do alto da Rocinha. Preocupado e com um pé atrás, Nem insiste que Bem-Te-Vi tome alguma providência. "Você tem de ir e dizer aos rapazes lá na rua 1 que Lulu te nomeou sucessor."

Bem-Te-Vi não consegue impor sua autoridade na rua 1. No alto da favela, Zarur e Lion dizem que estão cooperando, mas seus respectivos seguidores alimentam desconfianças mútuas. Lion fala em nome de Band, talvez o sujeito mais perigoso do tráfico.

Quando se avança além do reduto tradicional dos traficantes na rua 1, no extremo leste da Rocinha, o chão cimentado se transforma em terra e mato. Um pouco antes do ponto onde termina a favela e começa a floresta, há uma clareira e logo adiante um campo onde jogam basquete e futebol. É o Terreirão, luminoso e agradável, mas que guarda muitos segredos, em geral na forma de cinzas que os traficantes espalham por ali depois de cometerem algum assassinato. A carnificina acontece em outro local. Ali no Terreirão é onde se queimam as partes dos corpos já esquartejados em outro lugar da favela. Sem corpo, não há crime.

É ali que Zarur e Lion combinam um encontro para anunciar o novo comando conjunto do tráfico. Bem-Te-Vi está presente, mas fica calado, aceitando assim implicitamente sua subordinação a Zarur, que aparenta ocupar o cargo de chefia. Bem-Te-Vi, porém, é considerado o homem forte na parte baixa da Rocinha, enquanto Lion e seu bando sanguinário administrarão os negócios a partir da rua 1, no alto da favela.

No mesmo encontro, Zarur confirma a análise de Nem sobre a situação, anunciando a seus asseclas que a Rocinha rompeu oficialmente com o Comando Vermelho e agora presta lealdade à ADA.

As rivalidades pessoais começam a se misturar com as disputas de facção, criando um caldo especialmente venenoso — embora essa alquimia seja habitual em outros lugares do Rio. Se a cúpula do Comando Vermelho localizar rixas, vai encorajá-las para deixar a Rocinha ingovernável. Claro que, quando o Bope resolveu matar Lulu, prestou um serviço involuntário ao cv.

Turvadas assim as linhas de autoridade, não há nenhuma garantia de estabilidade. Quando se inicia a guerra interna, já prevista e temida, a Rocinha começa a perder seu frágil equilíbrio.

Zarur é o primeiro a cair. No final de junho, ele e seis comparsas desaparecem. A polícia, cuja unidade de inteligência às vezes rastreia a obscura teia de disputas entre os traficantes, encontra sangue perto da entrada da casa de Zarur, mas depois os rastros somem. Revistam a Mata Atlântica à procura de outros indícios, em vão. Sem corpo, não há crime.

Agora, durante quatro meses, a Rocinha fica de fato dividida entre a parte de cima e a parte de baixo. Nem insiste que Bem-Te-Vi deve combater Lion. É uma simples questão de vida ou morte. "Ou você começa a levar isso a sério", recomenda a Bem-Te-Vi, "ou todos nós vamos ser varridos." O novo chefe reluta, em parte porque não é dado a violência, a não ser que as chances sejam claramente favoráveis a ele.

Nem coordena o ataque ao bando de Lion. No começo de outubro, o próprio Lion some antes de qualquer conflito. Até hoje não se sabe que fim levou, mas os moradores da Rocinha que chegam a manifestar opinião em geral acreditam que ele não foi morto, mas fugiu (se bem que eles podem ter ótimas razões para não dizer a verdade).

Dois dias depois, Neném, aquele que a polícia confundiu com Nem na Páscoa, atira em Band à queima-roupa, atingindo-o no olho e no pescoço. No tumulto que se segue, Neném leva um tiro na cabeça e morre algumas horas mais tarde.

Para o mundo exterior, as mortes de Zarur e Band parecem incidentes normais do tráfico. A polícia recebe informações de que o Comando Vermelho está planejando uma segunda invasão a partir do Vidigal, na expectativa de que Band e Lion agissem como quintas-colunas. No dia seguinte à morte de Band, a imprensa carioca noticia que Rocinha e Vidigal estão em pé de guerra.

Os que têm mais conhecimento da situação imaginam que Bem-Te-Vi, como o novo Dono da Rocinha, unificará as duas partes da favela e haverá uma distensão geral. De fato, ambas formam uma unidade incômoda sob Bem-Te-Vi. Mas, para a decepção de muitos, inclusive de Nem, o novo chefão não é um bom líder. A Rocinha se torna ainda mais caótica.

14. Bem-Te-Vi
2004-2005

Fabiana Escobar se assusta quando entra na Rocinha pela primeira vez. Em comparação às favelas modestas e às áreas de classe média baixa onde ela foi criada, ali reina uma atividade atordoante. Há de tudo para vender, que as pessoas anunciam com gritos frenéticos; a meninada passeia portando semiautomáticas. Ela nota que há lixo por toda parte — nas ruas principais, pelas vielas, misturado com cocô de cachorro e líquidos variados de origem desconhecida. Mas também fica impressionada com a autoconfiança da maioria das pessoas: há ali uma impudência que ela nunca viu em seu bairro, o Rio Comprido.

Nervosíssima, Fabiana está numa missão que não pode falhar. O marido, Saulo, foi detido sob a acusação de traficar drogas e está numa cadeia que é efetivamente dirigida pelo Comando Vermelho. A polícia liberou gravações para os meios de comunicação, com conversas entre Saulo e Bem-Te-Vi, que agora, claro, trabalha com a ADA, rival do CV, como o novo chefão da favela.

À luz da mudança de facção por parte da Rocinha, o Comando Vermelho mandou uma mensagem a seus membros declarando que todos os moradores de lá são "alemães",[1] isto é, inimigos, o que de maneira implícita carrega uma condenação à morte. A vida de Saulo está por um fio.

Saulo operou como um curioso híbrido sob Lulu, uma espécie de gerente e intermediário autônomo entre Lulu e os matutos. Manteve o mesmo papel sob Bem-Te-Vi. Até ele ser preso, Fabiana não fazia a menor ideia do grande envolvimento do marido com o narcotráfico da Rocinha. Ela faz universidade e falta apenas um ano para se formar. Sua vida logo sofrerá uma mudança profunda e inesperada.

Como não conhece ninguém nessa comunidade efervescente, ela se aproxima de uma mulher de ar simpático no Valão. "Você quer falar com Bem-Te-Vi?", diz a mulher. "Bom, nesse caso, pergunte para aquele cara ali." E aponta para um magricela de chinelo e camiseta do Flamengo. "O nome dele é Nem."

Mal conseguindo encarar Nem, Fabiana repete a pergunta.

"Você quer falar com Bem-Te-Vi?", diz ele.

"Isso."

"Bom, a gente pode dar um jeito, mas você pode me dizer do que se trata?"

"Não. Não posso te falar. Preciso falar só com ele."

O que acontece na sequência é diferente de tudo o que Fabiana já viu na vida. Com um pingente de ouro do tamanho de um punho pendurado no pescoço, Bem-Te-Vi vem gingando na frente de sua turma, com o topete loiro espetado feito uma vara. Todo mundo está rindo e sorrindo, e então ela entende por que Bem-Te-Vi e seus amigos mais chegados são conhecidos como Bando Dourado. Com um copo na mão, ele tem ouro em todos os dedos e membros. De seu flanco pende seu grande motivo de orgulho e alegria: uma Uzi folheada a ouro.

Bem-Te-Vi pode ser o Dono do Morro, mas não é um homem de negócios. O único negócio de que entende é fazer farra. Não usa drogas, mas bebe. Muito.

Do ponto de vista de Fabiana, isso significa pelo menos que ele é acessível. Ela explica que é casada com Saulo e que ele precisa desesperadamente de dinheiro para comprar sua transferência do bloco do Comando Vermelho para o bloco comandado pela ADA. Bem-Te-Vi concorda na mesma hora em atender ao pedido. Nos meses subsequentes, Fabiana consegue providenciar tudo para Saulo na prisão, inclusive visitas conjugais sem hora marcada. Com o dinheiro de Bem-Te-Vi fazendo o trabalho de persuasão, os guardas do presídio se mostram extremamente solícitos.

Ninguém desgosta de Bem-Te-Vi: ele espalha alegria, diversão e grana. Seu reinado é como um grande forró, com muitos jovens e adolescentes entrando na brincadeira. Grandes nomes da Seleção brasileira de futebol aparecem de vez em quando na festa.

Para o trabalhador comum, a experiência não é tão divertida. Além da barulheira constante, há também os indesejáveis atraídos por Bem-Te-Vi. Para gerentes como Nem, o novo chefe é um absoluto desastre. Além do desinteresse pelos negócios e do altivo desdém pelo dinheiro e pela contabilidade, ele está sempre pronto para entrar em tiroteios com a polícia, mais por esporte do que por qualquer outra coisa. O ponto mais fraco de Bem-Te-Vi é, talvez, a afeição que sente por ladrões, assaltantes e arrombadores. Desde que o narcotráfico começou a dominar as favelas da Zona Sul, os chefes de mais juízo e sucesso mantinham ladrões e assaltantes na rédea curta.

Nem sente especial antipatia por esses criminosos porque foi um deles o responsável pelo tiro que resultou na morte de seu pai. Também julga que uma cultura do roubo e do assalto prejudica os negócios. Uma grande incidência de assaltos violentos afugenta a clientela potencial de cocaína e maconha que mora nas áreas de classe média adjacentes. Ainda mais grave é o rompimento das relações com a polícia. Quando aumentam as ocorrências de roubos e assaltos em São Conrado, na Gávea e no Leblon, a polícia fica em má situação, e nesse momento os comandantes locais passam a sofrer enorme pressão política e dos meios de comunicação para que façam alguma coisa a respeito.

Em 1º de fevereiro de 2005, os dois apresentadores do *Jornal Nacional*, William Bonner e Fátima Bernardes, não transmitem o noticiário como de hábito. Os apresentadores substitutos informam que um assaltante com uma arma de fogo invadiu a residência do casal na Barra, a quinze minutos de carro da Rocinha. Bonner enfrentou o ladrão, que lhe feriu o braço, mas não usou a arma. O assaltante então fugiu com um laptop, celulares e joias. O casal ficou abaladíssimo.

O assaltante mora na Rocinha. Não há nenhuma razão para crer que a escolha da casa dos jornalistas tenha sido algo além de um tremendo azar, em vista da fúria que recai sobre a favela. Um ataque ao presidente do Brasil talvez até tivesse maior impacto, mas não muito maior. O dano resultante para a reputação de Bem-Te-Vi, da polícia, da Rocinha e do Rio é irreparável, e persiste por meses a fio. É humilhação demais para os que cuidam do policiamento da cidade. Vão espremer a Rocinha até ela abrir o bico. O Bope volta à ativa e o nível da violência aumenta outra vez. Mais mortes.

A Polícia Civil recebe ordens de ir atrás de Bem-Te-Vi. Planeja-se a Operação Cavalo de Troia. A PC observa os hábitos e movimentos de Bem-Te-Vi durante várias semanas. O chefão passa boa parte do tempo no centro, entre as áreas comerciais do Valão e da via Ápia, onde agora Nem gerencia o ponto de venda e é também o chefe da segurança. À noite, Bem-Te-Vi cai na farra e depois dorme até a tarde.

Tem-se um bom indicador do grau de descaso do Dono do Morro com seu setor de informações no fato de que ele não faz a menor ideia de que um informante da polícia alugou uma casa na esquina do largo do Boiadeiro. A ele juntam-se policiais civis, que estão bolando um plano minucioso. Marcam a execução do plano para um sábado à noite, quando as ruas do Valão estão lotadas.

Saindo de sua boca de fumo na via Ápia, Nem vira a esquina para o Valão e vê Bem-Te-Vi falando com três indivíduos. A cena tem algo que o incomoda, e ele para. Resolve comer alguma coisa numa pizzaria. Há outro freguês na sua frente e, enquanto ele espera, ouve um tiro e a explosão de uma granada. Nem sai correndo da pizzaria e vê um corpo no chão. Vários sujeitos saem de seu esconderijo, disparando várias vezes no cadáver, que salta no ar. A granada, na verdade, é uma bomba de fumaça usada para separar Bem-Te-Vi de seus guarda-costas, que continuam acuados numa viela, sem conseguir enxergar nada e sob a mira de policiais disfarçados que estão no alto de um telhado.

Os agentes disfarçados estão com a roupa habitual na favela (camiseta de futebol, calção e tênis), e assim Nem imagina que são do alto da Rocinha e vieram se vingar de Bem-Te-Vi por ter desafiado Lion.

Então Nem percebe a Uzi folheada a ouro no chão e conclui que aquele deve ser o cadáver de seu chefe. Quando o grupo de Bem-Te-Vi tenta sair da viela na base do tiro, uma das balas quase acerta Nem, que se joga no chão para se proteger. Há gente gritando e correndo para todos os lados. Pelo walkie-talkie, Nem tenta organizar seus subordinados e avisa que devem vir novos ataques. É só quando chegam as viaturas que ele se dá conta de que não foi uma desforra de Lion, e sim a polícia.

Depois de removerem o corpo, Nem coordena os soldados de Bem-Te-Vi. Mais tarde, um policial sugere que o raciocínio rápido de Nem naquela situação foi o motivo fundamental que o levou a subir à posição de chefão.

No dia seguinte, quando Fabiana Escobar, a mulher de Saulo, volta ao Valão, é recebida por poças de sangue seco, vidraças quebradas e postes telegráficos destruídos. O bar onde Bem-Te-Vi gostava de beber está todo destroçado, estraçalhado por tiros e explosões de bombas. Fabiana se pergunta como vai continuar a sustentar o marido na cadeia. Se não puder mais subornar os guardas do presídio, ele pode acabar morto nas mãos do Comando Vermelho.

Avaliando o enorme estrago, um líder local da comunidade comenta que se instaurou na favela um clima de medo e nervosismo. "A guerra não vai acabar com a morte de Bem-Te-Vi, como não acabou com a morte de Lulu", observa. "Essa guerra está só começando e vamos ver coisa ainda pior."[2]

A profecia se realiza talvez até antes do que ele imaginava. As 24 horas seguintes se revelam uma encruzilhada para o Rio, para a Rocinha e para Nem.

Do alto da Rocinha vem um anúncio: Soul, cunhado de Bem-Te-Vi, se declarou o novo Dono do Morro. Enquanto Nem se concentrava na compra e venda das drogas para Bem-Te-Vi, Soul era o responsável pelos armamentos. O anúncio é um desafio, mas também uma declaração de fato.

O que vem a seguir não está muito claro.

Fabiana conta que, antes da morte de Bem-Te-Vi, ela lhe passou um recado do marido na prisão. Parece que havia alguém vendendo a gravação de um telefonema grampeado em que se podia ouvir Soul criticando o cunhado. Ao receber o recado, Bem-Te-Vi escreveu uma carta, na qual designava Nem e outro alto membro, Joca, como seus sucessores. Se de fato Bem-Te-Vi escreveu essa carta, como afirma Fabiana, não restou nenhum sinal dela.

Os agentes de inteligência da polícia acrescentam mais uma alegação. Dizem que Soul vem mantendo contato com os dirigentes do Comando Vermelho para tratar do possível retorno da Rocinha ao aprisco.

O Gringo,[3] morador antigo da Rocinha, fornece outros detalhes. "O problema de Nem é que ele é muito inteligente", diz.

> Nesse ramo, você sai perdendo por ser inteligente. Os matadores veem que você é foco da atenção o tempo todo e não gostam disso. No fundo é inveja. Um cara como Nem está só há quatro anos na organização e sobe feito um raio na hierarquia. Ele olha uma pilha de drogas na mesa e sabe na hora quanto vale. Nem faz isso num estalar de dedos.

Soul e sua bandidagem não tinham esse traquejo. "Depois de passar dois ou três dias vendendo na esquina, já tinham perdido noção da grana. Mas Nem apresenta tudo calculado direitinho em cinco minutos."

Soul se sente profundamente ameaçado pela habilidade de Nem. Manda Joca subir até a rua 1, dizendo que precisa resolver umas questões sobre os matutos e suas entregas de pó na favela. "Vá no Valão", Soul diz a Joca, "e volte com o Nem."

"Ele me disse para ir sozinho. Aquilo me deixou desconfiado", conta Nem. "Até indicou que caminho eu devia fazer." Nem resolve ir por outro caminho e vai ao encontro de Soul. "Ele começa a malhar o Bem-Te-Vi. Não me entenda mal. Sei que ele tinha lá os defeitos dele, mas o corpo do cara ainda estava quente."

Nem conta que saiu irritado com Soul por causa do desrespeito que estava mostrando pelo chefe recém-assassinado, mas sem evidenciar nenhuma preocupação especial. "Encontro os rapazes e eles dizem: 'Tá louco? Ele ia te matar'. Falei para se acalmarem e disse que não tinha nenhum grande problema entre mim e Soul. Por que ele iria me matar? E eles responderam: 'Ele não gosta de você, nunca gostou.'"

Nem vai se deitar. Mas há outros na parte baixa da Rocinha que não dormem nessa noite. "Então eles sobem o morro", conta

Gringo, "com as armas engatilhadas, prontos para atirar. Todo mundo está armado. Nessa noite Soul morre, e mais dezoito vão junto com ele."

Pelo menos é essa a versão de Gringo. Ele diz que Joca estava lá, mas desconversa sobre a presença de Nem, e Nem é categórico: "Eu não estava lá, pura e simplesmente".

Então quem matou Soul?

"Não posso dizer quem foi, porque não falo de gente ainda viva", explica Nem com certa razão. "Uns anos depois, o cara que fez isso começou de uma hora para outra a espalhar por aí que ele devia ser o chefe porque tinha matado Soul." Brigaram um pouco, mas a coisa terminou em termos amigáveis.

Vamos supor que Nem esteja dizendo a verdade — que não foi ele que atravessou o rubicão. Mas, responsável ou não pela morte de Soul, no final da noite ele estava do outro lado de um rio cheio de sangue.

Olhando para trás, de onde tinha vindo, Nem se via como o *consigliere* sempre competente, operando de maneira discreta nos bastidores para limpar a sujeira dos outros, cuidando das contas e garantindo o funcionamento tranquilo do negócio. Também via o homem de família pobre e trabalhador, a enfrentar dilemas insolúveis diante da filhinha, e, recuando ainda mais, via o menino subnutrido que vivera em extrema pobreza e tinha cuidado do pai à beira da morte.

Agora, olhando para a frente, ele sabe que, junto com Joca, é o homem mais poderoso da Rocinha.

Fabiana tem clara lembrança desse momento. A mulher de Saulo está se acostumando à vida na favela fervilhante. Abandonou seus sonhos de classe média e começou a trabalhar no ramo do marido, recebendo instruções dele nas visitas à prisão e cuidando dos negócios lá fora. Começa a adorar esse estilo de vida. Até mudou de nome. Agora todos a conhecem como Bibi Perigosa. A transição de filha bem-educada de uma diretora de escola primária para companheira de bandido está quase concluída. Nessa noite, depois de confirmada a morte de Soul e seus comparsas da rua 1, ela sai com os amigos pelos bares da parte baixa da Rocinha, cantando:

Tá tudo bem, tá tudo bem!
A Rocinha é o Joca e o Nem!

É o Dia das Bruxas de 2005.

PARTE III

NÊMESIS

15. A grande mudança
1994-2004

Apesar das oscilações devido às chacinas da polícia, aos desaparecimentos e choques fatais entre facções que culminaram nas mortes de Bem-Te-Vi e Soul, a tendência desde 2000 no Rio e em São Paulo era a de redução nos índices de homicídios. A topografia da violência estava passando dessas duas cidades para a região pobre do Nordeste brasileiro. Em São Paulo, foi o domínio exclusivo de uma organização criminosa, o PCC, que contribuiu para reduzir a violência: não havia a luta de facções que caracterizava grande parte do que ocorria no Rio de Janeiro. Quanto ao Rio em si, a incidência de violência diminuiu em grande parte da Zona Sul, inclusive na Rocinha. O período entre a Páscoa de 2004 e outubro de 2005 foi a exceção que depois confirmou a regra. Fora da Zona Sul, em direção às áreas da Zona Norte e à Baixada Fluminense, o índice de homicídios começou a subir de forma drástica.

A violência em grande parte do Rio estava diminuindo, apesar do crescimento dos esquadrões de milicianos — grupos de extermínio compostos por policiais e militares, tanto na ativa quanto já fora das corporações, que entravam em confronto armado com as quadrilhas do tráfico de drogas. Quem tivesse o azar de morar numa das favelas no norte ou no oeste do Rio iria presenciar guerras entre as facções do narcotráfico, das facções do narcotráfico com a polícia e das facções do narcotráfico com as forças paramilitares.

Apesar dessas novas ameaças à ordem pública, a taxa geral de mortes continuou a diminuir. Não demorou para que o índice de homicídios nas cidades nordestinas ultrapassasse o pico histórico do Sudeste nos anos 1990.

O começo da década viveu um recorde na quantidade de imigrantes nordestinos que chegavam à Rocinha. As casas se alastravam morro acima, apertando-se em qualquer espaço ainda restante, bem como ganhando altura à medida que se construíam novos andares por cima de estruturas já existentes.

Para seus padrões, a favela estava prosperando. Aumentou a quantidade de proprietários que começaram a pintar suas casas com cores vivas, dando um ar característico à área.

A Rocinha havia se tornado um distrito administrativo dentro da cidade em 1993, separando-se de São Conrado e, assim, ganhando também maior importância política. A redução nos níveis de violência da cidade significava que os turistas começavam a voltar aos poucos, em quantidades que faziam lembrar os anos 1960. O Brasil era um lugar da moda, vibrante.

E isso também dinamizava a economia da cidade. Embora os jovens das favelas tivessem menos propensão a trabalhar no tráfico, mesmo assim houve um novo impulso na demanda de maconha e sobretudo de cocaína. O movimento de vendas deu um salto. O tráfico de drogas no Rio e em São Paulo foi beneficiado pelo milagre dos anos FHC e Lula como todos os outros ramos de negócios — e talvez até mais.

    O Brasil não era mais o país de outrora. O poder estava mudando.

16. Uma ajuda
2006-2007

O ambiente de Nem ainda não reflete sua autoridade. Seu escritório é um cômodo desolado no Valão, perto do centro da parte baixa da Rocinha. Sem móveis, com a pintura descascando, duas cadeiras e uma televisão num canto. Os guarda-costas ficam por ali, esperando acontecer alguma coisa. Mexem nas armas com ar distraído. Nem proibiu o uso de armas na rua. Deixam as pessoas inquietas.

Mas só porque ainda evita as ostentações do poder não significa que Nem não se debata com frequência com a ideia e as respectivas implicações para sua nova vida.

Bibi Perigosa passou necessariamente a conhecê-lo melhor, já que ele concordou em manter os pagamentos para garantir que o marido dela não seja molestado na prisão. Bibi nota que, perante decisões importantes, Nem é tomado pela incerteza. Ela crê que ele sempre procura o conselho de alguém sábio e prudente. Talvez sinta falta do mentor Lulu, morto um ano e meio atrás. O comando de Lulu garantia a paz e a tranquilidade nos negócios, que mesmo assim prosperavam.

Embora calado, Nem reflete sobre a nova situação em que se encontra e o principal problema que enfrenta. Faz apenas algumas semanas que ele e seu parceiro Joca, que controla a rua 1, tomaram o poder, mas está se tornando claro que Joca é um risco para a Rocinha, para os negócios e, por extensão, para o próprio Nem. "Nunca vou esquecer. Eu estava pegando minha filha na escola", ele explica, "então deviam ser umas cinco da tarde, quando de repente eles começaram a atirar feito loucos para o ar, lá na rua 1." Nem revira os olhos. "Quer dizer", acrescenta exasperado, "era no meio da tarde!"

Nem questiona Joca sobre o fato, tentando lhe explicar como esse tipo de comportamento pode prejudicar o nome deles dentro da comunidade. O outro responde se fazendo de bobo. "Bom, eu estava num lado da área e eles estavam lá longe no outro lado, então não tive nada a ver com isso", diz Joca. Ou ele está mentindo ou não está exercendo o devido controle sobre seu pessoal, pensa Nem. Nenhuma das hipóteses é aceitável.

É complicado para Nem. Ele é amigo de Joca desde menino. Mas, desde que entrou na organização de Lulu, cinco anos e meio atrás, Nem esteve observando como se exerce o poder, aprendendo a melhor maneira de usá-lo. Ele reconhece que seu modelo de chefe mais estável e bem-sucedido é, de longe, o próprio Lulu. Há três pilares sobre os quais um líder competente alicerça seu domínio: o renome dentro da comunidade, a aceitação junto à polícia local e a autoridade dentro da organização. O comportamento de Joca ameaça esses três pilares. Acompanhando a situação, primeiro à distância, na prisão, e depois de perto, na favela, Saulo, o marido de Bibi, observa que a conduta de Joca é "contrária a tudo o que existe nos anais do crime". Não se sai por aí assustando os moradores comuns desse jeito: o que eles vão imaginar na hora, e com razão, é que começou um tiroteio.

Quando lhe pergunto sobre Joca, Nem abana a cabeça de leve. Antes que Joca passasse a controlar o alto da Rocinha, explica, "não havia ninguém que tivesse uma palavra de ruim para dizer sobre ele. Era um cara realmente legal". Faz uma pequena pausa. "Mas deixa eu te dizer uma coisa: se você quer ver o verdadeiro caráter de uma pessoa, dê poder e grana para ela. Então ela vai mostrar sua cara de verdade."

Além da questão da autoridade dividida entre as duas áreas da Rocinha, Nem enfrenta alguns problemas específicos em relação a Joca. "Eles tinham muito mais armas lá em cima do que nós na parte baixa", diz ele. Se houvesse um confronto, não há muita dúvida de quem sairia ganhando. A estratégia básica de Nem para lidar com isso é tentar persuadir Joca e equipe a moderar seu comportamento. Mas ele também está de olho em armas para si mesmo. Para isso, recebe ajuda de um lado inesperado.

Numa das visitas periódicas de Bibi à cadeia, Saulo lhe fala de uma dica que recebeu sobre uma possível venda de armas num bairro da Zona Norte. Recomenda à esposa que vá conversar com Nem, sugerindo uma transação.

Bibi volta para a Rocinha e fala com Nem, usando o prólogo costumeiro: "Saulo me falou para te falar...". Bibi começa todas as conversas assim porque, o que é muito compreensível, não quer assumir responsabilidade pessoal por algo que, depois, pode se revelar como mais um dos esquemas malucos do marido. Nem gosta da ideia, mas, em vez de cuidar ele mesmo do assunto, surpreende Bibi dizendo: "Vá você negociar pessoalmente". Ela fica espantada e bastante apreensiva. Mas se o Dono lhe disse para fazê-lo, ela não tem muita escolha a não ser ir até o fim.

Seguindo as instruções de Saulo, Bibi entra em contato com os homens que estão vendendo a mercadoria. Combinam um preço — 120 mil reais por quatro semiautomáticas. Os vendedores dizem a ela que faça o pagamento e depois eles entregarão as armas na Rocinha. A proposta absurda é recusada na hora.

Em vez disso, bolam um plano elaborado. Um emissário de Bibi levará uma entrada de 45 mil reais. Antes disso, os vendedores mandarão alguém do bando deles como fiança, para ficar sob a guarda de Nem. Depois de receber a entrada, os vendedores vão entregar as quatro armas na Rocinha e pegar o restante do pagamento. Nesse momento, a fiança deles será liberada. Todos parecem satisfeitos, mas vale notar que a dita fiança, Victor, um rapazote de dezoito anos, ainda não sabe com clareza qual é seu papel em tudo isso.

O plano dá totalmente errado. Os vendedores pegam a grana da entrada e somem sem entregar as armas. Quando começa a se dar conta das implicações, Bibi se apavora. Será responsabilizada pelo desastre. Em pânico, não consegue parar de pensar: "Ai, meu Deus, vou ter de matar aquele garoto". Fica suando em bicas só de imaginar se conseguirá fazer isso. Chega à conclusão de que é ela ou ele. Victor terá de morrer. Ela amaldiçoa o marido por levá-la involuntariamente a essa terrível armadilha moral.

No Valão, Victor não faz ideia do que se passa. Na verdade, está se divertindo bastante, fascinado pela emoção de ser hóspede do chefe da Rocinha.

A volta de Bibi muda todo o quadro. Quando ela explica que roubaram o dinheiro, o garoto não demora a entender a gravidade de sua situação: ele vai morrer, a menos que devolvam a grana.

Começa a chorar, descontrolado. Por mero acaso, o grupo dos seguranças de Nem está nesse momento brincando com uma espada de samurai legítima, que ele ganhou de presente uns dias antes. Bibi percebe que, se a Rocinha estivesse sob o controle do Comando Vermelho, o rapazinho já teria morrido.

Nem entra no escritório e é posto a par da situação. O garoto se joga de joelhos, suplicando que o poupem. Nem responde sem hesitar: "Bom, vamos deixar uma coisa bem clara. Aqui ninguém mais vai matar ninguém. Tá bem claro? Só quero meu dinheiro de volta. Só isso".

Os parentes do garoto, um dos quais é policial militar, se prontificam a entregar tudo o que têm para sanar a situação. No dia seguinte, um carro velho de lataria toda remendada, valendo uns 4 mil reais, entra na Rocinha com uma televisão caquética e outras lixaradas na traseira. Tudo somado, dá um décimo do valor roubado. Mas Nem aceita a oferta e solta o garoto, o qual, curiosamente, se torna frequentador constante da Rocinha durante alguns anos, bebendo e indo aos bailes funk da favela, cada vez mais populares.

O episódio é uma lição importante para Nem. Quando se trata de questões sérias como compra de armamentos, não se pode delegar. Também reconhece que, soltando o garoto, demonstrou fraqueza pelo código dos cartéis de drogas. Mesmo assim, está decidido a seguir o princípio de evitar mortes desnecessárias.

Três dias antes do Natal de 2006, Saulo foge da prisão, depois de remover da parede um aparelho de ar condicionado que havia na cela e sair pelo buraco. A pedido de Bibi, Nem encontra acomodações para ela e o marido.

Afinal Nem pode relaxar um pouco. Aí está um sujeito no qual ele confia — um homem com um pouco de miolo na cabeça. Saulo é diferente de qualquer outro traficante da Rocinha. Faltavam poucos meses para se formar em matemática quando foi preso por atividades ligadas ao tráfico, quando trabalhava de carteiro. Mas ele também tem uma ligação essencial com o mundo carioca das drogas. Seu pai passou alguns anos preso, e nesse período conheceu Fernandinho Beira-Mar, um dos líderes mais temidos do Comando Vermelho.

Apesar de ter um histórico de violência, Beira-Mar se concentra mais no papel de grande responsável pelo setor comercial do CV. É o único traficante das quadrilhas do Rio que opera tanto no mercado interno de cocaína quanto no mercado atacadista, remetendo a droga desde os locais de produção na Colômbia, no Peru e na Bolívia, passando pelo Brasil, até os destinos na Europa e nos Estados Unidos.

Graças à conexão de seu pai na cadeia, Saulo goza de uma rara intimidade com Beira-Mar. Isso tem uma implicação importantíssima para a Rocinha: mesmo depois do rompimento com o Comando Vermelho e do surgimento da ADA como principal cartel da favela, é possível restabelecer laços informais com o CV. Em teoria, e decerto no que se refere a seus soldados de baixo escalão, os dois cartéis estão em guerra. Na prática, as duas lideranças mantêm discretamente uma cooperação que traz vantagens mútuas.

O vírus incontrolável do hedonismo e da sensualidade se alastra por todas as vias capilares da Rocinha. O cotidiano pode ser duro e difícil. As pessoas podem ter trabalhos incrivelmente extenuantes, recebendo salário mínimo. Muitos dormem no chão ou amontoados num cômodo. As ruas podem feder a diesel, imundas de fezes de animais, frutas podres e detritos do comércio. Mas à noite, e sobretudo nos fins de semana, a Rocinha se anima como a Broadway. Bares e discotecas ficam lotados de gente jovem rindo, fofocando, paquerando. Nas discotecas, os corpos se contorcem como tentáculos de polvo movidos e direcionados pelo baixo marcado dos DJs e MCs.

O Clube Emoções é o local mais badalado. Consiste num enorme galpão de teto baixo, à direita da estrada da Gávea, logo na entrada da favela. É uma das maiores atrações não só da Rocinha, mas de todo o Rio de Janeiro. É bem administrado, sem policiamento, o que significa que milhares de pessoas podem se divertir dançando à noite, sem impedimento ao uso de narcóticos. A única coisa que a gerência proíbe são armas, e os donos da casa sempre afirmaram de modo categórico que não têm nenhuma relação com os traficantes da Rocinha. É uma lei tácita que os traficantes quase sempre respeitam. Uma noitada num baile funk no Emoções é a coisa mais descolada que existe, sobretudo para a moçada de classe média de São Conrado, Gávea, Leblon, Ipanema e Copacabana.

A fama cada vez maior da Rocinha como centro de vida noturna tem efeitos indiretos significativos não só sobre o tráfico de drogas, mas também sobre o setor de serviços que se espalha pela parte baixa: bares, restaurantes, lojas de suvenires, bancas de eletrônicos e roupas em conta. Tudo isso beneficia a Rocinha e também os que comandam a Rocinha. Por isso, Nem e Saulo entendem que devem evitar locais como o Clube Emoções. Nunca vão lá. Fica muito perto da divisa entre o morro e o asfalto, e qualquer problema atrairia a polícia. Para os negócios, é fundamental que os traficantes não interfiram no Emoções.

Nem está preocupado com a possibilidade de surgirem problemas pelo fato de membros da equipe de Joca com frequência se envolverem em brigas. Como observa Saulo, "isso afasta a clientela das bocas de fumo". É ruim para os negócios. Joca, que agora anda bebendo demais, está se tornando inconveniente.

Há outra questão. Logo depois que os dois assumem o controle da Rocinha, cinco homens, um por vez, vão visitar Joca para discutir negócios. Joca, que não gosta de sujar as mãos mexendo direto com a comercialização, encaminha todos para Nem. Ao contrário do parceiro, ele não tem nenhum conhecimento prático de contabilidade, de fluxo de caixa e de uma cadeia eficiente de fornecimento.

O primeiro visitante tira um notebook. "Aqui", ele diz apontando uma coluna, "estão todas as entregas feitas à Rocinha." São remessas grandes de drogas. "E aqui", diz, passando para a coluna seguinte, "é o preço das mercadorias." Nem nunca viu o homem, mas já tinha ouvido Bem-Te-Vi falar dos fornecedores. O visitante então explica com calma que pagamentos ainda não foram feitos.

Os outros quatro fornecedores apresentam a mesma história: entrega de drogas, falta de pagamento. Quando terminam todas as reuniões, Nem soma os débitos. A maioria deriva da administração de Bem-Te-Vi, mas alguns são de responsabilidade de Joca. A organização deve a seus principais fornecedores cerca de 1,8 milhão de reais, quase 1 milhão de dólares em valores da época.

Nem se mantém impassível, enquanto pensa: "Meu Deus do céu, como vou resolver isso?". Ele só teve duas dívidas na vida. A primeira, contraída cinco anos atrás, quando pegou dinheiro emprestado de Lulu para custear o tratamento médico da filha — empréstimo que conseguiu saldar com o trabalho. A segunda, na Páscoa do ano passado, quando pegou um pequeno empréstimo no banco para alugar a casa na Praia Seca, onde esperava escapar da violência da Rocinha.

Ele confere com os gerentes de Bem-Te-Vi se os valores cobrados pelos fornecedores estão corretos. Estão.

Nem de fato precisa acertar isso de algum modo. Não pode perder seus principais parceiros de negócios num momento em que a operação da Rocinha ainda continua no estado caótico deixado por Bem-Te-Vi e agora perpetuado por Joca. Em sua primeira decisão como diretor executivo, ele combina com os fornecedores o parcelamento dos débitos no decorrer do ano seguinte.

Joca anda se comportando como um idiota e um tirano. Nem recebe relatórios que informam que os homens de Joca estão intimidando moradores, extorquindo dinheiro deles e fazendo outras exigências. Estão sequestrando pessoas e exigindo resgate para soltá-las. Joca anda pelas ruas com um bando enorme de seguranças armados. Nega-se a atender os moradores e ouvir suas reivindicações e reclamações.

"Logo que Joca começou a disputar a liderança com Nem", relembra Saulo, "cada um ficou esperando um tropeço do outro. É normal, mesmo que fossem amigos desde pequenos e que tenham crescido aqui." É um jogo político complicado: Joca pode ter o apoio da rua 1 com seus armamentos. Mas Nem tem inteligência, autoridade natural e também grande apoio popular.

Nem convida Joca para almoçar na parte baixa da Rocinha. Não consegue entender a transformação do amigo. De imediato fica preocupado com seus comentários:

"Acho que alguns talvez estejam prontos para encontrar seu fim lá em cima.[1] Aliás, estamos com um policial preso e amarrado. Ele também está se preparando para encontrar com Jesus Cristo!"

"Que policial?"

"Sérgio. Algum erro nisso?"

"Mas claro que sim!"

Depois do almoço, Nem chama o irmão de Joca. "Preciso que você garanta mesmo que teu irmão vai soltar aquele policial", diz, decidido. "Se matarem o cara, vai ter confusão. A gente aqui não pode trocar bala com a polícia." Nem já está percebendo que dirigir o negócio é mais complicado e desgastante do que imaginava. A última coisa que quer é ter um policial morto nas mãos. Felizmente, Joca tem respeito suficiente por Nem para não o contrariar nessa questão. O policial é liberado quarenta minutos depois.

Nem relembra a Joca mais tarde: "A gente combinou que ia faturar juntos uma montanha de dinheiro. Não combinamos de machucar ninguém. E matar policial sem dúvida *não* fazia parte do trato".

Nem não está gostando da coisa. Tal como aconteceu depois da morte de Lulu, ele pensa em vender tudo e deixar a favela. Mas, antes disso, tenta mais uma manobra. Começa a reduzir o repasse de verba para Joca e sua turma. A parte baixa da Rocinha tem um faturamento bem maior do que a do alto, cuja função principal é a segurança. É verdade que Joca vende muita maconha, mas também desperdiça muito dinheiro. Em princípio, ele teria de dividir os lucros gerados por essas vendas. Mas não está dividindo. Assim, em troca, Nem decide segurar os pagamentos mais vultosos, decorrentes dos lucros da venda de pó. A advertência a Joca e asseclas está implícita, mas é muito clara.

O desfecho é inesperado. Joca pega toda a grana do tráfico que consegue juntar e foge da Rocinha. Alguns dizem que foram 800 mil reais, enquanto Saulo sugere depois que foi 1 milhão redondo — que corresponde a uma boa parcela da dívida com os fornecedores. Nem fica diante de mais um rombo. Joca nunca mais é visto na favela. Algum tempo depois, será preso no Nordeste e encaminhado de volta sob acusação de tráfico. Para os traficantes, a Rocinha é um refúgio seguro. Na hora em que o sujeito sai do território, corre um risco considerável de ser preso.

Após a fuga do líder do alto da Rocinha, Nem recebe uma ligação de um de seus asseclas. "Se você quiser alguma coisa com o alto da Rocinha, agora tem de tratar comigo. Entendido?" Nem está cansado de toda essa fanfarronice — os rapazes passam a noite dando tiros no ar, assustando os moradores, provocando a polícia, dormindo com as esposas e namoradas dos outros. Ele sabe que o pessoal com quem está lidando é, na maioria, molecada. Mas moleques com granadas e semiautomáticas requerem uma supervisão delicada.

Nem estava lendo um livro sobre Gêngis Khan. Um fato que lhe parece marcante é que o tirano mongol baseou seu poder incutindo confiança nos clãs mais fracos. Ele presta especial atenção aos integrantes mais inseguros da organização, aqueles que quase não são notados, mas são numerosos. É cordial e acessível à maioria das pessoas, e isso cria lealdade — uma lealdade da qual necessitará nos anos vindouros.

Mas agora chegou a hora de agir. Ele reúne todos os seus soldados e às vinte horas sobem até a rua 1. Nem também tem alguns adeptos nessa turma, aos quais avisou sobre seus planos.

Um encontro entre duas facções armadas até os dentes é sempre uma coisa tensa. Na última vez em que isso aconteceu, mataram Soul, e uma dúzia e meia acabou morrendo com ele.

Nem percebe que, agora que Joca foi embora, o outro lado não tem um líder natural. Assim, começa dizendo: "Em primeiro lugar, aqui ninguém vai morrer. Entendido? O que Joca fazia estava errado. Mas ele não vai voltar aqui tão cedo. A gente tem uma opção: pode continuar brigando e um matando o outro, ou pode continuar com o lance de faturar grana. O que vocês preferem?".

Silêncio.

"Agora vou voltar para a parte baixa da Rocinha. Se eu souber que um de vocês está pensando em chamar Joca de volta, se eu souber que vocês tiveram algum contato com ele, aí, quando eu voltar, não vai ser para conversar... Estão entendendo o que eu digo?"

Silêncio. Não houve nenhuma objeção.

Nem conseguiu uma proeza. As duas partes da Rocinha estão de novo reunidas, pela primeira vez em muitos anos. O dinheiro também está começando a correr. Agora é a hora em que o verdadeiro caráter de Nem vai se revelar.

17. Cuidando dos negócios
2004-2007

Os negócios ainda exigem muito trabalho. Não são só os fornecedores que estão exigindo dinheiro.

O tráfico de drogas da Rocinha emprega de duzentas a trezentas pessoas, numa distribuição rigorosa entre várias funções diferentes. Os empregados de nível mais baixo são os olheiros. Quem não mora na favela ou, pelo menos, não conhece bem a cultura da favela nunca vai percebê-los. Eles ficam parados ou passeando por pontos-chave do morro, observando qualquer atividade estranha ou fora do normal, como uma incursão policial ou um rosto ameaçador, suspeito ou simplesmente desconhecido. Como sinal, usam gritos, assobios, grasnidos, bombinhas, acenos e risadas — sons que enviam um recado das esquinas para as janelas um ou dois andares acima. Dali, a informação chispa pelas quebradas, percorre as vielas e sobe pelo morro, até chegar ao organizador do bairro.

Em geral, os olheiros são meninos, alguns com não mais de oito anos, pisando no primeiro degrau da organização. Nos anos 1980 e 1990, muitas vezes a escola era opcional para as crianças da favela e elas dispunham de muito tempo livre. Depois isso mudou, mas até hoje a Rocinha tem um dos piores índices de frequência escolar do Rio de Janeiro.

Nem logo restaura a lei de Lulu segundo a qual nenhum menor de dezesseis anos pode entrar na organização, embora alguns gerentes, mesmo assim, empreguem às escondidas meninos mais novos. Quanto mais novos são, menos chamam a atenção.

A seguir vem o processamento das drogas. Moças e rapazes que trabalham como mão de obra informal em casinhas e apartamentos conhecidos como centros de endolação, assim chamados porque as drogas são divididas em saquinhos, cada qual valendo um real ou um dólar. Com a subida dos preços, os nomes são outros: "Coca por 10", "Fumo por 5".

Das casas de endolação, as drogas são distribuídas pelos bairros da Rocinha pelos "vapores", entregadores que percorrem a favela assegurando o abastecimento de todos os pontos de venda. Os vapores recebem por tarefa.

Os subgerentes são responsáveis pelo funcionamento rotineiro de uma pequena área, em geral com apenas um ponto de venda. Sua função principal é manter as contas do ponto.

Os gerentes, por sua vez, têm bairros inteiros sob sua responsabilidade. Precisam garantir que as drogas certas sejam entregues nos pontos certos. Também recolhem o dinheiro no final do turno e apresentam as contas aos subchefes ou ao próprio chefão.

A venda de drogas é uma operação que funciona 24 horas por dia, embora o movimento seja bastante fraco entre as oito e as onze da manhã. Nem percebe que os gerentes e subgerentes, que são assalariados e fazem a maior parte do trabalho, ganham apenas um pouco mais do que um assalariado num emprego lícito. Os vapores, por sua vez, embolsam valores muito maiores.

Como assinala Saulo, a peculiaridade da estrutura empresarial no tráfico da Rocinha é que "os vapores não estão vinculados aos pontos de venda". Trabalham como freelances e não como contratados. Em questão de semanas, Nem emite uma ordem. "Mudei isso para que, dali por diante, os vapores recebessem salário e em nenhuma circunstância pudessem esperar ganhar mais do que os gerentes", explica ele. Maior responsabilidade merece maior remuneração.

O cargo de gerente também inclui a ligação com a segurança, o bando de jovenzinhos armados que se converteu num ícone tão assustador da vida na favela durante os anos 1990 e na primeira década do milênio.

A segurança é uma operação totalmente separada da comercialização das drogas. Ao assumir, Nem tem em seu comando de cem a 150 seguranças, chamados de soldados.

Alguns, mas nem todos, andam armados. Se se pensar bem, é espantosamente pequeno o número de bandidos necessários para policiar uma favela: cerca de cem homens armados para 100 mil habitantes.

Eles se dividem em dois grupos principais. Muitos guardam os pontos de venda, mas há também um pequeno destacamento que cuida da proteção de Nem e de outras figuras de alto escalão na hierarquia. Em termos coletivos, as equipes de segurança também devem defender o tráfico contra possíveis incursões da polícia ou de quadrilhas rivais.

Nem prefere ter soldados de mais idade em seu destacamento próprio, pois eles não se entregam tanto a seus caprichos de disparar uma arma. Logo depois de assumir o comando do negócio, Nem paga um ex-agente do Bope para treinar sua guarda pretoriana pessoal. De início, a equipe tem quinze integrantes, com a tarefa exclusiva de protegê-lo. O número aumenta com o correr dos anos. É um esquadrão de elite muito disciplinado, que também se destaca pelo costume de usar uniformes parecidos com os do Bope ou da Polícia Civil. "Fizemos assim por causa dos helicópteros", explica Nem. "Às vezes usavam helicópteros nas batidas da favela e, se a gente estivesse usando uniforme policial, não dava para nos distinguirem lá do alto."

Por fim, no topo da administração das vendas e da segurança fica "o fiel" ou "o braço direito". Com o passar do tempo, Nem emprega alguns nessa função, mas um indivíduo se destaca. Chama-se Wanderlan Barros de Oliveira, conhecido como Feijão. Ele não está oficialmente envolvido no negócio, mas desempenha um papel essencial na vida e nos assuntos financeiros de Nem e é uma figura política de relevo dentro da favela.

Feijão é amigo de infância de Nem. Simpático e descontraído, é estimado em toda a favela, sempre sorridente e disposto a ajudar. Nega de maneira categórica qualquer envolvimento com o tráfico, embora muita gente na Rocinha acredite que sua relação bem próxima com Nem não é apenas pessoal, mas também profissional. Desde o começo do reinado de Nem como Dono do Morro, Feijão parece desempenhar um papel na operação de transporte, levando o chefão de carro a todos os lugares. Por razões de segurança, Nem tem muito cuidado em não divulgar seu paradeiro nem seus movimentos a ninguém que não precise saber.

Além da dívida considerável que herdou de Bem-Te-Vi, Nem precisa pagar todos os seus funcionários. À exceção dos cargos mais altos, os trabalhadores do narcotráfico recebem salários comparáveis aos da economia convencional. As famílias dos funcionários de Nem também são, em sua maioria, subsidiadas de forma indireta pelo tráfico. Se algum membro da quadrilha for preso, espera-se que Nem pague o sustento da família, o que resulta em grandes despesas.

Em vista de todos esses gastos, Nem reconhece a importância de restaurar a prosperidade que o negócio tinha na época de Lulu. Como conseguir isso é um tremendo problema. Mais tarde a polícia me conta que ele criou com rapidez uma excelente fama entre médios e grandes atacadistas como sujeito acessível e bom pagador. Um deles, um boliviano, disse aos policiais: "A Rocinha parece uma festa — você vai com o pó e eles compram no ato com dinheiro vivo. Você chega, tem mulheres, bailes funk e o negócio é feito ali mesmo, no dinheiro, sem nenhuma encrenca". O traficante então comparou essas transações com as vendas para o PCC em São Paulo. "Era um tédio medonho", relembrou. "Você aparecia com produto para vender e então eles te faziam esperar dez dias num hotel antes de te receber. E as despesas correndo por sua conta, claro!"

Mas Nem também quer prosseguir na tradição do assistencialismo de Lulu e Bem-Te-Vi, fornecendo mantimentos, gêneros de primeira necessidade, remédios e empréstimos aos moradores da favela, como maneira de assegurar a boa vontade deles.

Durante seu período no poder, Nem constrói um campinho de futebol para a comunidade, paga viagens de moradores ao Nordeste para reverem a família, banca tratamentos médicos e providencia cestas básicas que são distribuídas aos mais carentes.

Ao contrário da época de Lulu, Nem não tem horário fixo para atender aos moradores que querem pedir auxílio financeiro, favores ou mesmo audiências de tipo judicial. Lulu atendia apenas nas terças-feiras à noite, enquanto Nem atende a qualquer hora e em qualquer lugar. Lulu era uma figura misteriosa — quase mítica para a maioria dos moradores — que preferia a discrição. Nem, por sua vez, é sociável e acessível.

"Ampliei alguns aspectos do apoio à comunidade", diz ele. "Por exemplo, Lulu não tinha um sistema de distribuição das cestas básicas." Todo mês, 1200 moradores recebem um sortimento generoso de alimentos de primeira necessidade. Toda semana, seiscentas famílias recebem legumes e verduras. Nem e o tráfico fornecem o dinheiro, e os líderes locais cuidam da distribuição.

"Era ideia do Bem-Te-Vi, mas ele nunca fez nada para pôr em prática. Fui eu que implantei", conta.

"As cestas básicas e o apoio que a gente dava para atividades fora da escola, como aulas de capoeira ou de boxe tailandês, entravam na contabilidade como despesas", explica ele. "Mas os enterros, os remédios ou o gás que alguém eventualmente precisasse e não tinha como comprar eram todos pagamentos extras."

Nem financiou tantas viagens de moradores ao Nordeste, para visitarem os parentes, que pensou em montar um esquema. "Minha ideia era comprar uma van e mandar para o norte uma vez por semana, e as pessoas poderiam viajar de graça", lembra, "mas foi uma coisa que acabei nunca fazendo."

"Você pode perguntar na Rocinha o que pensam de mim e o que fiz", diz ele. Então aceito seu desafio, e ele ficaria satisfeito com o que ouço. Todos consideram que suas melhores qualidades são a generosidade e a habilidade em reduzir a violência na favela após a fuga de Joca. Depois que a gente está há algum tempo na Rocinha, as pessoas se mostram bastante abertas em relação ao assunto. Não me parece que estejam falando sob pressão e, de todo modo, a autoridade de Nem é agora mera lembrança, pois a essa altura faz mais de quatro anos que ele está preso.

Nem também comenta que era tão relaxado que os moradores exploravam isso. "Tinha uma velha que me pedia para pagar pelos remédios", relembra, "e então percebi que ela me cobrava o dobro do que custavam! Caramba, é demais quando velhotas te pregam uma peça dessas." Mas ele interrompeu a distribuição de videogames. "A molecada vinha me ver e pedir esse ou aquele game, e aí eu perguntava que notas estavam tirando na escola. Mandava eles embora, recomendando que se dedicassem mais ao estudo e não tanto aos videogames."

Os moradores comuns da Rocinha ficam entre a cruz e a espada. A confiança na polícia é praticamente zero. Mas, desde a

Páscoa de 2004, eles convivem com o caos e a incerteza da tremenda rivalidade interna da quadrilha. Os bandidos terão muito trabalho para reconquistar a confiança do morro. As patrulhas de segurança do tráfico são ameaçadoras — os adolescentes e os jovens que as compõem andam com armamentos pesados em plena luz do dia, mesmo que a ordem de Nem seja de reduzi-las ao mínimo.

Suscetíveis ao fascínio da cultura da bandidagem — em parte importada dos Estados Unidos, em parte criação local —, os soldados se definem cada vez mais pela quantidade de dinheiro que ganham, pela fama e pelo prestígio social. As redes sociais e a cultura brasileira que privilegia a comunicação frenética são terrenos ideais. Tirando os Estados Unidos, o Brasil é o país com mais acessos ao Facebook e ao seu outrora ubíquo predecessor, o Orkut. Os bandidos jovens são movidos por um desejo cada vez maior de se vangloriar de suas proezas nessas plataformas.

A favela é enorme. Vista de longe, pode parecer uma unidade compacta, mas, depois de poucos dias andando por suas ruas, vielas e quebradas, vê-se que ela é de uma complexidade notável. Nesse meio, é inevitável que o policiamento de uma comunidade de cerca de 100 mil pessoas seja difícil e problemático.

Nem insiste numa série de regras inflexíveis. Em primeiro lugar — assim como Orlando Jogador tinha decretado no Complexo do Alemão —, nenhum menor de dezesseis anos pode ingressar no tráfico. Durante os cinco anos de Nem no poder, apenas um menor foi aceito (e tinha quinze anos). Em segundo lugar, é proibido processar ou vender crack e loló na Rocinha. "O crack simplesmente destrói vidas", diz Nem. "Dava para ver o que ele estava fazendo em outras partes da cidade, e a gente não ia deixar que isso acontecesse lá." Essa regra é seguida à risca e faz uma enorme diferença para a coesão e a estabilidade social. Como aponta Nem, em São Paulo e na Zona Norte do Rio, onde não existe esse controle, os usuários de crack se estabelecem em áreas no interior ou próximas de favelas (ou seja, em larga medida escapando ao alcance da polícia), conhecidas como "cracolândias". Nesses locais, os jovens dependentes de crack se reúnem, fumam e vegetam. É um terrível flagelo que contagia e destrói milhares de moças e rapazes nas partes mais pobres da cidade, fomentando a criminalidade, a miséria e a morte.

Por fim, a delinquência e roubos são proibidos não só na Rocinha, mas também nas áreas vizinhas da Zona Sul. A Polícia Civil matou Bem-Te-Vi basicamente porque ele abrigava os ladrões e assaltantes mais conhecidos da Zona Sul. Saulo e Nem estão de acordo nessa questão. No final de 2007, Saulo tem uma conversa tensa por celular com um alto integrante da equipe de segurança da quadrilha na Rocinha. Houve um grave assalto na área elegante do Leblon e a vítima tem laços próximos com o governador do estado, Sérgio Cabral. É o tipo de ocorrência que pode desencadear uma grande intervenção armada da polícia: um governador furioso, pessoalmente insultado, é capaz de reagir com força letal. Saulo ordena que o pessoal da segurança vá até o Vidigal, favela para onde fugiram os criminosos. Devem encontrar os assaltantes, dar-lhes uma boa surra e devolver os objetos roubados. Localizados num depósito, os objetos são devolvidos de imediato ao dono. O governador suspende a ação. O negócio, mais uma vez, escapou dessa por um triz.

18. Não estamos sozinhos
2007

Bibi estava furiosa. Descobrira mensagens de texto no celular de Saulo, indicando que o marido estava atrás de outra mulher. Quando o enfrentou, Saulo negou a acusação com veemência. Agora, todo dia ele saía de casa às sete da manhã e só voltava à meia-noite, e às vezes até mais tarde. Ela ficava em casa com os filhos pequenos e estava ficando histérica. Bibi começou a postar em sua página do Orkut fotos ousadas, em que aparecia segurando maços de dinheiro, com comentários como "É tão chato ter grana...". Queria que o mundo, ou pelo menos a Rocinha, soubesse que ela era mulher de bandido, tinha orgulho disso e se esbaldava com os frutos financeiros que Saulo trazia para casa.

Começaram a deixar comentários anônimos em sua página, gozando dela. "Enquanto você fica aí em casa, Bibi", escarnecia um, "seu querido Saulo está por aí comendo outras mulheres."

Brava e cada vez mais insatisfeita, Bibi também se exibia com selfies, e num deles aparecia zanzando com uma das armas que Saulo deixara em casa. Ela carregou a foto, mas a tirou logo a seguir, com medo de que alguém visse a arma.

O medo não era descabido — havia gente que achava muito interessante acompanhar a página de Bibi no Orkut.

Em meados de 2007, ela postou uma mensagem pedindo que a mãe lhe telefonasse. Cometeu o pecado mortal de incluir seu número de telefone. O fenômeno das redes sociais ainda era mais ou menos recente. Os brasileiros haviam mergulhado de cabeça na novidade, mas a maioria ainda não percebera até que ponto a internet era pública. Mesmo que a informação ficasse na rede por apenas dez minutos, era arquivada em algum lugar ou estava sendo monitorada em tempo real. Nem entendia a importância do controle de informação, mas esse seu insight era um caso raro. Bibi ainda não tinha essa percepção.

Dez minutos depois, ela removeu o número do telefone. Mas era tarde demais. Os que estavam de olho já haviam anotado os detalhes.

Agora era hora da escuta. Primeiro, ouviram a conversa de Bibi com a mãe, mas logo depois ela ligou para o marido. Era essa a esperança do pessoal que estava à espreita. Já desconfiavam que, depois de fugir da prisão, ele havia se refugiado na favela. Grampeando o celular de Bibi e depois o de Saulo, puderam começar a rastrear os movimentos dele. Saulo nunca saía da favela, o que não era de admirar. Dentro do perímetro do morro, nenhum policial iria violar o santuário da Rocinha.

A interceptação do telefone de Bibi foi o primeiro lance na Operação Provedor de Serviços. Dois investigadores experientes da Polícia Civil, Alexandre Estelita e Reinaldo Leal, agora ouviam todas as ligações que Bibi fazia. Logo depois que conseguiram o número de Saulo, grampearam Juca Terror. Depois Beiço, Cabeludo, Total, D2, Lico, Vinni.[1] Não demorou muito para mapearem as relações entre dezenas de bandidos que dirigiam a Rocinha.

Contudo, não encontravam nenhum número de Nem. Tinham conseguido identificá-lo como o chefão, mas ele era uma figura misteriosa e distante. Saulo também era cauteloso na hora de usar o celular, se bem que Bibi compensava esse fato — assim como Marcela, a namorada dele. Elas nunca desgrudavam do celular e do Orkut.

Quando Nem se consolidou como único Dono da Rocinha, sua prudência e sua inteligência natural logo se evidenciaram. Em pouco tempo ele percebeu que telefones e computadores eram elementos de risco, que deviam ser evitados ao máximo. Não podia impedir que os membros de sua organização ficassem batendo papo no celular. Apesar disso, a ínfima quantidade de menções a seu nome nas conversas dos demais dava a entender que Nem lhes recomendara o máximo de discrição. Se e quando se referiam a ele, em geral era de maneira indireta: "Logo abaixo de Deus" era a expressão mais constante.

O chefão achava, e estava certo, que a polícia vinha monitorando todas as comunicações da quadrilha. Mais do que qualquer outro traficante no Rio, ele entendia que seu futuro dependia do controle da informação — e da aquisição de novas informações.

Claro que Nem precisava usar aparelhos de comunicação. Fazia contato com o bando via rádio. Mas também levava uma maleta a todos os lugares aonde ia, contendo dez ou mais celulares, cada um associado a um contato específico: políticos, policiais corruptos e informantes externos. Era esse o motivo de Estelita e Leal não conseguirem entrar em seu círculo interno de comunicação.

"Não era por nada que o chamavam de Mestre", explicam os dois investigadores. "Ele se considerava dotado de mais bom senso do que os outros. E de fato era. Além do poder das armas e do medo, ele contava com o poder do intelecto, que se aliava ao poder que obtinha com seu controle da informação." Um Mestre, acrescentam eles, é aquele que tem as informações e sabe o que está fazendo. "Se houvesse uma operação policial, ele instruía seus auxiliares a avisar a meninada para que não fosse à escola no dia seguinte, pois ia acontecer uma batida." Uma multidão de garotos brincando e rindo pela favela dificultaria bastante o trabalho de policiais armados. Isso significava, é claro, que alguém tinha avisado Nem. "Assim, os outros achavam que ele era como Deus", concluem os investigadores. "A impressão que tinham era que ele parecia saber de tudo. E, de certa forma, sabia mesmo."

Os policiais podiam ter aquela cara de agentes durões de Hollywood, com armas da grossura de um tronco de árvore, cabelo à escovinha e uma barba de dois dias no queixo quadrado, ao estilo *Miami Vice*, mas essa aparência clichê encobria figuras muito mais interessantes. Eles eram conscienciosos e meticulosos na análise de seus alvos. O mais impressionante de tudo, talvez, era que não julgavam. Empenhavam-se ao máximo para entender a psicologia e os métodos dos indivíduos que estavam investigando para entender como a organização era estruturada. Respeitavam a inteligência e desdenhavam a burrice, fosse da polícia, dos bandidos ou de qualquer outro envolvido nesse mundo incerto das quadrilhas do narcotráfico — mundo em que entrar na rua errada, interpretar mal um olhar ou roubar um beijo podia resultar numa matança inesperada.

Os dois investigadores podiam não ter interceptado as comunicações pessoais de Nem, mas não estavam parados. Em questão de três meses, haviam montado um minucioso organograma da operação do chefe. Também obtiveram os nomes e apelidos da maioria dos principais membros da organização, bem como um guia aproximado de seus históricos e funções dentro do ramo local da ADA.

Estelita e Leal logo perceberam três questões que pressionavam o negócio. Uma delas era a necessidade de comprar armas e munição. A segunda era o receio de outra possível rebelião na rua 1 após a fuga de Joca, embora esse medo tivesse se dissipado em boa medida cerca de um ano depois que Nem e Saulo assumiram o poder na Rocinha, quando os apoiadores da ADA no Vidigal expulsaram o bando local do Comando Vermelho, levando ao restabelecimento de relações fraternas entre as duas favelas. A terceira questão era a necessidade de garantir o abastecimento e a segurança de suas duas "esticas", ou "filiais" das bocas de fumo, o Parque da Cidade e a Chácara do Céu, duas favelas anexas muito menores. O Parque da Cidade se situava entre a Rocinha e a Gávea; a Chácara do Céu, entre o Vidigal e o Leblon. Eram pontos de venda de drogas muito lucrativos, pois atendiam à clientela de classe média que preferia evitar as idas um pouco intimidadoras até a própria Rocinha. Mas, justamente por causa desse isolamento, as duas localidades eram mais vulneráveis a batidas policiais. Nem ordenou que não houvesse armas nas duas esticas.

Juca Terror, um dos gerentes de Nem, tinha a responsabilidade específica de assegurar o bom funcionamento dos negócios na Chácara do Céu. Um dia, Estelita e Leal interceptaram uma conversa dele com um tal Alexandre Marques. Esse Alexandre combinou com Juca de pegar certa grana na boca de fumo da pequena favela. Enquanto escutavam o diálogo, os investigadores se deram conta de que Marques era, na verdade, um policial militar.

A relação entre Juca Terror e Marques parecia ser de longa data. Mais tarde, os investigadores descobriram que Marques havia dito a seus colegas na PM que Juca era um informante. Com efeito, ele armava suas conversas pelo celular de modo a dar essa impressão. Mas, na verdade, era Juca que pagava Marques.

Um dos assuntos mais candentes da conversa se referia ao status da Cruzada São Sebastião, um conjunto de blocos residenciais no extremo nordeste do Leblon. Na divisa com Ipanema, a Cruzada é a única área pobre do bairro e constituía a estica ideal para venda de pó e fumo para os moradores ricos que viviam nos endereços mais cobiçados do asfalto. Embora ficasse dentro da área do varejo da Rocinha, a Cruzada não era controlada pela ADA. O local se mantinha leal ao Comando Vermelho, coisa que Juca Terror considerava claramente inadmissível.

Porém, a localização da Cruzada constituía um relativo problema para a Rocinha. A ADA tinha um bando lá dentro, pronto para assumir o controle do varejo depois que se removesse a liderança ali instalada. Mas era inviável entrarem a toda no Leblon, armados e prontos para lutar e tomar o controle do tráfico. A polícia em torno da Rocinha podia ser complacente, mas uma incursão armada no Leblon (onde, aliás, morava o governador Sérgio Cabral) constituiria uma explícita declaração de guerra contra o Estado.

Para resolver o problema, Juca combinou com Marques que a Polícia Militar pura e simplesmente prenderia o líder do Comando Vermelho na Cruzada. Assim fizeram, e a Cruzada aterrissou com suavidade no colo da Rocinha. Juca cumprimentou o policial solícito por sua prestimosa colaboração.

Para Estelita e Leal, essa era uma relação fascinante para rastrear.

Marques não era um simples patrulheiro estacionado na divisa da Rocinha que tivesse aceitado uma modesta propina para operar como olheiro. Ele estava fornecendo informações importantes sobre as atividades da polícia, inclusive datas e tipos de batidas que os policiais fariam na favela. O salário médio de um policial militar normal era um pouco menos de 1800 reais, numa cidade cujo custo de vida se equiparava ao de muitas cidades industriais do hemisfério Norte. Em certos itens, como moradia, os custos estavam se tornando proibitivos. Muitos policiais estavam desesperados para aumentar o salário a fim de conseguir fechar o orçamento. As maneiras mais fáceis e mais rápidas eram duas, ambas criminosas: ou receber dos traficantes ou entrar numa das milícias que controlavam as favelas da Zona Norte. Alexandre Marques escolhera a primeira.

"Concluímos", diz Estelita, "que, depois de tomar a Cruzada, a Rocinha queria controlar todas as favelas da Zona Sul até o Chapéu Mangueira, que fica logo adiante de Copacabana."

Há certa verdade nisso, reconhece Nem. "Veja, a gente queria tirar o Comando Vermelho de lá, mas ninguém queria avançar numa comunidade se a população estivesse contente com o que tinha. A Cruzada estava muito descontente com o cv, tal como tinha acontecido no Vidigal."

Aos poucos, mas com muita solidez, Estelita e Leal estavam reunindo uma quantidade imensa de dados sobre a extensão e a sofisticação dos negócios de Nem na Rocinha. Não se incomodam em admitir que ficaram impressionados com sua escala.

19. A época do boom
2007

Os agentes Estelita e Leal estavam almoçando na lanchonete da esquina da delegacia na Lapa, a 25 minutos de carro da Rocinha. Como de costume, Leal, atendendo às demandas de seu físico robusto, devorava uma porção de pastéis de camarão. "O cara não queria largar", diz Estelita, rindo, sobre o colega. "Tive de arrancá-lo dali quando o celular tocou." Mas a ligação era de importância suficiente para convencer Leal a deixar os pastéis de lado.

Era agosto de 2007, e a escuta do celular de Saulo tinha acendido. Era seu braço direito. "Saulo, má notícia", disse o sujeito ao chefe. "A fábrica explodiu e pegou fogo. Foi um acidente, e dois dos caras se queimaram feio. Mandamos eles pro hospital." Saulo quis avaliar os danos. "O que exatamente pegou fogo? O equipamento foi danificado?", perguntou. "Hãhã, não", veio a resposta. "É só a escada de madeira que sobe lá em cima que está queimando."

Leal olhou para Estelita, que ergueu uma sobrancelha. "O que você acha?", perguntou ele. "Vamos para o hospital", respondeu Estelita.

Os policiais saltaram dentro do carro e foram para o Miguel Couto, o hospital mais próximo da Rocinha. Ali, encontraram os dois funcionários que tinham dado entrada com queimaduras. Estelita se apresentou. "O que aconteceu, rapazes?"

"Ah, nada", respondeu um deles, displicente. "A gente estava fazendo churrasco e o gás do isqueiro pegou fogo."

Estelita e Leal falaram com a equipe do hospital, que lhes forneceu amavelmente os resultados da perícia dos dois pacientes. Mostravam que sob as unhas havia uma mistura de cocaína e precursores químicos, usados para transformar a pasta-base em pó, sua forma mais conhecida. Não fazia nem dois meses que estavam investigando e Estelita e Leal topavam com uma refinaria de cocaína na Rocinha. Bingo!

Saulo era ainda mais empreendedor do que haviam imaginado. Além de suas conexões de família com Fernandinho Beira-Mar, o líder do Comando Vermelho, via-se que ele trouxera outro valioso recurso para os negócios de Nem. Podia não ter concluído sua graduação em matemática, mas, na Universidade do Crime que é o sistema penitenciário do Rio, um especialista em narcóticos amigável lhe ensinara a transformar a pasta de cocaína em pó.

A pasta tem a consistência de glacê e é o estágio intermediário entre a folha da coca e a cocaína em pó. Depois de fugir da prisão, Saulo sugerira que se montasse uma refinaria ou cozinha de coca na favela, com o que o Dono do Morro, parece, concordou. Segundo Estelita, essa decisão empresarial importante teve um enorme impacto positivo no movimento das vendas no tráfico da Rocinha. Em pouco tempo, ela podia se vangloriar de atender a cerca de 60% de todo o consumo de cocaína do Rio, diz o delegado. Além disso, era a única favela capaz de fornecer a droga processada a outras áreas e facções.

Na Rocinha, Saulo calculava os prejuízos do acidente. O equipamento parecia incólume, e assim podiam arrumar e manter a cozinha em funcionamento sem maiores dificuldades. Mas o

Gringo acha que muita pasta-base fora perdida, no valor de várias centenas de milhares de reais.

Estelita e Leal sabiam mais ou menos onde ficava a refinaria, mas quiseram dar uma olhada de perto. "A questão", explica Estelita, "é que você só consegue entrar com uns trezentos homens." Não era fácil fazer um trabalho policial a sério na favela. Não podiam simplesmente chegar e prender alguém como Nem. Primeiro, porque o grosso da PM que patrulhava o perímetro estava na folha de pagamento do chefão, com a função de avisá-lo de qualquer batida iminente. Segundo, se um pequeno destacamento de policiais entrasse na favela sem autorização dos traficantes, estariam mortos antes de chegar sequer a um quilômetro dele. A autoridade do Estado só se estendia às favelas quando seus representantes apareciam em grandes contingentes e maciçamente armados.

Assim, para investigar os detalhes da refinaria, Estelita e Leal precisavam operar como parte de uma operação de disfarce muito maior, e ficou combinado que duzentos policiais civis entrariam na favela numa aparente busca por estoques de drogas.

Quando a polícia entrava numa favela para uma investigação, todas as atividades cessavam. A garotada interrompia as brincadeiras. As lojas fechavam cedo. Os moradores simplesmente sumiam. Era uma sensação arrepiante, conforme os dois agentes avançaram favela adentro. Só eles se moviam e respiravam; fora isso, o local parecia morto.

Pelo grampo, Estelita sabia que devia começar procurando perto da rua 2. "Quando estávamos agachados junto a uma parede, vejo um amontoado de fios na entrada de uma casa. Siga as migalhas e você encontrará o bolo. Então digo a Leal: 'Ei, olha toda aquela fiação elétrica — não é como a das outras casas.'" As refinarias exigem muita ventilação e iluminação, e os fios refletiam isso. Além de energia elétrica, as únicas coisas necessárias são alguns baldes e os produtos químicos certos.

"Subimos uma escada estreita e pusemos uma câmera por baixo da porta. A primeira coisa que a gente vê é um frasco de vidro de acetona e um de ácido clorídrico." Bingo!

Estavam sendo observados, claro. Toda vez que a polícia entrava na favela, Nem mapeava seus percursos. Registrava com muito cuidado quais ruas e ruelas eles costumavam usar, quais desconheciam e quais pareciam evitar. Com o tempo, avaliou que a polícia conhecia cerca de 70% das entradas e saídas da Rocinha. Era uma informação inestimável e um sinal da seriedade com que ele tratava sua operação de contrainformação.

Uma vez revelada, a existência do local de produção de pó levou a uma alteração na natureza das investigações. A Operação Provedor de Serviços se transformou na Operação 200, concentrada em identificar com precisão as atividades efetivas de cada membro da ADA da Rocinha dentro da quadrilha — exigência da lei brasileira para um processo judicial.

É necessária uma grande quantidade de precursores químicos para a produção de volumes significativos da cocaína purificada. Como em muitos outros países, o Brasil limita a quantidade de precursores (que têm muitas outras finalidades, não criminosas) que cada cidadão individual pode comprar. Em geral, essa é uma política quixotesca, de difícil fiscalização. Na Rocinha, explicou Estelita, a equipe de processamento de Saulo contornava essas restrições pagando a dezenas e dezenas de pessoas para que comprassem em várias partes da cidade a cota mensal permitida. Era algo simples e à prova de erro.

A Rocinha não precisava comprar grandes estoques de pasta-base. Matutos faziam o transporte picadinho, um ou dois quilos por vez na mochila, entre o Paraguai, a Bolívia e o Rio. Saulo inclusive admitiu que estavam recusando propostas de fornecimento da pasta no atacado, pois os autônomos avulsos já eram mais do que suficientes para cobrir suas necessidades.

Entre as descobertas de Estelita e Leal, a mais importante foi que um quilo de pasta, que custava cerca de 3,5 mil dólares, rendia o mesmo peso em cocaína pura, que era vendida a 8 mil dólares. Também conseguiram apurar que a única boca de fumo no Parque da Cidade, uma pequena favela-satélite da Rocinha, vendia 1250 dólares por dia, somando mais de meio milhão de dólares ao ano. Além disso, Saulo confirmou que vendiam para outras favelas, inclusive em algumas áreas do Comando Vermelho. Nem nega isso veementemente.

Enquanto isso, a política de Nem de tirar as armas das ruas e evitar ao máximo atos de violência também estava dando bons resultados. Com sua liderança, o índice de homicídios baixou ainda mais do que nos tempos pacíficos de Lulu. Comparava-se aos índices registrados nos bairros vizinhos de classe média e não tinha praticamente nenhuma relação com os outros grandes centros de drogas e armas, o Complexo do Alemão e o Complexo da Maré.

É claro que o faturamento dos pontos de venda não consistia apenas em lucros. Além dos custos de mão de obra e despesas eventuais, havia a necessidade de garantir o silêncio da Polícia Militar. Segundo Gringo, a filosofia de Nem era simples: o negócio só funcionaria se todos ficassem contentes. Gringo calcula que havia cerca de oito viaturas estacionadas em volta da favela. Duas ou três ficavam paradas entre a Gávea e o alto da Rocinha e cinco ou seis em torno da entrada, na parte de baixo. A primeira tarefa desses policiais era informar o pessoal de Nem se havia sinal de algum grupo de fora se aproximando da favela. "Sabe, mensagens do tipo 'Acabamos de ver tal ou tal número de carros indo da Gávea para o teu lado. O grupo parece estar armado'. Estou falando de grupos das outras facções", explica Gringo.

Em média, Gringo pagava cinquenta reais por policial em cada turno. Os que trabalhavam perto do bairro comercial de

Barcelos ganhavam mais. Alguns, como Alexandre Marques, tinham uma relação muito mais próxima e, portanto, muito mais cara com a ADA. Além disso, quando havia troca de comando no 23º Batalhão da PM (responsável pela Rocinha), a cifra aumentava, como aconteceu uns dois anos depois que Nem subiu à chefia.

E havia também o programa de assistência — alimentos, remédios, aluguéis e empréstimos para os moradores em dificuldades. "Nem e o grupo pagavam um monte de coisas para convencer os locais a ficar de boca bem fechada", explica Gringo. "Mas não tenha dúvida: isso era muito melhor do que faziam em outras favelas, onde garantiam o silêncio na base de armas e intimidações."

Nem aprendera o ofício com Lulu e nunca esqueceu a estratégia de negócios do mestre. Isso é uma empresa, dizia Lulu, você tem de pagar os fornecedores, os empregados, a família de quem morre, a família de quem vai preso, festas e comemorações — o Dia da Criança, o Dia das Mães, o Ano-Novo — e, claro, propina para a polícia.

O negócio era difícil e complicado, mas estava indo muitíssimo bem. A pressão da polícia sobre a Rocinha não era grande. Os moradores estavam contentes com a estabilidade que Nem trouxera à vida deles e a favela inteira prosperava dia após dia. O que se passava na Rocinha não era diferente do que andava acontecendo no Brasil como um todo.

20. A noiva de Nem
2004-2006

Quando Bem-Te-Vi estava no poder, Simone e Nem se separaram. Não foi a primeira nem a última vez. Um dia, quando já estavam separados fazia uns três meses, ele apareceu na casa dela às quatro da madrugada. Parecia bravo, e perguntou: "Simone, quem é Marcos?". Ela respondeu que não sabia. Na verdade, nos últimos meses Simone vinha cultivando amizade com um rapaz que conhecera numa festa. Nem pegou o celular dela e mostrou-lhe algumas mensagens de Marcos. Mas então aconteceu uma coisa mais preocupante: ele pegou um CD e lhe disse para tocar. Era uma gravação das conversas por celular entre Simone e Marcos. Ao que parece, Nem andava investigando as alegadas infidelidades das companheiras dos bandidos e, para reunir provas, subornara um policial para grampear as esposas e namoradas. Quando lhe pergunto sobre o assunto, ele diz que estava blefando — na verdade, não tinha a gravação. Simone pareceu ter acreditado nele sem precisar ouvir as provas.

A essa altura Nem já estava bem bravo e não havia muita coisa capaz de mudar sua convicção de que ela andava saindo com alguém. "Então você resolveu me fazer de idiota?"

"Nunca."

"Você estava me enganando!"

"Nunca encostei no cara. Nunca beijei, nunca abracei — nunca houve nenhuma intimidade."

Nem ficou louco. Simone tinha acabado de trocar todos os móveis e eletrodomésticos — sofás novos, geladeira nova, fogão novo. Ele destruiu tudo. Então, por rádio, instruiu seus seguranças a ficarem do lado de fora do sobrado para impedir que ela fugisse enquanto ele ia buscar uma pistola para matá-la.

Cerca de dez homens armados ficaram patrulhando o lado de fora, enquanto quatro ou cinco se posicionaram na escada que levava ao apartamento dela. Simone, agora temendo mesmo por sua vida, agarrou as duas filhas e suplicou a um vizinho que acabara de chegar do Nordeste que a deixasse fugir pela janela dele, explicando que o marido a ameaçara de morte. "Ele não é bandido, é?", perguntou o vizinho. "Não, de jeito nenhum", mentiu Simone.

Simone foi se esconder no apartamento de uma amiga com gravidez muito adiantada. No caminho, a pequena Thayná lhe disse: "Você vai sozinha, mãe. O pai não vai me fazer nada." Simone descartou a ideia de deixar a filha porque significava que teria de voltar depois. E agora ela precisava ficar longe de Nem e da Rocinha.

Nas ruas, Nem espalhou que pagaria 100 mil reais de recompensa, uma quantia fabulosa, a quem encontrasse Simone, que, disse, estava fugindo da Rocinha com as filhas dele. Ficara com o celular dela e estava percorrendo todos os números para descobrir onde a ex-amante teria se escondido.

Para exasperação de Simone, ela estava menstruada na época e pediu que a amiga grávida fosse comprar absorventes. Por mero acaso, Nem estava na frente do supermercado de onde saiu a mulher com sua barriga de sete meses. Ele a reconheceu de imediato, embora só a tivesse visto uma vez com Simone. A mulher não teve escolha a não ser levá-lo até sua vítima.

Mas a essa altura a raiva de Nem já tinha diminuído. Sua fúria, quando vinha, alcançava um grau alarmante, mas logo baixava e em geral era substituída pelo remorso — como agora. Em vez de se vingar, ele substituiu todos os móveis que havia destruído. Nem e Simone não falaram mais no assunto e reataram a relação que tinham terminado meses antes.

Havia, de maneira tortuosa, um princípio por trás disso. Se surgisse a mais leve sugestão de que a namorada de um bandido estivesse envolvida com outro homem, isso traria uma mancha inadmissível para sua honra, não importava quantas mulheres ele tivesse ao mesmo tempo. Além disso, como a maioria das ex-namoradas de Nem veio a descobrir, essa lei tácita valia mesmo quando a relação já havia terminado. A prudência era uma questão de vida ou morte.

A própria Simone era dada a acessos ocasionais de cólera e violência. Logo após o episódio da quebradeira de móveis, ela foi insultada por Raquel, a mais recente amante de Nem (com quem ele teve outro filho) durante uma festa na rua 1. Quando Nem estava de costas, Raquel fez um gesto para Simone indicando que Nem era dela e de ninguém mais. Parecia dizer: "Sua perdedora".

Simone, na época, trabalhava numa padaria e notou que Raquel passava em frente ao local todos os dias, na ida e na volta do serviço. Um dia, ela saiu detrás do balcão e partiu para cima da rival. "Vi ela e fui lhe dar uma lição", admite. Sua mãe presenciou o fato e, com um grito, disse a Simone que parasse com aquilo, pois Raquel era muito mais nova do que ela. "Se ela tem idade para dormir com o homem de outra", respondeu Simone, "tem idade para levar uma surra!"

No final das contas, talvez tenha sido Vanessa quem levou a pior. Cuidava dos filhos e não tinha nenhuma perspectiva de encontrar outro companheiro. Agora que o homem com quem se casara era o Dono do Morro, todos os outros outros a viam como zona proibida. Ninguém se atrevia a olhar para ela, muito menos convidá-la para sair.

Embora empenhado em manter a violência da bandidagem na Rocinha num patamar mínimo, era raro Nem se desviar das tradições machistas que caracterizavam muitos setores da sociedade brasileira, inclusive as favelas. Não era apenas uma herança cultural. Era também uma questão de poder político. Ele julgava que não tinha escolha a não ser tratar suas várias mulheres com arrogância e até violência para manter a autoridade. Dentro de casa elas podiam reclamar e se queixar o quanto quisessem. Mas em público deviam se comportar levando em conta que ele era o chefe.

Em 1997, uma menina de treze anos engravidou no Complexo da Maré, uma das comunidades mais espalhadas e perigosas de todo o Rio. Durante sua infância, a favela onde morava era palco de tiroteios periódicos entre quadrilhas rivais e entre as quadrilhas e a polícia. Havia uma regra informal segundo a qual ninguém devia sair de casa após as 21 horas, pois era grande a probabilidade de cair no fogo cruzado.

Talvez essas lições de sobrevivência desde tenra idade tenham contribuído para a autoconfiança e a firmeza de vontade da garota. A mãe considerou muito penosa a gravidez da filha, salientando que ela ainda era uma menina. Mas a garota a enfrentou, sustentando de maneira inflexível que conseguiria sustentar o bebê. Encontrou emprego num salão de bingo. A escola parece ter desempenhado um papel muito secundário em sua vida. O pai da criança era um ladrão e jogador de dezoito anos que estava envolvido demais nas gangues locais para o gosto dos pais da menina. Não era provável que ele fosse de grande ajuda depois que o filho nascesse, e essa foi uma das razões pelas quais a mocinha continuou a trabalhar até pouco antes do parto.

A garota se chamava Danúbia, escolha dos pais que deve ser única no Brasil e no mundo. Tiveram a ideia com um vizinho bastante viajado, que lhes falava muito de um rio enorme e muito bonito, que atravessava várias grandes cidades em que vivera ou que visitara, e os pais decidiram dar à filha o nome derivado daquela misteriosa extensão de água. Depois de dar à luz, a vida foi uma luta para Danúbia, embora, sendo uma loira de curvas irresistíveis, um belo rosto, boca generosa e um narizinho de proporções perfeitas, tivesse muitos pretendentes. Um ou dois eram figuras bem conhecidas do submundo da Maré.

As coisas mudaram no começo de 2006, quando uma amiga da Rocinha convidou Danúbia para ir a sua casa, depois de terem ido a um show. Agora com 21 anos, Danúbia nunca vira nada tão empolgante quanto a Rocinha. Era como a Maré, mas sem a tensão permanente causada pelas facções do narcotráfico em guerra constante. E o centro da Rocinha era muito mais movimentado do que as áreas equivalentes de sua favela natal, com inúmeros bares, lojas e salões de manicure.

Foi nessa visita que Danúbia viu Nem pela primeira vez. Na época, embora separado e com o processo de divórcio em curso, Nem ainda era oficialmente casado com Vanessa. "Na verdade, ele me disse que não era casado", diz Danúbia com simplicidade, "e que morava sozinho. Depois me levou para a casa dele." Os ornamentos do poder e do sucesso aumentavam seu carisma, mesmo que Nem gostasse de se iludir pensando que era seu magnetismo natural, por si só, que o fazia tão atraente. "Uma vez duas meninas puxaram papo comigo porque me acharam muito interessante", ele me disse. "Elas não tinham ideia de quem eu era." Quando Nem me contou sobre esse episódio, achei que ele exagerou. Talvez tenha acreditado, mas nesse caso estava enganando a si mesmo.

Danúbia era uma moça festeira e impetuosa. Sabia quase por instinto explorar sua beleza ao máximo, mas, quando a encontrei em Campo Grande em sua condição de mulher de prisioneiro, ela conservava um ar ingênuo e jovial que lhe conferia um encanto genuíno. Na primeira vez em que encontrou Nem, os dois apenas conversaram. Uma semana depois, ela recebeu um recado da amiga dizendo que Nem queria convidá-la para voltar à Rocinha. A amiga ia organizar um churrasco. Danúbia aceitou o convite e naquela noite tornaram-se amantes. Depois de dois meses, estavam pensando em se casar.

Nem era doido por Danúbia e vivia lhe comprando bombons, flores, roupas e tudo o que ela quisesse. Quase desde o primeiro minuto em que a conheceu, diz Danúbia, "ele ficou com ciúmes. Não gostava que eu trabalhasse no bingo, onde apareciam caras de todos os tipos. Então ele logo quis me convencer a largar o emprego e me mudar para a Rocinha, e foi o que eu fiz".

Vanessa já estava farta de Nem e sabia que o casamento terminara. Mas Simone só entendeu que ela também estava no grupo das descartadas ao ver a intensidade da relação dele com Danúbia e o orgulho com que a exibia em público. "No começo achei que era uma fantasia passageira", disse Simone. Mas aí ela topou com o casal numa discoteca chamada Bubble Arena. "Quando vi que ela era apresentada a todo mundo como uma rainha, percebi que era sério."

A mãe de Danúbia continuava a recomendar cautela. Tinha visto as consequências das relações anteriores da filha. Achava que Danúbia já fora muito prejudicada por malandros de profissões duvidosas. E sabia muito bem quem era Nem. Mas não era a primeira vez que Danúbia fincava pé e em 1º de abril de 2006 os dois se casaram. Ela ainda guarda uma carta que ele lhe escreveu, dizendo que sempre iria comemorar a data "não como o Dia da Mentira, mas como o dia em que encontrei o verdadeiro amor". Danúbia adorava a posição de esposa de Nem. Numa alquimia que combinava sua beleza e presença com a autoridade e a riqueza dele, eles se transformaram no casal dourado da Rocinha.

21. Nêmesis
1997-2009

No final de 2006, Sérgio Cabral, o governador recém-eleito do Rio de Janeiro, nomeou um novo homem para eliminar a parte podre das forças policiais do estado. José Mariano Beltrame estava em visita à família no Sul, quando Cabral o convocou de surpresa para voltar ao Rio. Ao chegar, o governador e assessores o interrogaram sobre a situação da segurança no estado. Beltrame sabia que podia ser escolhido para uma grande tarefa, mas não era homem de querer agradar aos outros. Por causa de seu trabalho no combate às drogas, ele conhecia bem o Rio — e sabia que o policiamento era uma zona.

Com honestidade alarmante, ele expôs a situação a Cabral e assessores. Não existia cooperação entre a Polícia Militar e a Polícia Civil, explicou, o que tornava quase impossível coordenar as ações; muitas favelas estavam prontas para a guerra entre elas e tinham um enorme potencial explosivo; havia graves problemas de corrupção; políticos estavam envolvidos com as milícias. E concluiu dizendo que a segurança pública fora praticamente deixada de lado. A forma e a finalidade das operações policiais eram de tipo defensivo, não sendo concebidas para resolver nenhum problema estrutural que a cidade enfrentava. Além disso, nos próximos dois anos a Fifa e o Comitê Olímpico Internacional iriam decidir os locais respectivos para a realização da Copa do Mundo de 2014 e dos Jogos Olímpicos de 2016. O Brasil tinha boas chances de ser escolhido para sediar a Copa, e o Rio começava a se preparar para uma vigorosa campanha para sediar as Olimpíadas.

Beltrame voltou para casa achando que não ouviria mais falar no assunto. Poucos dias depois, Cabral o chamou e convidou para compor seu gabinete como secretário de Segurança. Beltrame aceitou.

Durante dez anos, desde o final da década de 1990, Beltrame integrara uma equipe pequena, mas muitíssimo eficiente, do setor de inteligência da Polícia Federal, mapeando as rotas que os atacadistas do narcotráfico vinham criando pelo Brasil. Ele cruzava a imensidão do país, rastreando entregas enormes de cocaína com destino a São Paulo ou ao Rio ou em trânsito para Istambul (um dos pontos iniciais de distribuição da coca destinada ao mercado europeu) e, mais tarde, para Amsterdam. Esteve envolvido em cerca de 450 operações, que levaram ao confisco de vinte toneladas de cocaína, cinquenta aeronaves e cerca de 1100 automóveis, bem como à prisão de cerca de 1200 pessoas envolvidas no tráfico internacional.[1]

Um de seus alvos era o notório criminoso carioca Fernandinho Beira-Mar. Em 1997, Beltrame passou longos períodos inspecionando o Paraguai a partir de seu posto de observação no Brasil. A fronteira consistia numa estrada tórrida e empoeirada. Do outro lado, observando-o, estava o próprio Beira-Mar. Não era apenas no Brasil que ele era procurado; como o narcotraficante talvez mais conhecido da América do Sul desde a prisão dos irmãos que comandavam o cartel de Cali, tinha em sua cola os colombianos, os europeus e, claro, os agentes da DEA, dos Estados Unidos. No Paraguai, porém, estava a salvo — tinha as autoridades locais no bolso.

Fernandinho Beira-Mar zombava da presença da Polícia Federal acenando para os agentes; sabia muito bem que Beltrame e colegas não tinham autoridade para atravessar a estrada e prendê-lo. E por que iria voltar ao país natal? Levava uma vida de luxo no Paraguai. Por ora, estava em segurança e podia organizar a passagem da cocaína pelo Brasil até o Suriname, de onde ela seguiria para vários destinos.

Sua mulher, Jacqueline, ia e vinha entre os dois países, e Beltrame sempre assegurava que ela fosse seguida desde o instante em que entrava em território brasileiro. Mas não havia muita coisa que a Polícia Federal pudesse fazer em relação ao próprio Fernandinho Beira-Mar. Passaram-se mais quatro anos até que a polícia colombiana, trabalhando com os colegas de Beltrame e junto com a DEA e a CIA, conseguisse capturá-lo nos fundões da Amazônia, num lugar chamado Cabeça do Cachorro. Tendo boas conexões com as Farc, Fernandinho Beira-Mar imaginou que estaria a salvo na Colômbia. Mas de lá ele foi deportado para o Brasil e está preso desde então.

Beltrame era do Rio Grande do Sul, de uma família de origem italiana camponesa. Eram respeitados na cidadezinha em que cresceu, mas não eram ricos. Beltrame e os irmãos foram excelentes alunos na escola e aproveitaram ao máximo as oportunidades educacionais. Depois de ser aprovado nos exames rigorosos para o ingresso na Polícia Federal, Beltrame também se formou como advogado. Embora nunca soubesse para onde o trabalho o levaria, costumava voltar com frequência ao Rio Grande do Sul para passar algum tempo com a família.

Numa dessas suas idas à cidade natal, em maio de 2002, ele recebeu uma ligação da empregada que trabalhava para sua irmã mais nova. A empregada estava nervosa, mas conseguiu avisar que o ex-cunhado de Beltrame, que estava sob ordem de restrição para manter distância da esposa, tinha dado um jeito de entrar na casa. Alguns momentos depois, a empregada ouviu dois tiros.

Quando Beltrame chegou ao apartamento da irmã, deparou-se com uma visão horrível. "Era uma cena macabra: Ana Eunice estava caída com os pés ao lado da jacuzzi, banhada em sangue, e João Alberto estava a seu lado. Não havia nada a fazer. Os dois estavam mortos. Ele atirou na garganta de minha irmã e se matou em seguida com um tiro sob o queixo, que atravessou o osso e chegou ao cérebro."[2]

Antes de qualquer outra coisa, Beltrame se viu perante uma decisão difícil: o que fazer com os dois sobrinhos, de sete e onze anos. Se assumisse a responsabilidade pelos garotos, isso significaria na prática abandonar sua carreira — ele voltaria para sua cidadezinha gaúcha com toda a experiência que acumulara e seu conhecimento pormenorizado do narcotráfico brasileiro. Mas os meninos estavam no apartamento na hora da morte dos pais, e ele percebia o enorme trauma que haviam sofrido.

Para seu grande alívio, a irmã mais velha, uma respeitada diplomata brasileira alocada no Uruguai, concordou "em sacrificar sua carreira em favor da minha".[3]

Um ano depois, Beltrame foi transferido para o Rio para integrar uma pequena equipe de inteligência encarregada de monitorar e mapear os grupos criminosos que operavam na cidade. Chamava-se Missão Suporte. Os integrantes receberam instruções para trabalhar de forma discreta, sobretudo porque não queriam que os vários agentes corruptos dentro da Polícia Federal — e, claro, da PM e da PC — percebessem suas atividades.

Foi um período puxado para Beltrame, lidando intensamente com os piores aspectos da vida carioca, morando na caserna e sentindo falta do apoio familiar. Mas, nos três anos seguintes, ele aprendeu muito sobre o crime e a corrupção no Rio. Enfronhou-se, claro, nos vaivéns das lutas de facção entre as quadrilhas do tráfico. Mas também concluiu que a permanente hostilidade entre a Polícia Militar e a Polícia Civil tornava nula qualquer tentativa de controlar a situação. Além disso, deu-se conta de que, enquanto o Estado não se comprometesse de maneira positiva com as favelas e seus moradores, atendendo aos problemas sociais e econômicos, jamais se venceria a batalha contra a violência. Os moradores das favelas, observou ele, sentiam apenas medo e desprezo pela polícia; enquanto isso não mudasse, o Rio estaria condenado.

22. A batalha pelo Rio
2006-2008

Quatro dias antes da data marcada para José Mariano Beltrame assumir o cargo como secretário de Segurança, o Rio pegou fogo. Numa sucessão de ataques pavorosos na semana ociosa entre o Natal de 2006 e o Ano-Novo de 2007, bandidos, sobretudo do Comando Vermelho, espalharam tiros e bombas pela cidade. Os alvos principais eram as viaturas e postos da Polícia Militar.

A destruição começou de repente, quando dezenas de jovens armados realizaram ataques coordenados em mais de vinte lugares. O número de mortos chegou a dezenove. Para criar um clima de medo e anarquia, os bandidos não se limitaram aos símbolos do Estado. Atingiram também o cidadão comum. O episódio mais horrível aconteceu logo ao norte do Complexo do Alemão, no dia 28 de dezembro, bem cedo. Um bando de quinze mascarados parou um ônibus interestadual com 28 passageiros, que ia do Espírito Santo para São Paulo. O motorista foi obrigado a parar quando estava na avenida Brasil, a grande artéria que corta o Rio de leste a oeste. Com gasolina e coquetéis molotov, os bandidos atearam fogo ao veículo e ficaram parados olhando enquanto os passageiros, desesperados, tentavam fugir pelas janelas, quebrando os vidros. "Não sei como, mas juntei minhas forças, fui para o meio do ônibus e pulei pela janela", contou uma mulher vítima do ataque. "Parecia que eu estava torrando."[1] Sete pessoas foram queimadas vivas e outra morreu dois dias depois no hospital. Os que escaparam tiveram de se arrastar pela avenida Brasil sob as balas que os bandidos disparavam a esmo.

Em outros lugares, mulheres e crianças foram atingidas por tiros de metralhadora, enquanto os bandidos disparavam em tudo que parecesse uma viatura ou um policial a pé, em vias públicas movimentadas.

Segundo o serviço de inteligência penitenciário, Marcinho VP, o chefão mais graduado do Comando Vermelho, dera ordens para os ataques. Numa revelação embaraçosa para a governadora em término de mandato, Rosinha Garotinho, revelou-se que o setor de inteligência havia recebido algum tempo antes informações sobre a possibilidade de ataques iminentes, mas não tomara nenhuma providência.

Ao que parece, os ataques eram uma resposta à invasão das milícias em alguns bastiões do Comando Vermelho, em particular no morro do Adeus, a favela contígua ao Complexo do Alemão, maior reduto da facção. O CV considerava as milícias um ramo efetivo das forças policiais regulares, e por isso resolveu atacá-las dessa maneira. Talvez tenham se inspirado numa sucessão de ataques similares do PCC em São Paulo naquele mesmo ano. Durante dois ou três dias, a capital econômica do Brasil ficou praticamente paralisada enquanto o PCC e a PM se combatiam na periferia da cidade. Houve mais de 120 mortos. O saldo de mortos do Rio foi menor, mas os ataques foram mais indiscriminados em termos geográficos, muitos deles ocorrendo nas áreas empresariais e administrativas.

A Rocinha nessa época estava em paz. A batalha do Comando Vermelho contra o governo local não era problema dela. Além disso, os negócios iam bem e ninguém queria atrapalhar. Beltrame tinha plena clareza do valor de Nem como figura que levara calma e estabilidade a uma comunidade aninhada entre as áreas mais ricas do Rio. "A Rocinha com Nem nunca foi um lugar especialmente violento", admite ele. "Sempre estiveram muito mais interessados em faturar." Na virada de 2006, deve ter sido um enorme alívio que não houvesse violência na maior favela do Rio: as forças de segurança da cidade já estavam no limite.

Nem está convicto de que o governo tem todos os motivos para lhe agradecer por ter mantido a calma. "Se eu tivesse topado entrar", declarou enfático, "não conseguiriam deter a gente. Imagine só: a ADA, o Terceiro Comando e o Comando Vermelho atacando e botando fogo na cidade do Rio. Nem que chamassem o Exército." A sorte do governo, segundo ele, consistiu na avaliação que fez no primeiro dia. "Vi que estava errado desde o começo."

Se Beltrame ainda não tinha entendido a dimensão e a complexidade da tarefa que assumiria a partir de 1º de janeiro de 2007, decerto agora entendia. A pressão sobre ele e o governador recém-eleito, Sérgio Cabral, era enorme. O *New York Times* noticiou que os ataques eram um alerta a Cabral e à nova equipe para não enfrentarem os traficantes, ao passo que a BBC citava moradores dizendo que era como se o Rio estivesse em guerra.

Ao lado da ansiedade natural da população, havia o fato de que a cidade iria sediar os Jogos Panamericanos no verão de 2007, e o Brasil não podia se permitir nenhum acaso desse gênero durante o evento. Em outubro do mesmo ano, a Fifa iria decidir qual país sediaria a Copa de 2014; se o Rio continuasse a aparecer na imprensa internacional como "uma das cidades mais violentas do mundo",[2] atrapalharia as chances de o Brasil ser escolhido. Sendo o país com o maior número de Copas e geralmente considerado a maior nação futebolística do mundo, o Brasil estava entusiasmado para vencer o torneio em casa.

O presidente Luiz Inácio Lula da Silva se prontificou de imediato a alocar recursos federais para o governo do Rio. Grande parte da frota velha e escangalhada da Polícia Militar foi substituída e teve início a instalação de câmeras de monitoramento por toda a cidade. Lula acabara de ser reeleito para a presidência e estava no auge de popularidade e influência. O Brasil estava com seu renome lá em cima, em todo o planeta. O direito de sediar a Copa do Mundo confirmaria que o país virara uma página. E todos acreditavam que não haveria retrocesso.

Na esteira dos ataques, Beltrame e Cabral resolveram dar uma lição no Comando Vermelho. Beltrame tinha identificado o Complexo do Alemão "como verdadeira agência reguladora do crime" na cidade. Enviou um grande contingente à área para erradicar drogas, armas e bandidos de alto escalão. O contingente não permaneceu ali, de modo que o Comando Vermelho conseguiu se recompor com rapidez, mas a ação foi bem recebida em outros locais do Rio, como sinal de firme determinação. O interesse da mídia se concentrou numa figura em particular: o inspetor Leonardo Torres, da Polícia Civil. Conhecido como Trovão, ele foi fotografado fumando um toco de charuto ao estilo Rambo enquanto rondava pelo Alemão. O governador Cabral gostou tanto da imagem que convenceu um empresário amigo seu a fabricar uma série de bonecos do tipo Comandos em Ação com os traços de Trovão. Mais sintonizado com as sensibilidades dos favelados, Beltrame explicou a Cabral que seria difícil que essa iniciativa agradasse. Sem alarde, a ideia foi posta de lado.

No entanto, a operação para limpar o Alemão foi vista como medida temporária. Era necessária uma nova política de longo prazo para assegurar o futuro da cidade, que incluísse medidas do Estado que corrigissem seu vergonhoso descaso diante das favelas e da população pobre do Rio durante várias décadas. No final de 2008, o governador Cabral apresentou a nova estratégia: a pacificação com as Unidades de Polícia Pacificadora (UPPs).

A pacificação era um projeto ambicioso. Já houvera no passado iniciativas de montar programas parecidos, mas nenhum jamais tinha conseguido o apoio político necessário. Esse era diferente: as eleições de 2006 haviam resultado num governo federal que era aliado da coalizão que agora ocupava o governo estadual e, em menos de dois anos, viria a ocupar também a prefeitura do Rio. Pela primeira vez em muitos anos, havia a oportunidade de desenvolver uma política de segurança muito ousada, sem rixas partidárias mesquinhas atravancando sua implantação.

Durante a campanha, Sérgio Cabral prometera tomar alguma providência para melhorar a situação lamentável da segurança no Rio. Ele não tinha nenhuma política específica em mente, mas, após a vitória nas urnas, incumbiu um grupo variado de consultores e conselheiros do setor público e privado de desenvolver ideias para superar as falhas crônicas da segurança pública no Rio de Janeiro.

Ao cabo de dezoito meses, surgiram dois imperativos. O primeiro era fazer alguma coisa sobre a situação pavorosa da polícia. Uma pesquisa realizada em 2007 apontou que 92% dos cariocas, uma porcentagem espantosa, tinham confiança apenas limitada na Polícia Militar. A Polícia Civil se saiu pouco melhor: 87% tinham pouca ou nenhuma confiança nela.[3]

O segundo imperativo era a necessidade de restabelecer o controle do Estado nas favelas, implantando e mantendo uma presença policial firme em territórios controlados por traficantes ou por milicianos. Embora fosse uma iniciativa dispendiosa, o grupo de consultoria argumentou que a estabilidade que se criaria dessa maneira geraria um retorno mais do que favorável para cobrir os custos.

O objetivo primário da pacificação não era livrar a cidade do narcotráfico, concentrado nas favelas cariocas, mas deter a violência e reduzir a quantidade de armas em circulação. Beltrame fez uma separação muito clara entre as duas questões. Reconhecia que, devido à enorme demanda de narcóticos nas diversas comunidades do Rio, à proximidade entre a cidade e as áreas de produção e refinamento das drogas e aos lucros incalculáveis resultantes da comercialização, a ideia de acabar com o tráfico seria um objetivo totalmente irrealista.

Mas, mesmo incapaz de erradicar as drogas, Beltrame acreditava que conseguiria diminuir os índices de violência, ainda que isso significasse enfrentar as facções e tentar eliminar ou pelo menos diminuir a influência delas.

A estratégia envolvia as forças especiais, entre elas o Bope e o Exército, cujo emprego, se considerado necessário, seria uma demonstração de impacto e intimidação nas favelas. O objetivo principal era decapitar a quadrilha que comandava cada território, prendendo, matando ou expulsando suas figuras principais. Após essa invasão inicial, novas unidades policiais se instalariam por toda a favela.

Na teoria, depois que essas novas unidades ganhassem a confiança da comunidade, viria o trabalho da UPP Social, um programa que visava a criar postos de saúde, creches, escolas e outros serviços sociais para mostrar que o Estado abrigava boas intenções ao lado de seu pulso de ferro.

O próprio Beltrame sempre negou que houvesse qualquer relação entre a intenção do Rio de sediar dois megaeventos esportivos e a introdução da política de pacificação. Sua retórica, que era coerente e apaixonada, sem dúvida indicava que o descaso em relação às favelas, a seu ver, era francamente imoral e criminoso. Ele adotou a ideia dessa nova política com fervor.

Durante cinquenta anos, o Estado decidiu abandonar as favelas. O mundo inteiro sabe que o Rio é uma cidade dividida, com essas ilhas de criminalidade. Todo mundo sabe que temos de ocupar essas ilhas. E essa ocupação simplesmente dá uma abertura para que a cidade formal entre na cidade informal. Motoristas de táxi sabem, políticos sabem, sociólogos sabem, jornalistas sabem, todo mundo sabe disso. Mas, enquanto não se decidiu pela pacificação, isso não foi feito — por causa da política e por causa da corrupção.

Pelos padrões dos políticos brasileiros, essas palavras foram francas e enfáticas. Restava ver se poderiam se transformar em realidade.

Houve um detalhe marcante nos eventos violentos que tomaram conta do Rio no final de dezembro de 2006. Os relatórios de inteligência não se limitavam a sugerir que o Comando Vermelho queria intimidar a polícia e as milícias. Também afirmavam que o grupo talvez pretendesse explorar a situação de caos para retomar seu controle sobre a Rocinha.

Nem e a ADA não participaram dos atos violentos de dezembro. Por que o fariam? Graças à sua política de reduzir a violência e gerar atividade econômica na favela, a Rocinha agora passava por um extraordinário renascimento. À diferença do Alemão e dos demais bastiões do Comando Vermelho, ela estava se transformando com rapidez num dos locais mais badalados da cidade.

23. A idade de ouro da Rocinha
2007-2009

Certo dia, uma moça andava pela parte baixa da Rocinha com um macaquinho vestido com um colete sob medida e um gracioso chapéu de vaqueiro. Um policial civil viu a mulher com seu acompanhante símio. "Gostosona", pensou. Como outros que faziam a ronda da favela, ele sabia que Nem tinha um macaco de estimação. Chico-Bala era figura conhecida no pedaço e gostava de passear com a maioria dos moradores da Rocinha.

Nem adorava o macaco e o macaco adorava Nem. Chico-Bala dormia com o braço ou o rabo enrolado no pescoço de seu dono, que uma vez por semana lhe dava um banho completo com xampu Johnson's baby. Danúbia também gostava de bichos; Nem não conseguiu arranjar o que ela queria, uma jaguatirica, mas lhe deu uma cobra.

Chico-Bala era um tipinho fácil que se dava bem com todo mundo, e era por isso que estava passeando com a moça pela parte baixa da Rocinha. Assim, não fez nenhuma objeção quando o policial ordenou que a moça lhe entregasse o macaco.

Nem ficou furioso ao saber que seu macaquinho tinha sido sequestrado. Pouco depois, ele recebeu um bilhete exigindo cerca de 75 mil dólares pela sua libertação. Ele mandou que Urso, cujo apelido condizia com o físico, procurasse o macaco sumido. Urso era um agente da Polícia Ambiental que trabalhava com animais na Rocinha e em outros lugares. Ele recebeu alguns recados indiretos da Polícia Civil sobre o paradeiro de Chico-Bala e seguiu a pista. Foi à Zona Norte. Foi aos bombeiros. Foi ao Centro de Triagem de Animais Silvestres, órgão gerenciado pelo Ibama. Mas Chico-Bala não estava em lugar nenhum.

Ao ver que o macaco se fora para sempre, Nem recebeu vários substitutos. Nenhum preencheu por completo o vazio em seu coração, mas cada um tinha seus próprios encantos. Um deles adorava andar de mototáxi — a forma de transporte particular mais usual na Rocinha. Um mototáxi parava na casa de Nem na Cachopa e o macaco pulava na garupa para dar um passeio.

De fato, sem que Urso e Nem soubessem, Chico-Bala morrera logo após o sequestro. Caiu de uma viatura a vários quilômetros de distância, na avenida Brasil. Até hoje, é um mistério se ele saltou ou se foi jogado do carro.

Chico-Bala tinha sido uma figura muito conhecida na favela. Quando Nem chegava a um baile funk, o macaco costumava estar em seu grandioso séquito. Às vezes Nem ia de calção e camiseta do Flamengo. Às vezes usava uma grande corrente de ouro e uma plaqueta com a palavra MESTRE[1] em ouro branco. À frente ia sua guarda pretoriana armada, marchando em formação; então vinha Nem, às vezes montado numa moto pequena, numa cena um tanto incongruente. Chico-Bala ia encarapitado no ombro do dono, todo embonecado com seu colete e chapéu de vaqueiro. Atrás dos dois vinha a segunda metade da equipe de segurança. Quando o chefe chegava a seu camarote, de onde assistia ao baile, os DJs começavam a tocar raps em homenagem a ele:

> É a Rocinha e o Vidigal, tá tudo monitorado
> Deixa eles vim, está tudo palmeado.
> É calibre avançado, tá sempre pegando fogo,
> É o mano MESTRE e seu elenco fabuloso.
> A cada dia o nosso poder aumenta
> E a nossa fama se expandiu por todo o mundo.
> A mídia não se cansa em divulgar
> Que bandido na Rocinha tem a vida de luxo.
> Nós anda de Hornet por toda a comunidade,
> As novinhas jogam na cara com vontade.
> Cheio de ouro e o bolso cheio de grana,
> Portando Oakley, Lacoste, Dolce & Gabbana
> E quando a chapa esquenta nós tá sempre preparado,
> Nosso poder de fogo é de calibre avançado.
> E o MESTRE montou um elenco fabuloso
> Pra defender a nossa mina de ouro.

Esses rituais que faziam a festa da mocidade da Rocinha lembravam as cenas de um cônsul romano assistindo a um espetáculo em algum canto remoto da Europa.

No começo de uma noitada de sábado em agosto de 2008, um mar de jovens tomou conta da favela. Nem e Danúbia já estavam no camarote, aguardando a chegada de Ja Rule. Algumas semanas antes, um velho amigo de Nem que morava nos Estados Unidos entrou em contato com ele, dizendo que o rapper de Nova York ia se apresentar no Brasil e estava interessado em levar o show à Rocinha. "Tirando qualquer outra coisa", diz Nem, "eu queria mostrar ao mundo exterior que essa comunidade era em sua essência um local seguro, não um faroeste sem lei onde metade das pessoas andava armada." E claro que o show também iria render frutos para ele, pois nenhuma outra favela podia se gabar de atrair um grande artista internacional.

Nem mesmo a Rocinha já tinha visto algo parecido com um show de Ja Rule. Ao lado do camarote de Nem ficava o do ex-jogador Romário, e ao lado do camarote de Romário ficava o da rádio FM O Dia, que ia transmitir o show ao vivo. O clima esquentou ainda mais quando o controverso pastor evangélico Marcos Pereira apareceu com seu séquito — todos, homens e mulheres, usando roupas bege.

O pastor Marcos insistiu em visitar Ja Rule em seu trailer e talvez tenha ficado um pouco incomodado, visto que o rapper havia passeado pela Rocinha envolto numa densa nuvem de maconha. Nem também foi apresentado a Ja Rule, mas o encontro foi mais uma questão protocolar do que qualquer outra coisa, pois o problema do idioma se revelou quase insuperável. Mas, começado o show, após três horas de atraso, o sucesso foi estrondoso. Todas as críticas na mídia brasileira se mostraram igualmente extasiadas.

O impacto da transformação da Rocinha num local de eventos descolados e ponto de encontro de gente descolada foi imenso. Conscientemente ou não, Nem estava criando a marca Rocinha. Pouco depois, ele concordou em abrigar um evento do Orgulho Gay, algo que talvez fosse inconcebível em outras favelas, não só por razões de segurança, mas também porque essas comunidades são, em muitos aspectos, socialmente conservadoras. A parada do Orgulho Gay mostrava que o clima permissivo da Zona Sul havia até certo ponto permeado a mentalidade e o estilo de vida da Rocinha.

Agora ela era a favela que todo mundo queria visitar. Tinha a fama merecida de ser segura. Tinha uma economia dinâmica e uma vida noturna vibrante, e todos queriam uma lasquinha. O filete turístico logo se transformou num rio volumoso, conforme os tours se organizavam melhor e os empreendedores locais aproveitavam as oportunidades comerciais.

Nem e Danúbia se mudaram para uma casa na Cachopa, sem dúvida grandiosa pelos padrões da Rocinha. A nova moradia tinha três andares, sendo o de cima, a laje, reservado para festas. A decoração era uma mistura estranha de minimalismo contemporâneo e mobília dos anos 1970 que lembrava a sala de *Abigail's Party*, peça escrita pelo diretor de teatro e cinema britânico Mike Leigh, incluindo um bar repleto e uma enorme tela de TV. Mas é absurdo compará-la aos luxuosos apartamentos modernistas da classe média alta no Leblon, em Ipanema e em Copacabana, com suas belas piscinas e terraços enormes. Comparada a eles, a residência de Nem era uma casinhola de subúrbio com uma piscininha rasa.

Era inquestionável, porém, que o casal era o mais badalado da favela. A essa altura, Nem já ganhara vários apelidos, sendo o mais significativo deles simplesmente Presidente.

Agora, ao falar daqueles dias, Nem insiste em deixar bem claro que a idade de ouro e o poder que concentrara nas mãos nunca lhe subiram à cabeça. Conta que continuou a pegar as filhas na escola e diz que nada o impediria de sair com seus amigos de infância nas sextas-feiras à tarde.

Mas essa sua apresentação como um cara normal que por mero acaso comandava um vasto empreendimento de tráfico não combina com as enormes correntes de ouro, o círculo de rapazes portando armas, a esposa cobiçada, as músicas elogiosas e os camarotes VIP em toda festa ou show ao vivo. O fato é que ele exercia imensa autoridade sobre uma comunidade de 100 mil pessoas e percebia que tais exibições de poder eram fundamentais para seu sucesso. Muitos moradores da Rocinha gostavam de ter um chefe espalhafatoso que proporcionava estabilidade, certa prosperidade e forte sentimento de patriotismo local. É claro que uma coisa que nem ele nem ninguém pode deixar de lado é que seu poder dependia, em última instância, das armas e do monopólio da violência. "Não era uma democracia", admite, "mas ao mesmo tempo não era uma ditadura, porque eu sempre explicava meu raciocínio aos moradores comuns." E, como líder, Nem era muito acessível. As pessoas podiam levar, e de fato levavam, suas queixas a ele sempre que quisessem.

Mesmo assim, ele era chefe da única força policial efetiva da favela, que envolvia interesses econômicos significativos e o obrigava a tomar decisões duras. A questão mais séria era talvez a dos X-9, os informantes.

Num final de tarde, Urso estava em sua casa no Parque da Cidade, um pequeno posto avançado da Rocinha junto à Gávea, quando recebeu uma ligação de Carlão, um dos principais seguranças de Nem, dizendo que um mototáxi estava indo pegá-lo para ir até a Cachopa. Urso tinha Carlão atravessado na garganta. A pedido deste, ele havia lhe arranjado uma linda iguana, mas depois Carlão deixara o réptil morrer, por falta de cuidados.

Quando Urso chegou à Cachopa, Nem estava jogando futevôlei na quadra de basquete ao lado de casa. Urso sentou na arquibancada, enquanto Carlão ficou embaixo, brandindo um AK-47. Terminado o jogo, Nem lhe disse, em tom descontraído: "O.k., vamos esclarecer esse assunto".

Gordinho, outro integrante da equipe de Nem, pegou um laptop e puxou várias fotos de Urso junto com um grupo de policiais. Urso era mestre de krav maga, a arte marcial híbrida do Exército israelense, e no trabalho treinava policiais e bandidos. "Sempre deixei claro para todo mundo que é isso que eu sou e é isso que eu faço", conta-me ele. "Não discriminava."

Olhando as fotos, Nem disse a Gordinho: "Certo, fale outra vez exatamente o que você me falou".

"Falei que acho que ele é um X-9", respondeu Gordinho, mostrando a todos as provas fotográficas.

"Continue", disse Nem, ao que Carlão se aproximou de Gordinho e lhe deu um forte tapa na cabeça.

Nesse momento, Urso percebeu que estava no banco dos réus, num julgamento cuja decisão já estava tomada de antemão. Ele desceu da arquibancada, certo de que ia morrer. Estava avaliando se usaria suas habilidades mortíferas de lutador de krav maga para se defender, quando Carlão virou para Nem e perguntou: "E esse aqui, sr. Presidente?".

Brincando com um revólver, Nem disse: "Vou dizer o seguinte em voz bem alta para todo mundo ouvir. Sei muito bem quem são meus amigos dentro e fora da Rocinha. Cabeça é meu amigo", anunciou apontando para seu colega de futevôlei. "Kobra Khan é meu amigo." Kobra Khan era o apelido que Nem dera a Urso, em homenagem ao personagem de *Mestres do universo* e também à sua facilidade em lidar com animais silvestres.

"Meu coração fazia tuc-tuc-tuc, batendo disparado", lembra Urso.

Nem continuou: "Sei tudo sobre todo mundo. Vocês acham que não sei quem são os X-9? Aqui na Rocinha?". Um silêncio gelado desceu sobre a quadra. "Se eu quiser, *eu* mando chamar, entendido?"

"Eu via que Carlão só estava esperando para vir pra cima de mim", lembra Urso. Mas, depois que Nem acabou de falar, Carlão ficou quieto. A diligência de Nem em reunir informações sobre a Rocinha, sobre os negócios, sobre seus funcionários e os moradores tinha vindo em socorro de Urso. Quando Urso estava de saída, Nem lhe disse: "Não esqueça de pegar a vacina para meu macaco!".

"Eu ainda achava que podia estar encrencado quando saí da Cachopa", relembra Urso. Um grupo de rapazes armados ficou a observá-lo enquanto ele se afastava. "Tudo na boa?", ele disse tentando disfarçar o medo. "Tudo na boa", responderam. "Mas, quando fiquei de costas para eles, tive o maior medo da minha vida. Pensei: vou morrer com um tiro nas costas."

Nem puniu Gordinho por ter lançado a acusação na esperança de ganhar nome dentro da organização. Tal tipo de comportamento era comum, mas, como o episódio mostrou, trazia riscos. Gordinho foi levado para algum lugar e recebeu uma surra; Urso o viu vivo depois do episódio e, assim, sabe que não o mataram.

Em 2009, a influência de Nem chegou ao apogeu. Ele estava no topo do morro. Detinha o controle exclusivo da Rocinha já fazia cerca de quatro anos — o que, para um chefão do tráfico, é um longo reinado. Mas, quanto maior sua fama, mais atenção do asfalto ele atraía. Não era apenas a polícia que começava a acompanhar todos os seus movimentos. O público brasileiro estava tomando conhecimento de Nem e de sua posição mítica dentro da Rocinha.

Um persistente jornalista em particular, Leslie Leitão, desenvolveu um fascínio pela favela. Não só mantinha relações com muitos policiais e advogados da cidade como também alimentava seus contatos na Rocinha, inclusive alguns próximos da cúpula da ADA. Em mais de uma ocasião, ele atrapalhou as diligências dos investigadores Estelita e Leal. Os dois policiais souberam através de seus grampos que Saulo e Bibi iam dar uma festa de aniversário para o filho fora do morro, na Tijuca. Era raro saírem da favela, sobretudo Saulo, pois estava foragido. A festa seria uma ótima oportunidade para a polícia. Demarcaram a área e conseguiram instalar uma série de câmeras e escutas. Para eles, era uma de suas operações de inteligência mais ousadas e potencialmente frutíferas.

Mas, na manhã da grande investida, Leitão publicou uma matéria informando que um dos chefes do tráfico da Rocinha ia dar uma festa naquela tarde. Em decorrência disso, Saulo e Bibi, é claro, cancelaram a comemoração do aniversário do filho. Estelita e Leal ficaram furiosos e também perplexos. Como Leitão sabia?

Em outra ocasião, um grupo de policiais armou uma batida na casa de Nem, na Cachopa. Claro que os contatos de Nem na polícia tinham lhe avisado de antemão, de modo que não o encontraram em casa. Mas, durante a operação, pegaram um álbum de fotos de Danúbia, que incluía uma foto que se tornaria famosa, em que ela posava ao lado de um helicóptero oferecendo tours aéreos pelo Rio. Como se viu depois, alguém da polícia passou as fotos para Leitão, que publicou o material no jornal O Dia.

A fúria de Nem com a matéria de Leitão empatava com sua admiração pelo poder da imprensa. Em resposta à publicação das fotos, ele mandou que seu pessoal percorresse a Zona Sul e comprasse a tiragem inteira de O Dia. Pergunto-lhe se é verdade. "Ah, é!", e ri ao relembrar. "Taquei fogo em tudo."

Continuo: e foi porque, como todo mundo diz, ele não queria deixar Danúbia nervosa com a publicação das fotos? "Não, não foi por isso", responde. "Foi porque havia uma foto *minha* no meio delas." E essa era uma questão de segurança. Nem não queria ser reconhecido no asfalto. Queimar os jornais foi uma reação quixotesca — pois é claro que a foto já estava na internet.

24. Política
2008-2010

A inovação política mais famosa do presidente Lula foi o Programa Bolsa Família, que assegurava um valor mensal para famílias de baixa renda, desde que comprovassem que os filhos estavam frequentando a escola em tempo integral. Uma segunda estratégia marcante para melhorar as condições dos setores mais pobres do país foi o Programa de Aceleração do Crescimento (PAC), concentrado no desenvolvimento da infraestrutura, sobretudo nas favelas e nas áreas rurais pobres.

Além de melhorar a vida dos moradores, com novas ruas, escolas, centros esportivos, postos de saúde e creches, o PAC sem dúvida teria um impacto keynesiano por garantir empregos aos trabalhadores locais. Na teoria, era um excelente uso dos recursos federais, e a Rocinha ganharia muito com isso. Na prática, os resultados foram, na melhor das hipóteses, decepcionantes, e alguns estudos acadêmicos sugerem que houve o desperdício ou o desaparecimento de bilhões de reais.

A súbita injeção de verbas numa comunidade desperta o interesse de vários setores que, até o momento, podem não ter dedicado muita atenção a um lugar como, por exemplo, a Rocinha. Entre esses setores incluem-se empresas que querem participar das licitações para obras de infraestrutura. Incluem-se também partidos políticos, para os quais a Rocinha, devido ao tamanho e à influência crescente, oferecia um grande potencial de votos.

Nem também tinha interesse nas eleições. Consolidara sua posição como chefe da ADA na Rocinha; seu programa social ia bem; podia exibir a bela esposa; era pai excelente e generoso; era o patrono de grande parte das atividades de entretenimento que estavam dando fama à Rocinha, inclusive fora do Rio. Agora ele acreditava que, como membro fundamental da comunidade, devia ter voz na política da favela.

Em 2008, devia ocorrer a eleição para a câmara de vereadores, e apareceram dois candidatos locais. O primeiro era William da Rocinha, ex-presidente da associação de moradores.[1] O outro era Claudinho da Academia, que dirigia a escola de samba local, cargo de certa influência. Como William, era nascido e criado na Rocinha.

Nem queria muito ver um nome local representando a Rocinha na câmara municipal e ofereceu doações em dinheiro para os dois candidatos. William não aceitou por causa da posição de Nem como chefe do tráfico. Mas Claudinho não tinha tais escrúpulos. Com o dinheiro de Nem à sua disposição, ele pôde mandar imprimir centenas de camisetas. Nas costas vinha estampado o nome dele, mas, tão importante quanto, na frente apareciam os nomes do presidente Lula e do governador recém-eleito do Rio, Sérgio Cabral.

A vinculação de Claudinho com os dois dirigentes políticos e com Nem significava que ele dificilmente perderia as eleições. Nem, na verdade, está convicto de que sua decisão de apoiar a campanha de Claudinho foi fundamental para garantir a vitória do candidato. "Na época, ele não era muito conhecido na comunidade", explica, mas seus índices começaram a melhorar depois que as pessoas viram que ele era meu amigo. E, na minha cabeça, foi por isso que ele ganhou... A certa altura, ele me procurou dizendo que ia se mudar e morar em outro lugar, e então eu disse, na lata: "Você é vereador da Rocinha e vai ficar na Rocinha. Se você mancar com o povo daqui, vai estar mancando comigo também".

Dentro da comunidade, Claudinho não hesitava em alardear sua ligação com Nem. Fora dela, era festejado por Cabral e pelo seu vice, Fernando Pezão.[2] É até possível que Pezão e Cabral não soubessem da conexão entre Claudinho e Nem, mas, se realmente desconheciam o fato, o serviço de inteligência política deles devia ser péssimo. Cabral e Pezão não haviam chegado onde estavam por mero acaso, e é difícil crer que não tivessem dado atenção às informações coletadas numa batida da Polícia Civil na casa de Nem, em meados de 2008. A PC alega ter encontrado uma carta de Nem em que este dizia que não admitiria a derrota de seu candidato (Claudinho) nas eleições para vereador.[3]

Com seu novo envolvimento na política, ainda que indireto, Nem estava transpondo de maneira silenciosa uma linha divisória. Sem dúvida, era tradição que os chefões das favelas monitorassem de perto as atividades das associações de moradores e de seus diretores. Mas respaldar um vereador na câmara municipal e, depois, um deputado na câmara estadual era uma novidade na política das facções do Rio.

Alguns meses antes, Nem perdera a perspicácia e os conhecimentos técnicos de Saulo. O comparsa estava tentando deixar o tráfico, mais ou menos como Lulu tentara fazer mais de uma vez antes de sua morte em 2004. Saulo estava cansado das tensões e desgastes na Rocinha, bem como das complicações de sua vida pessoal com a esposa, Bibi, e a namorada, Marcela, para não falar dos dois filhos. Assim, ele saiu do Rio com a família e se mudou para uma praia de Alagoas, onde, por ironia, foi preso pouco tempo depois.

Sozinho de fato e tomando novos rumos, Nem estava vulnerável, arriscando-se a dar um passo maior que as pernas. Não gostava de tomar decisões por sua própria conta, embora afirme de maneira categórica que, desde a morte do pai, sempre foi muito decidido. Em todo caso, antes de tomar um rumo de ação, gostava de consultar pessoas que julgava serem do mesmo nível intelectual que o seu. Agora, na ausência de Saulo, outros viram aí uma ocasião para influenciá-lo.

William da Rocinha desconfiava que Nem caíra sob a influência de um grupo da esquerda revolucionária, que consistia em integrantes do Movimento dos Trabalhadores Rurais Sem Terra (MST), que defendia os direitos de camponeses despossuídos e de migrantes sem-teto nas áreas urbanas. Fato ainda mais importante, um dos apoiadores políticos de William insinuou que os novos conselheiros de Nem queriam persuadi-lo a expandir suas ambições na Rocinha para além do tráfico de drogas e a se envolver nos outros pilares econômicos da favela, como o setor de gás e de transportes.

Enquanto investigava Nem, o detetive Estelita chegou à conclusão de que os políticos "viram a chance de usar o poder do tráfico para influir em todos os aspectos da vida na favela. Podiam levantar grana das lojas, das lotações, dos mototáxis, do comércio de gás... Virou uma espécie de estrutura paramilitar". Desde que a cocaína alterara a economia social das favelas nos anos 1980, o Comando Vermelho, o Terceiro Comando e a ADA faturavam basicamente com o tráfico. O novo modelo que, segundo alguns, Nem estava adotando era o das milícias direitistas na Zona Norte que viviam da extorsão das comunidades que controlavam.

Nem sempre desmentiu a acusação e reagia a ela com muita indignação. Mas não nega que havia um homem de quem se aproximou muito naquela época, Feijão, seu braço direito. Os dois eram amigos desde pequenos e Feijão era padrinho de uma das filhas de Nem. Eleito em 2010 como presidente da associação de moradores, Feijão não integrava formalmente as operações do tráfico, mas Nem lhe confiava o faturamento obtido com as drogas. Com efeito, Feijão foi acusado e depois inocentado de comandar um esquema de lavagem de dinheiro para Nem.

As coisas se complicaram ainda mais quando Claudinho, o homem de Nem na câmara municipal, morreu de um ataque cardíaco em 2010. Tinha apenas 39 anos e acabara de começar sua campanha para deputado estadual. Se tivesse conseguido se eleger, teria sido um grande passo, que podia resultar em aumentar a influência de Nem.

Em lugar disso, os apoiadores de Claudinho passaram a respaldar outro político em ascensão, que também contava com o apoio de Cabral e Pezão. O concorrente do novo candidato era William da Rocinha. Antes da eleição, disse ele, Nem ligou para seu escritório e lhe propôs dez vezes o valor do salário que teria como deputado para desistir da candidatura. William não aceitou, mas perdeu mesmo assim.

Nem sempre insistiu que apoiara Claudinho apenas pela vontade de ver uma autêntica voz da Rocinha falando pela comunidade na câmara de vereadores. Até pode ser, mas Claudinho não foi uma boa escolha. Quase nunca comparecia à câmara e falava ainda mais raramente. Suas poucas manifestações foram inexpressivas.

A decisão de se envolver na política teria sido um passo maior que as pernas dado por Nem? Depois da morte de Claudinho, o Partido dos Trabalhadores e o governador Sérgio Cabral, aliado do PT, passaram a apoiar outro político, sem nenhuma ligação anterior com a Rocinha. A partir daí, os representantes locais exploraram tacitamente a relação indireta com Nem para reforçar suas credenciais pouco sólidas na favela. Nem, em termos pessoais, não parece ter ganhado muito com isso. Agora ele diz que, tendo tido tempo para repensar toda a questão, percebe que "o governo conseguiu me usar de muitas maneiras". Várias pessoas se beneficiaram de seu respaldo político e financeiro, mas nunca arriscariam a carreira ou o próprio pescoço caso Nem precisasse delas.

Ouvi relatos minuciosos que descreviam como os setores políticos estabeleceram relações diretas e indiretas com Nem para garantir sua influência entre os eleitores e na economia da favela. Mas, embora tais relatos sejam convincentes, não disponho de provas documentais nem de depoimentos juramentados, pois as testemunhas têm muito medo de falar. E elas são absolutamente claras ao explicar que não é de Nem que têm medo, e sim do pessoal no governo. Nem insiste que "conheço segredos que, se eu contasse, derrubariam várias carreiras políticas importantes". Por mais que eu tente convencê-lo a revelar esses segredos, ele não fala. Creio que Nem também tem medo, mas não duvido dele nem por um instante.

Em agosto de 2010, aconteceu uma coisa para a qual ele precisaria ter amigos em altas posições. Mas quando a casa caiu, não havia nenhum amigo à vista.

25. O Hotel Intercontinental
Agosto de 2010

Em agosto de 2010, num sábado de madrugada, conta Nem, ele volta de uma grande festa no Vidigal. Está cansado e decide sair antes de seus asseclas. Toma uma das inúmeras vans que até pouco tempo cruzavam o Rio dia e noite, transportando o pessoal da favela para o trabalho e de volta.

Quando Nem desce da van entre a Rocinha e o shopping de São Conrado, por volta das seis da manhã, aparece um policial militar por detrás de um ônibus estacionado. O policial tem uma semiautomática cruzada no peito. Nem porta uma pistola. Os dois se olham e se imobilizam por um instante. Mesmo que o policial não reconheça Nem, é provável que saiba que é um bandido da Rocinha.

"Devagar", diz Nem com calma. O policial faz menção de pegar a arma. "Não faça isso", diz Nem. "Não faça isso, pois senão vai virar um inferno."

O policial para. "Tudo bem, devagar", diz ele.

"Tudo bem", responde Nem. "Vá pro seu lado e eu vou pro meu. Nós dois temos família esperando." O policial concorda com a cabeça e os dois se afastam com rapidez em direções opostas.

Foi a ocasião em que Nem chegou mais perto de trocar tiros com a polícia. Está tenso e atemorizado, mas mostra, não pela primeira vez, que é capaz de pensar rápido em situações extremas e evitar o pior. O policial militar escolhe a saída racional: Nem podia matá-lo ou feri-lo, ou ele podia matar ou ferir Nem, mas nos dois casos o barulho dos disparos atrairia mais bandidos da Rocinha e seria difícil escapar com vida. Ele sabe que Nem tem razão ao falar do inferno que se seguiria.

Nem fica muito aliviado com o desfecho, mas ainda está desconcertado. Sente-se inquieto com o acontecido. O dia começou mal.

Esse encontro estranho exigiu todo o sangue-frio de que dispunha, mas, enquanto Nem continua tentando se acalmar, a situação nas ruas começa a se deteriorar. Uns quinze minutos antes das sete, ele ouve um tiroteio descontrolado vindo dos lados de São Conrado, vizinho da favela, e percebe na hora que seus rapazes devem estar metidos na coisa. O celular toca e ele já está tentando entender o que está acontecendo.

Na verdade, outros celulares tocam impacientes em outros lugares. A detetive-inspetora Bárbara Lomba está feliz em passar um final de semana tranquilo em sua casa na Barra. Ela recebe a ligação por volta de 8h15. É um velho colega que mora em São Conrado. "Bárbara", diz ele, "você sabe o que anda acontecendo por aqui? Está um tiroteio danado."

Enquanto passa o café, Bárbara conversa com o marido. Ele também é policial e sabe como são as coisas. O casal tem um filho de seis anos, mas é óbvio que ela terá de cancelar seus planos de final de semana. O lado positivo é que, como detetive-inspetora da Polícia Civil, não lhe cabe estar na linha de frente de uma operação como essa.

Agora com 35 anos, na última década Bárbara subiu de modo gradual na hierarquia e é tida como uma das investigadoras mais sensatas e eficientes da PC. Filha de médicos, formou-se em direito e depois foi procurar o que fazer. "Meus pais sempre enfatizaram muito a importância do serviço público", explica. "Eram extremamente comprometidos com a saúde pública, e essa questão do funcionalismo se arraigou muito em mim." Sua formação a encaminhou à polícia. Um de seus primeiros cursos consistiu em aprender a lidar com o sistema de computadores da polícia. O instrutor era um certo Alexandre Estelita.

Oito anos mais tarde, ela comanda uma equipe de oito pessoas, incluindo Estelita. Já faz três anos que ele e Leal estão investigando Nem e a organização ADA na Rocinha. A camaradagem e a eficiência dos três são excepcionais. Mesmo sendo mais velhos, Estelita e Leal consideram Lomba a chefe ideal e reconhecem de imediato a admiração que sentem por ela.

Ainda que não caiba à equipe entrar no meio do tiroteio, a presença deles é fundamental para analisar o desenrolar da explosiva situação. A equipe ficará encarregada de tomar as declarações das testemunhas ao término do incidente.

Sob a direção de Lomba, Estelita e Leal reuniram uma quantidade colossal de provas sobre Nem e seus comparsas. Enquanto isso, ela observou todo o empenho de Nem em evitar confrontos. Um tiroteio desenfreado numa área de classe média simplesmente não é o estilo dele. Se Nem e seus homens estiverem envolvidos no episódio, como é provável, algo deve ter saído muito errado. Para entender o que houve, ela vai precisar de Estelita e de Leal — se conseguir localizá-los.

Alguns minutos depois, toca o telefone em Cabo Frio, a duas horas de carro do Rio: "Estelita, a gente vai ter de ir lá agora", diz Bárbara. Estelita está cansado. Sua primeira reação é não dar importância ao fato. Tiroteio em São Conrado... Decerto é só um pouco de diversão e brincadeira na Rocinha, pensa ele. E ainda por cima a perspectiva de voltar ao trabalho num domingo não o anima nem um pouco.

Leal está em casa com a esposa, em Copacabana. Meio ruivo, esse homenzarrão afável é ainda mais jovial do que Estelita. Seu lado mais sombrio aparece à noite, quando seu alter ego ocupa o palco como vocalista de uma banda de heavy metal que atende pelo nome de Unmasked Brains. Mas, como Estelita, Leal é um observador arguto de seu ambiente e da psicologia humana. Os dois vieram a se entender tão bem que muitas vezes um completa os pensamentos do outro. Ao ser chamado, Leal faz o que sempre faz para ir trabalhar — salta na bicicleta e vai pedalando até a delegacia ao longo das praias mais famosas do Rio.

O secretário de Segurança, José Mariano Beltrame, acaba de desligar o telefone em Ipanema, a uma pequena distância de carro do local onde está ocorrendo o confronto. Ele sabe que o Bope está a caminho de São Conrado. Chegam as primeiras notícias de que um policial foi atingido. Não é a primeira vez que Beltrame é acordado num caso de emergência, mas, já havendo notícias de baixas, ele precisa agir rápido.

O agente José Melo, da Polícia Militar, está no chão, com uma bala alojada logo acima do joelho. Junto com um colega, arrastou-se para a traseira da viatura. O carro serve de proteção contra a barragem de fogo que vem do lado do Atlântico. Mas precisam de outro carro que os proteja dos tiros que vêm por trás. Em geral, quando há trânsito da bandidagem entre o Vidigal e a Rocinha, a PM recebe propina adiantada para garantir que não irá interferir na caravana dos bandidos. Mas o policial Melo e o colega, por mero acaso, não estão sabendo. Não foram avisados de que deviam deixar o bando passar. Isso vem a ser um tremendo azar para Nem. É quase como se os deuses tivessem decidido brincar com ele.

Moradores de São Conrado que estavam passeando com seus cães, correndo ou comprando leite e jornais se espalham, tomados de enorme pânico. Os policiais estão agachados na Aquarela do Brasil, avenida larga e arborizada cujas duas pistas são separadas por uma ilha estreita. Prédios residenciais de classe média margeiam as duas calçadas. Atrás ergue-se a Rocinha. Na frente, trezentos metros ao sul, fica uma belíssima praia junto ao mar.

É dessa direção que vem a principal ameaça aos policiais. Cerca de quarenta integrantes do cartel de Nem encontram-se do outro lado da avenida, à beira-mar. Alguns drogados, outros bêbados, estão todos caindo de sono depois de ter farreado a noite toda no Vidigal, a um quilômetro e meio dali. Vários bandidos que estavam amontoados numa van branca desceram, uns trinta chegaram de moto, dois de bicicleta, com o cano de suas semiautomáticas apontado para o alto, em atitude de desafio.

Poucos minutos depois, outra viatura da PM sai da estrada que separa a avenida Aquarela do Brasil e a Rocinha. Antes de terminar o contorno e pegar a pista sob a estrada, ela também é alvo de tiros, e os policiais dentro do carro sofrem ferimentos leves. Então os bandidos passam correndo pelo supermercado Sendas para chegar à entrada da favela, reduto deles.

O primeiro destacamento do Bope chega num Caveirão, e os agentes levantam o policial Melo do chão. Também veem uma mulher caída de bruços na calçada, perto do local onde estava a quadrilha. Passam via rádio o informe da baixa.

Com a chegada do Bope e de vários reforços, a quadrilha se divide, correndo em várias direções. A maioria consegue escapar, mas um grupo de dez se refugia no edifício mais próximo: o Intercontinental, um hotel cinco estrelas cuja parte de trás dá para a praia de São Conrado.

Geert Poels, um turista belga que chegou no dia anterior em sua primeira visita ao Rio, sai do elevador do hotel. Está com o irmão, Bart, e ambos estão indo tomar o café da manhã. Quando as portas do elevador se abrem, os dois ficam perplexos ao ver "vários chineses que entram correndo no elevador em frente do elevador de onde estavam saindo". Então veem "uns nove rapazes de calção e camiseta vindo pela entrada principal do hotel, portando armas de grosso calibre. Uns quatro deles estavam com mochilas, um trazia um lenço ninja enrolado na cabeça e no rosto, com apenas os olhos descobertos, e todos brandiam pistolas, semiautomáticas ou granadas." Um integrante da quadrilha avança até Geert e põe a arma em seu pescoço, obrigando-o a entrar junto com o irmão na cozinha, assustando vários funcionários. O bandido continua com a arma no pescoço de Geert.

Alguns membros graduados do grupo de segurança de Nem começam as ligações. Primeiro enviam uma mensagem à Rocinha, avisando que dez da quadrilha estão no Intercontinental, com vários reféns. Depois ligam de novo. Passam grande parte das duas horas seguintes falando ao celular.

A vários quilômetros dali, na Tijuca, uma jornalista jovem, Gleice Albuquerque,[1] dorme pesado, aproveitando para ficar até tarde na cama, num descanso que esperou a semana toda. O som do celular a arranca do sono. Brava com a interrupção, ela olha o número, mas não o reconhece. Joga o celular e tenta adormecer outra vez. O aparelho toca de novo. Talvez seja um amigo que disse que ia lhe pregar uma peça. "Para com isso, quero dormir", resmunga no telefone.

"Gleice, Gleice, sou eu… sabe… da Rocinha… Venha para cá, Gleice, a gente precisa da tua ajuda. Estamos no Intercontinental — estamos com umas pessoas aqui."

Nos últimos meses, Albuquerque vem produzindo uma série de documentários de TV na Rocinha. Nem está a par deles, mas ela é taxativa em dizer que ele não tinha nenhum controle editorial sobre as matérias. A jornalista conheceu várias figuras importantes na ADA. Dez minutos depois, com a bateria do celular prestes a descarregar, ela está num táxi rumo a São Conrado, segurando o Intercontinental na linha.

Na Rocinha, Nem está fora de si de ira e irritação pela crise em andamento. Em poucos instantes percebeu o terrível impacto de uma ocorrência dessas em sua estratégia cuidadosamente elaborada em prol da favela, e sua resposta aos integrantes é inequívoca. "Diga para eles se entregarem já e soltarem os reféns ilesos!" Então liga para Feijão para combinar um encontro no Valão. Os dois também concordam que Feijão, que, afinal, é o chefe da associação dos moradores, deve ir até São Conrado para ajudar a negociar a liberação dos reféns e a rendição.

Agora é a vez de Nem se pendurar na linha. Tira um aparelho da maleta de celulares e liga para seu advogado de maior confiança, que nesse instante está chegando ao Santos Dumont, vindo de Brasília. "Você precisa vir aqui o mais rápido possível", diz Nem.

A essa altura, a equipe de resgate dos bombeiros chegou à mulher estendida no chão. A notícia já se espalha pela mídia: primeiro no Rio, depois no Brasil e então em todo o mundo. Todos informam que a mulher morta é uma moradora de São Conrado que voltava de táxi para a avenida. Errado. A morta, na verdade, é Adriana Santos, de 42 anos, subgerente de uma das bocas de fumo da Rocinha. Estava com os outros integrantes da quadrilha que saíram da van. Não se sabe se foi atingida por um tiro da polícia ou de um comparsa.

Os negociadores do Bope autorizam Gleice a entrar no hotel. Ela entra com as mãos amarradas às costas (por solicitação do Bope). A polícia espera que sua presença acalme os bandidos e diminua as possibilidades de outras mortes. Para a polícia, é uma situação de extrema tensão. Organizar um ataque para soltar reféns num hotel é perigoso demais e, assim, é preciso manter abertos todos os canais possíveis. Para Gleice, que está com uma leve ressaca, essa é a incumbência mais estranha e mais perigosa que já recebeu na vida.

Na cozinha do hotel, outra refém, a italiana Beatrice Albertini, percebe que o clima se acalmou. "Acho que os oito homens que mantinham todo mundo na cozinha carregavam, cada um, pelo menos duas ou três armas", diz ela mais tarde. "Uma semiautomática e duas armas manuais por pessoa, e três deles tinham granadas presas ao cinto." Os bandidos procuram tranquilizar os hóspedes: se permanecessem calmos, nada de ruim aconteceria a eles.

Beatrice nota que vários sequestradores estão tirando maços de papel das mochilas e queimando-os. "Também tiraram os cartões SIM dos celulares e começaram a destruí-los", acrescenta ela. Em outra parte, fora da vista dos reféns, dois bandidos estão destruindo metodicamente o disco rígido de um laptop que levam com eles. Nem insiste que havia uma instrução permanente para destruí-lo, pois continha informações sobre seus casos com outras mulheres, e a última coisa que ele queria era que Danúbia descobrisse. Quando os encarregados da perícia por fim põem as mãos no laptop, não conseguem recuperar nenhum arquivo. Mais tarde, Nem diz aos investigadores que a única informação no computador referente aos negócios eram alguns detalhes sobre uma arma calibre .30 que estavam comprando.

Bárbara, Estelita e Leal acompanham o drama na delegacia da Polícia Civil. "Foi só com os acontecimentos no Intercontinental", explica Estelita, "que percebemos a importância de Feijão na organização." Em nome de Nem, Feijão dá um recado claro aos subordinados: "Se entreguem imediatamente e não machuquem ninguém".

No hotel, Gleice Albuquerque percebe que os membros do bonde nem sequer piscam à perspectiva de se ferrarem por ordem do chefe. "Fiquei impressionada com a absoluta lealdade deles a Nem e a percepção imediata de que ser detido e preso faz parte do trabalho. Acredito sinceramente que morreriam por ele."

Depois de duas horas, um membro dá a ordem para começarem a liberar os reféns, dois por vez. Por fim, os bandidos se entregam aos braços acolhedores do Bope, que os conduz à delegacia. Lomba, Estelita e Leal agora precisam começar a difícil tarefa de descobrir que raios é aquilo que acabou de acontecer.

As manchetes da semana seguinte são compreensivelmente implacáveis. Para o Rio de Janeiro, que foi confirmado como cidade sede das Olimpíadas de 2016, é um tremendo constrangimento, sobretudo porque havia turistas estrangeiros de férias entre os reféns. A BBC, a CNN e as agências de notícias divulgam o drama pelo mundo inteiro. As cartas na seção de leitores dos principais diários brasileiros exigem uma punição firme e incluem um apelo para que se invada a Rocinha e Nem e seus soldados sejam levados à justiça.

Poucos sabem, mas as autoridades estão de fato intensificando o compromisso com a pacificação. Já há planos avançados para entrar no Complexo do Alemão, o grande bastião do Comando Vermelho na Zona Norte. Beltrame e Cabral estão tão preocupados com a ameaça do CV no Alemão que solicitaram e obtiveram o consentimento do presidente Lula para usar tropas e equipamentos da Marinha e do Exército brasileiros, a fim de garantir a segurança no perímetro da rede espraiada de favelas.

Alguns, inclusive os investigadores Lomba, Estelita e Leal, acreditam que Nem estava no grupo dos quarenta que voltavam do Vidigal para casa naquela manhã de sábado e que o incidente com o PM com quem se deparou na verdade ocorreu quando ele tentava escapar no início do tiroteio. Mas, como acontece com tantos boatos em torno de Nem, ninguém dispõe de provas para sustentar tais hipóteses.

Nem entende a gravidade da situação. "Como você acha que me senti?", pergunta. "Eu sabia que precisava acabar com a coisa, e acabar o mais depressa possível." Mesmo com seu raciocínio rápido e a decisão de enviar Feijão para negociar a rendição, ele sabia que provavelmente era tarde demais. "Esse episódio foi a única falha do meu comando", reconhece Nem, "e eu não podia cometer nenhuma falha. Foi quando os deuses decidiram que tinha chegado a hora de brincar comigo."

Ele não dispõe da habilidade diplomática necessária para se desenroscar do acontecido no Intercontinental. Beltrame até podia estar planejando lançar a operação de submeter o Complexo do Alemão ao controle do Estado. Mas, depois de agosto de 2010, a aposta é que a Rocinha passará a ocupar o primeiro lugar na agenda da pacificação. Com manchetes dramáticas se estendendo do Rio a Nova York, Londres e até Beijing, de uma hora para outra Nem se torna o criminoso mais procurado do Rio.

O ânimo de Nem começa a esmorecer. Ele sente um véu gelado de desespero lhe percorrer o corpo. Seu advogado aparece. A única pessoa em quem julga poder confiar cem por cento. Quando ele chega, Nem cai de joelhos, suplicante. Está em lágrimas. "Está difícil demais de aguentar", diz. "Você precisa me tirar dessa vida."

Chegou a hora de repensar.

PARTE IV

CATARSE

26. Primeiro contato
Setembro de 2010

São apenas cinco minutos a pé da Rocinha até o Fashion Mall, em São Conrado, pela estrada que vai da Lagoa à Barra. Passando os seguranças fortes e caladões de terno preto que ficam nas entradas do shopping, lá dentro o ambiente com ar condicionado é quase totalmente estéril. Há algumas lojas de moda que atendem à clientela rica, com funcionárias muito maquiadas e quase anoréxicas à espera de algum eventual cliente abastado. Outras lojas parecem meio caóticas, com uma peculiar seleção de quinquilharias, livros, Havaianas, brinquedos e artigos de papelaria — em geral em azul, verde e amarelo. Entremeando tudo, hoje em dia, estão os quiosques minimalistas de venda de celulares, com suas sombras suaves em azul e roxo, que procuram dar uma aparência mais sedutora a suas ofertas e pechinchas quase impenetráveis.

A praça de alimentação ocupa boa parte do primeiro andar. Num dos cafés está Rivaldo Barbosa, subsecretário de Inteligência do governo do estado, que aguarda a chegada de um advogado. Pelo shopping passeiam discretos, à paisana, vinte agentes de sua equipe de inteligência. Barbosa se prepara para um encontro delicado, do qual pode esperar algumas surpresas desagradáveis.

É o segundo dia seguido de espera no Fashion Mall, mas, mesmo que o assunto seja muito tenso, dificilmente abala Barbosa, um dos policiais mais metódicos de toda a história do Rio de Janeiro. Quando foi meteorologista na Força Aérea Brasileira, ele aprendeu a confiar nas estatísticas, no cálculo de probabilidades e em planos cuidadosamente traçados. Agora, transferiu a perícia com que fazia as previsões climáticas para seu trabalho de investigador. Nos nove anos desde que entrou na polícia, os talentos de Barbosa lhe permitiram uma ascensão meteórica na hierarquia. Ele recita alto e de maneira mecânica que 20% dos homicídios ocorrem entre seis e nove horas da manhã e, dado talvez surpreendente, que a quinta-feira é o dia mais frequente. Despeja estatísticas para tentar entender as forças motoras do desejo, do ciúme e da agressão no comportamento humano. Algum tempo atrás, José Mariano Beltrame notou seus métodos e o alocou em sua diretoria do setor de inteligência.

Empregando seus critérios probabilísticos, ainda que em termos provisórios, Barbosa conclui que, no balanço geral, o encontro de hoje, embora incomum, pode valer a pena.

Depois que o advogado faltou ao encontro do dia anterior, Barbosa deu um telefonema interessante. Falou com Nem, recém-nomeado inimigo público número um, o qual confirmou que estava pensando em se entregar ao subsecretário e que queria discutir o assunto. Passados mais de dois anos, falei com Barbosa para ouvir sua versão sobre essa ligação. Porém ele não confirma nem nega se chegou a haver tal telefonema, mas admite que houve o encontro com o advogado. Nem e o advogado são taxativos ao declarar que Nem e Barbosa conversaram tanto por e-mail quanto por telefone.

A ideia em discussão é inédita e espantosa: um alto chefão do tráfico no Brasil quer negociar sua própria rendição. Alguns bandidos de baixo escalão, trabalhando como informantes da polícia, já fizeram isso, mas nunca alguém na posição de Nem e que não seja dedo-duro.

Por ironia, Nem tem dificuldades em encontrar um contato dentro da polícia. Já tentou negociar por meio de seu advogado com um oficial graduado da Polícia Federal, mas não adiantou. O policial disse a Nem que se ele entregasse informações exatas sobre todos os policiais que já subornara — nomes, datas, valores —, até poderia pensar na possibilidade de conversarem. Mas, para Nem e seu advogado, essa não é uma resposta a ser levada a sério.

Nem está achando cada vez mais difícil arcar com o papel de chefão: administrar todas as rivalidades dentro da organização, lidar com a tendência de alguns de sua equipe a serem rápidos demais no gatilho, atender às demandas de outros negócios na favela. Está simplesmente sofrendo com as tensões usuais ligadas a um trabalho administrativo submetido a grandes pressões — com o acréscimo, claro, da frequência muito maior com que surgem problemas de vida ou de morte em sua profissão.

Dois anos atrás, Nem escolheu um sucessor e o treinou para assumir seu lugar. "Dani era realmente esperto", explica. "De vez em quando ele me irritava porque humilhava os outros, e eu precisava dar uma bronca. Mas ele tinha mesmo qualidades de liderança." No entanto, Dani foi morto no final de 2008, numa festa no Morro dos Macacos, outra favela controlada pela ADA. Depois disso, diz Nem, ele nunca mais encontrou outro com as habilidades necessárias para se encarregar da Rocinha em seu lugar.

Mas agora, se Nem for se entregar, precisa ter um sucessor definido. Se não tiver, a Rocinha vai voltar para a guerra civil. Ele não quer repetir os erros de Lulu e Bem-Te-Vi. Acabou se decidindo por um rapaz jovem, mas competente, conhecido como Sapinho. Mas Nem vai precisar de algum tempo para se certificar de que todas as partes concordem com sua decisão.

Nem nunca me falou, porém tenho certeza de que ele também estava juntando dinheiro suficiente para garantir uma aposentadoria tranquila. Seria um valor bem alto, pois ele é responsável pelo bem-estar de sete filhos, uma esposa extravagante e a mãe; algumas ex-companheiras também receberiam mesada. Assim, se ele conseguir se safar com uns dez anos de cadeia, decerto não seria um desfecho muito ruim.

Claro que existem boas razões para que nenhum chefão tenha dado até agora esse salto de fé que existe na proposta de se entregar. O gesto criaria suspeitas entre os colegas, tanto na ADA quanto nas outras facções, e talvez entre seus contatos no PCC, o gigante do crime organizado de São Paulo. Para observadores internos e externos, poderia parecer que ele já estava trabalhando com a polícia havia algum tempo, o que tornaria sua vida na prisão bastante precária.

Nem explica que a motivação de se entregar era garantir a segurança de sua família. Solto, procurado pela polícia e com a chegada da pacificação, Nem achou que a esposa, os filhos e outros parentes não estariam em segurança. Várias pessoas próximas a ele sugerem que Nem também estava preocupado com a própria segurança, acreditando que poderia ser morto por um rival ou pela polícia.

Nem comenta com os mais próximos que, caso se entregasse, nunca mais voltaria ao mundo do narcotráfico.

O que há de ainda mais notável no fato de ter procurado o gabinete de Beltrame é que Nem, agora, é talvez o Dono do Morro com mais sucesso e mais tempo no cargo na breve e complexa história da criminalidade das drogas nas favelas do Rio. Goza de amplo apoio na própria Rocinha. Reduziu a violência a níveis inéditos. Seu domínio contribuiu para uma vigorosa explosão econômica na comunidade. E seus regulamentos levaram a uma diminuição expressiva na pequena criminalidade, nos roubos e estupros por grande parte da Zona Sul, em especial São Conrado, Leblon e Ipanema. O mero fato de falar com o subsecretário de Inteligência já é um risco e tanto. Se alguém descobrir, podem surgir suspeitas de que Nem está, na verdade, servindo de informante.

Não é apenas ele que está tomando uma atitude arriscada. Rivaldo Barbosa crê que também ficaria sujeito a um escrutínio indesejável se aceitasse a rendição de Nem, ainda que seu superior, Beltrame, tenha concordado com as conversas. É evidente que, num certo patamar, a prisão de Nem seria saudada como uma grande vitória. Mas, como o próprio Barbosa reconhece, Nem e a ADA preferem a corrupção a confrontos. Na verdade, Barbosa considera que a opção da ADA pelo suborno, em lugar da violência, chega a ser uma questão ideológica, que estabelece uma nítida diferença entre essa organização e o Comando Vermelho.

Se ele prender Nem, podem começar os falatórios. Há quanto tempo Barbosa se relaciona com o traficante? Qual é a natureza dessa relação? A gigantesca corrupção dos funcionários do governo desde os tempos coloniais gerou um ceticismo entranhado fundo entre a população em geral. Praticamente todos os funcionários públicos são alvo de desconfianças, conjeturas e suspeitas, merecidas ou não.

Mas Barbosa também tem um incentivo. Se for ele o responsável pela prisão de Nem da Rocinha, terá obtido um grande troféu. Quem sabe, poderia até chegar a chefe da Polícia Civil do Rio.

Seja como for, Barbosa precisa lidar com uma barganha difícil. Não lhe basta apenas o homem. Assim, ele insiste que Nem lhe entregue algumas das semiautomáticas armazenadas na Rocinha. Algo na faixa de trinta já estaria bom. Nem sinaliza que está disposto a entregar cerca de dez armas de que dispõe para sua segurança pessoal. Mas só. Os dois lados parecem propensos a concordar.

Barbosa afirma que queria que Nem entregasse todos os detalhes sobre os policiais que corrompera — nomes, datas, valores. Sem isso, nada feito. Nem insiste que isso jamais ocorreu; como disse antes, "não sou delator". Não faria nenhuma lista.

Nem também tem suas condições. Quer que a família tenha segurança e proteção — talvez até com a mudança de identidade. E quer garantias para sua segurança pessoal na prisão.

De fato, concordam na maioria dos itens, mas aí, segundo Nem, quase no final do telefonema Barbosa diz: "Logo que você se entregar, a gente vai começar a programação da pacificação da Rocinha. Estaremos lá em duas semanas".

"Na hora em que ele disse isso, para mim acabou", comenta Nem. "Falei que ia precisar de algum tempo para ajeitar as coisas dentro da organização. Mas em vez disso ele queria que eu fosse preso ou me entregasse, e então, duas semanas depois, eles entram." Aí, prossegue Nem, iriam ocorrer mais prisões, confiscos de armas e de drogas. "E todo mundo ia achar que eu entreguei as informações. Esquece."

Sem acordo.

27. A tomada do Alemão
Novembro de 2010

No meio de novembro de 2010, desencadeou-se outra vez a batalha pelo Rio. Desde o amanhecer, durante o dia inteiro e avançando noite adentro, bandidos saíram das vielas e becos escuros das favelas e foram para as principais vias públicas do Rio. Pararam o trânsito, abriram fogo, assaltaram taxistas e passageiros, incendiaram ônibus. O número de baixas começou a subir e junto subiu também a pressão sobre Beltrame para tomar alguma providência em relação àquela violência desenfreada.

Num dos ataques, um grupo de rapazes, disparando suas metralhadoras a esmo, lançou o grito de batalha: "Somos a turma do Borel". Cinco meses antes, o Borel, que fica ao lado da Tijuca, bairro de classe média, tinha se tornado a oitava favela pacificada sob Beltrame. Embora relativamente pequena, com cerca de 20 mil habitantes, era um centro essencial para o Comando Vermelho e uma marca simbólica como lar de alguns dos bandidos mais beligerantes da facção. Quando a polícia recebia ordens de implantar o programa de pacificação em lugares como esse, a intenção era prender todos os traficantes que conseguisse encontrar.

Mas, na maioria dos casos, os bandidos já tinham fugido antes da invasão. Por que iriam esperar e enfrentar o tremendo e implacável poderio do Bope e de outras forças especiais utilizadas nos primeiros dias e meses? Podiam simplesmente encontrar refúgio temporário numa das dezenas de favelas controladas pelo CV.

A pacificação de cada favela demandava centenas, às vezes milhares, de policiais, que tinham de ser tirados de outros lugares. Depois de vários meses, a ocupação inicial dava lugar à instalação de uma unidade pacificadora, composta de um destacamento de policiais exclusivos na função, para assegurar aos moradores que agora o Estado tinha presença permanente na área e os traficantes não retornariam.

Naturalmente, a maioria dos moradores desconfiava da polícia tanto quanto dos traficantes, ou talvez ainda mais. As pesquisas de opinião mostram de maneira sistemática que 60% a 70% dos brasileiros não têm nenhuma confiança nas forças policiais. Nas favelas, a porcentagem é muito maior. A polícia passou trinta anos fornecendo às favelas uma dieta à base de corrupção, achaques e violências arbitrárias. O travo que ficava na boca não era muito diferente do trato servido pelos cartéis de drogas. Mas, na maioria dos casos, os moradores conheciam os traficantes desde pequenos e, no geral, não achavam que seriam vítimas deles. A exceção era, talvez, a temida bala perdida.

Como a polícia tinha fama tão ruim nas favelas, Beltrame decidiu montar as unidades de pacificação com recrutas basicamente inexperientes. O raciocínio de Beltrame era que eles ainda não tinham sido capturados pelas redes de violência e corrupção que cresciam como tumores malignos em muitas das forças policiais à disposição da secretaria. De fato, esses recrutas eram mais ou menos inexperientes, mas alguns dos comandantes efetivos das unidades eram ex-integrantes do Bope, fato que resultaria em graves consequências, inclusive na Rocinha.

A maior parte das favelas submetidas de início à pacificação ficava na Zona Sul ou nas cercanias. Ostentavam alguns dos maiores faturamentos em venda de cocaína devido à proximidade de clientes de classe média. Essa estratégia teve um impacto desproporcional nos destinos do Comando Vermelho, no sentido de que a pacificação em sua fase inicial teve como alvo um número maior de favelas sob seu controle do que de favelas pertencentes à ADA ou ao Terceiro Comando Puro.

Os bandidos do Comando Vermelho expulsos de favelas como o Borel, ao fugirem antes da invasão, procuraram refúgio no próprio centro do tráfico de drogas e armas do Rio — o Complexo do Alemão e o Complexo da Penha. Essas duas aglomerações eram contíguas, formando um gigantesco mar de pobreza que abrangia mais de vinte favelas individuais. Além das dimensões somadas, os dois complexos ficavam perto dos principais eixos de transporte terrestre, marítimo e aéreo do Rio, o que oferecia uma vantagem significativa ao cartel controlador da área.

As fileiras da soldadesca do tráfico no Alemão e na Penha engordaram muito com os refugiados do Borel e outras localidades. Eles participaram com entusiasmo dos pavorosos ataques que se espalharam por todo o Rio em novembro de 2010. A mídia logo afirmou que se travava de um surto de frustração e raiva dos traficantes, em decorrência do sucesso da pacificação em desmontar o tráfico de drogas do Comando Vermelho.

O serviço de inteligência da polícia dizia outra coisa. Ao que tudo indica, a cúpula do Comando Vermelho tinha dado o sinal para realizarem os ataques nas áreas residenciais e comerciais de classe média no intuito de mostrar sua insatisfação com a decisão de transferir um grupo de altos líderes do CV, entre eles Fernandinho Beira-Mar, de suas prisões no Rio para presídios em outros estados. Em Bangu, o complexo de presídios mais famoso do Rio, era relativamente fácil gerenciar o dia a dia do narcotráfico subornando os guardas para que permitissem a entrada de celulares. A comunicação ficaria mais difícil da penitenciária no Paraná, longe do campo de ação, sobretudo porque a segurança nos presídios federais era muito mais cerrada do que em cadeias estaduais, como Bangu.

A migração dos bandidos para o Alemão também apontava uma realidade incômoda, que acompanharia todos os passos do programa de pacificação: elimine-se o cartel numa favela, e em poucos dias ele pipocará em outro lugar. Afinal, havia quase mil favelas no Rio. Para quem fosse expulso da sua, havia várias outras para escolher, sobretudo se a pessoa tivesse uma ou duas armas. Não se passou muito tempo desde o início da pacificação e logo as autoridades dos municípios vizinhos de Niterói, do outro lado da baía de Guanabara, e de São João de Meriti, na Baixada Fluminense, começaram a reclamar que estavam precisando lidar com a disparada da violência relacionada com o tráfico em decorrência da pacificação na Zona Sul, pois os bandidos tinham ido se refugiar nessas cidades.

A intenção original de Beltrame era iniciar a pacificação do Complexo do Alemão no segundo semestre de 2011, mas, passados dois anos desde a inauguração do programa, ele viera a crer que o eleitorado considerava a pacificação das favelas como mera fachada enquanto ele se fortalecia para entrar no Alemão — o maior. Lá moravam cerca de 300 mil pessoas, nas doze favelas que constituíam o complexo. Se fosse possível pacificar o centro mais importante de violência na cidade, decerto se seguiriam outros locais, como a Rocinha.

Em 23 de novembro de 2010, uma terça-feira, o jornal *O Globo* publicou um editorial que concluía dizendo sobre o Programa de Pacificação: "Não resolve o problema expulsar os bandos de uma área e deixar outras regiões a descoberto, reféns da migração da violência. Convém lembrar também que a polícia fluminense precisa encarar como inescapável o momento em que terá de estar preparada para enfrentar aquela que pode ser a mãe de todas as operações contra o crime no Rio — a ocupação do Complexo do Alemão, quartel-general do tráfico e refúgio conhecido de bandidos excluídos de favelas resgatadas pelas UPPs".

Talvez o articulista fosse adivinho. O mais provável é que o gabinete de Beltrame tivesse avisado o jornal.

O governo do Rio estava prestes a deslanchar a campanha talvez mais difícil do mundo, usando aquilo que o Pentágono chamava de MOUT (*military operations on urbanised terrain*), ou operações militares em área urbana (OMAU). Alguns creem que o desenvolvimento dessa nova doutrina é um pilar fundamental das novas estratégias de segurança para lidar com o crescimento rápido e caótico das cidades em todo o mundo (sobretudo no hemisfério Sul). Outros dizem que é apenas uma maneira de manter os pobres confinados — e pobres. Seja como for, as OMAU vêm se tornando a principal forma de guerra, junto com o uso de drones e outros equipamentos robotizados. Cerca de 54% da população mundial já mora em cidades — e a previsão é que essa cifra esteja por volta de 75% em 2030. A migração para áreas urbanas acentua mais do que nunca o forte contraste entre os crescentes níveis de desigualdade — sobretudo quando essa distância entre os níveis de riqueza aumenta devido a características culturais como raça ou religião.

O emprego da força armada em cidades é algo excepcionalmente perigoso: as consequências possíveis para a população são evidentes. Além disso, em todos os cortiços do mundo, os que são atacados têm a vantagem de conhecer em profundidade o terreno. E quanto mais povoada é uma área, menos valor tem o uso de armamentos pesados.

Assim, quando ficou claro que o governo do Rio pretendia entrar em algumas das maiores favelas do mundo, não foram apenas os brasileiros que ficaram interessados em acompanhar o desfecho. Era uma questão fascinante para especialistas militares e de segurança pública de todo o planeta.

Antes de tentar a operação no Alemão, Beltrame e seus assessores concordaram que deveriam entrar na favela vizinha, a Vila Cruzeiro, tida como uma das mais perigosas da cidade, com um dos níveis de miséria mais altos. Logo ao norte do Alemão, no Complexo da Penha, a favela dava para um trecho protegido da Mata Atlântica, a serra da Misericórdia. Controlando essa área, as forças de Beltrame estariam numa posição de vantagem crucial, que lhes permitiria entrar e ocupar o Alemão.

Mas ninguém supôs que iam simplesmente entrar na Vila Cruzeiro e nas outras favelas do Complexo da Penha como se estivessem a passeio. Desde o começo do planejamento, Beltrame e assessores viram que nem mesmo o Bope dispunha dos recursos para assegurar o território.

Assim, ele e o governador Cabral tomaram uma decisão muito delicada: pediram o apoio das Forças Armadas. O presidente Lula concordou.

Era a primeira vez, desde o fim da ditadura, que o governo aprovava o uso interno do Exército brasileiro para fins de segurança. Desnecessário dizer que era uma questão extremamente sensível.

Na Vila Cruzeiro, apenas a Marinha participou da operação, e de maneira muito específica, ao concordar em emprestar à polícia vários M-113, veículos blindados para transporte de pessoal e condutores. Os famosos Caveirões do Bope tinham um ponto fraco: os pneus de borracha. Em áreas urbanas fechadas, era relativamente fácil desmobilizá-los destruindo os pneus. Os M-113, por seu lado, eram de esteira rolante e, quando Beltrame ordenou o assalto à Vila Cruzeiro na manhã do dia 26, uma sexta-feira, esses colossos praticamente indestrutíveis esmagaram e arremessaram de lado os carros e motos em chamas que os traficantes haviam montado como barricada, como se fossem feitos de papel.

Os helicópteros que filmavam a invasão da Vila Cruzeiro logo viram dezenas e mais dezenas de rapazes escalando a serra da Misericórdia para chegar à segurança do Alemão. Alguns levavam dinheiro, outros drogas, e a maioria portava armas. Um deles foi atingido na perna; os colegas o arrastaram por uma estrada de terra e o largaram no acostamento. Com a proteção do poderio dos M-113s anfíbios, uma vanguarda do Bope se espalhou em volta da Vila Cruzeiro, estabelecendo o controle em apenas duas horas.

Enquanto isso, integrantes do Comando Vermelho continuavam a tomar à força viaturas e delegacias da cidade. Naquele dia, mais de trinta ônibus foram incendiados, e houve tiroteios em todo o Rio. O medo e a impressão de se estar voltando à violência dos anos 1990 se intensificavam com a retórica militar candente usada pela polícia e pelos meios de comunicação. A manchete de primeira página de *O Globo* de 26 de novembro dizia: "O Dia D da guerra ao tráfico". A atmosfera estava carregada com uma névoa apocalíptica.

Um dia depois que as forças especiais entraram na Vila Cruzeiro, o Exército entrou na briga, com centenas de soldados tomando posição em volta do Alemão, bloqueando todos os 44 pontos de entrada e saída. Nas 21 favelas da Penha e do Alemão, centenas de lojinhas fecharam as portas, todos os serviços públicos pararam, e os moradores, apavorados, se acocoraram em seus abrigos precários.

Um enorme batalhão de agentes das três forças policiais avançava devagar no Alemão enquanto helicópteros blindados circulavam no céu, ameaçadores, localizando possíveis traficantes e dando cobertura às tropas em terra. Toda a operação foi transmitida ao vivo pela televisão, por helicópteros no ar e por carros e câmeras em terra. Foi um espetáculo extraordinário do século XXI: o poder armado do Estado tentando se afirmar num território pela primeira vez após décadas de descaso, contra um grupo de marginais violentos e dezenas de milhares de pessoas comuns que viviam na linha ou abaixo da linha de pobreza. Atuando como mediador, José Junior, criador da ONG AfroReggae, tentou em vão uma rendição negociada, e o medo era que o confronto armado se intensificasse.

As forças mobilizadas contra os traficantes eram simplesmente tão grandes que seria inútil resistir. Em vez de resistir, eles tentaram escapar. Embora o Exército tivesse cercado toda a área, dezenas deles conseguiram fugir pela rede de água e por ruelas minúsculas que levavam a favelas fora do complexo. Consta que pelo menos um traficante saiu com facilidade, disfarçado de agente de controle de pragas.

Não há dúvida de que a tomada do Alemão foi um ponto de inflexão dramático na história do Rio. O prestígio (e, junto com ele, o poder) de José Mariano Beltrame aumentava sem cessar. Claro que a ação militar era apenas o primeiro passo para trazer mais segurança à cidade. O próprio Beltrame sempre frisou que seu objetivo não era acabar com o tráfico de drogas (simplesmente não dispunha dos recursos necessários), mas reduzir a quantidade de armas nas favelas. Da mesma forma, não se iludia quanto à confiança dos moradores no Estado em sua primeira aparição no território deles. Se o governo não proporcionasse melhorias de infraestrutura, empregos decentes e melhores salários, teria dificuldade em criar qualquer lealdade duradoura entre os moradores.

Reconheça-se em favor das forças de segurança que não se registrou uma única morte durante a ocupação do Alemão, apesar de vários feridos de ambos os lados, e mais de trinta traficantes detidos. Talvez o mais surpreendente, a crer na polícia, foi que, além de cinquenta semiautomáticas confiscadas, encontraram quarenta toneladas de cocaína e maconha.

Havia muito trabalho a fazer. Mas por ora Beltrame se contentou, em sua autêntica modéstia, em aceitar os aplausos pelo êxito no Alemão. Mas, como ele observa, poucos dias após a operação, quase todo mundo que ele encontrava lhe perguntava a mesma coisa: "E a Rocinha?".

28. Confissões
Janeiro-abril de 2011

Em 13 de janeiro de 2011, às 16h30, dois agentes de inteligência aguardam o anfitrião num cômodo encafuado na Rocinha. Estão vestidos à vontade com jeans e camiseta cinza, mas a informalidade não é suficiente para disfarçar o nervosismo de ambos. Alguém bate à porta. Nem entra e os dois lhe apertam a mão. Ele parece, se é que é possível, ainda mais nervoso do que os agentes, o que é esquisito, pois está em seu território. Põe duas pistolas na mesa em frente deles. É um início incômodo — Otávio e Renata[1] estão desprotegidos, desarmados e cientes de que, se alguma coisa der errado, seus chefes vão alegar que não tinham nenhum conhecimento de sua missão.

"Bom", diz Otávio, sorrindo na esperança de quebrar o gelo, "estamos aqui desarmados, e você todo equipado!" Nem fica tremendamente constrangido. "Fui grosso", diz, embaraçado, e empurra as duas armas na mesa para o lado dos policiais. Retribuindo o gesto, Otávio empurra as armas de lado, que assim não ficam na frente de ninguém — momento surreal para os agentes.

Poucos dias antes, no 15º DP, o detetive Estelita esteve conversando com um sujeito da Rocinha. E disse de passagem, como sempre fazia com qualquer pessoa que pudesse ter alguma ligação com Nem: "Diga a teu chefe que o único jeito de sair dessa enrascada é se entregar. Alguém precisa dizer isso a ele". Em vez de desconversar, o homem encarou bem Estelita e respondeu: "Sabe, ele já falou várias vezes em se entregar, mas não tem ninguém com quem discutir o assunto". O indivíduo então perguntou se Estelita podia falar com alguém "de cima" capaz de explicar a Nem em pessoa que ele era apenas um empresário criminoso, e não um assassino cruel. Se Estelita conseguisse encontrar alguém com autoridade suficiente, "provavelmente ele ia se entregar".

Estelita parou, um pouco espantado. Era evidente que não conseguia se imaginar entrando numa favela para conversar com um chefão. Mas concordou em transmitir o recado para um escalão mais alto.

A chefe de Estelita, Bárbara Lomba, não acreditou muito, porém resolveu passar o assunto adiante, achando que a história ia parar por aí.

Um pouco mais tarde, porém, solicitaram-lhe que entregasse todas as informações sobre Nem de que ela e sua equipe dispunham. Era talvez um sinal de que havia algo em andamento. Alguém nos círculos políticos mais altos havia autorizado, mas foi a última notícia que Bárbara teve.

Agora os dois agentes de inteligência estão cara a cara com o próprio Nem, do outro lado da mesa. Passaram os dois últimos meses estudando em detalhes seus negócios, sua organização e sua vida, graças ao fantástico dossiê montado por Estelita e Leal. Mesmo assim, ainda há muita coisa por saber. Percebem logo por que os investigadores da Polícia Civil tiveram tanta dificuldade em penetrar na rede de comunicações de Nem. Há um auxiliar encarregado de andar com a maleta dele, com uns dez celulares, cada qual destinado apenas para contatos com outro traficante ou um policial corrupto ou qualquer pessoa com quem Nem precise falar em segurança.

O primeiro encontro se dá num apartamentinho de dois cômodos na Cachopa. Na saleta onde conversam, há um sofá e uma televisão próximos à mesa. Nem beberica um Johnny Walker Black Label ao longo de todo o encontro.

Otávio e Renata a certa altura vão precisar puxar o assunto sobre a rendição de Nem e como ela se daria. Mas não têm nenhuma intenção de forçar a conversa — essa é uma oportunidade única para duas pessoas que costumam viver na sombra, e eles já estão contentes em falar sobre o tráfico, seus empregados e seu sistema de funcionamento. Nem revela de maneira indireta sua preferência por determinados indivíduos dentro da organização.

O chefão começa a relaxar. Percebe que os interlocutores não estão atrás de propina. Querem mesmo conversar, e ele nunca teve oportunidade de conversar com dois agentes da alta inteligência do governo, que não parecem julgá-lo e de fato sabem do que estão falando. Não demora muito e Nem começa a falar da possibilidade de se entregar.

Mas primeiro conta-lhes a história de sua vida. Fala sobre Eduarda, a doença dela, a necessidade de pegar um empréstimo com Lulu. Fala sobre as disputas dentro da favela, os tiroteios, a cocaína, a corrupção, a família, o dinheiro, o apoio dado à comunidade, a pacificação — não esconde nada. Fala muito sobre Deus e a orientação que recebe do alto. Devagar e sempre, ele vai se abrindo. Segue uma única regra: recusa-se a envolver qualquer outra pessoa em atividades criminosas.

Fora da favela, num edifício anônimo no centro do Rio, aumenta a ansiedade entre os colegas de Otávio e Renata. Não podem estar passando tanto tempo lá sem ter entrado em apuros. Mas, na Cachopa, os dois mal percebem o tempo passar, e as cinco horas parecem apenas alguns instantes. Os três concordam em se encontrar outra vez. Por fim os dois agentes voltam ao escritório às 22 horas. Creem que o trabalho deles está prestes a render resultados positivos inesperados.

O encontro seguinte, duas semanas depois, também se dá na Cachopa. Nem se desdobra em receber bem os agentes, oferecendo todo tipo de comes e bebes e, a certa altura, sugerindo organizar um churrasco. Quando Otávio e Renata me contam isso, não consigo evitar a curiosa imagem do chefão mais poderoso e carismático do narcotráfico do Rio passando carne grelhada e temperada com pimenta para dois agentes da inteligência de rosto impassível que lhe explicam como pretendem organizar sua prisão. Talvez com a mesma imagem na cabeça, Otávio e Renata declinam educadamente a oferta do churrasco.

Até hoje, Nem conserva afeto e admiração pela dupla. "São as únicas duas pessoas decentes do governo que encontrei na vida", diz. "Eram sérios, inteligentes e sempre cumpriram sua palavra." Muitas vezes Nem dá a impressão de que sentia grande falta de uma boa conversa, que ansiava por algum estímulo intelectual, e adorou a oportunidade de discutir os assuntos em profundidade, de maneira um tanto rara dentro da organização.

Ele parece bastante disposto a discutir as condições de sua rendição. À diferença das negociações anteriores, esses dois não estão exigindo uma lista dos nomes dos policiais corruptos. Querem a entrega de algumas armas da Rocinha, é verdade, mas Nem não se detém nisso, explicando mais uma vez que entregará *suas* armas, mas que não tem autoridade sobre as armas de outras pessoas. E reitera: sua preocupação principal é sua segurança e a de sua família.

Os agentes ficam com a impressão de que Nem está cansado. Imaginam que o serviço lhe impõe uma enorme carga de pressão: as responsabilidades, as tensões, as questões de segurança e, sim, a violência. Tudo está se tornando demasiado. Ele é categórico ao afirmar que, no caso de se render ou ser preso, não retomará a carreira no tráfico depois de sair. E os dois deixam muito claro que existem provas mais do que suficientes para garantir uma longa sentença. Nem não aguenta mais, creem eles. Mas está preocupado e assustado com as possíveis consequências da rendição. Precisa tomar imenso cuidado ao pesar suas opções.

No segundo encontro, Nem de fato se abre. Há algumas revelações notáveis. Ele conta um caso, sobre como certa ocasião mandou que seus soldados entregassem um estuprador à Polícia Militar. Seus homens voltaram e disseram que os PMs estavam exigindo 10 mil reais. "Não", respondeu Nem, furioso. "Não queremos que soltem o cara. Voltem lá e expliquem que a gente quer que prendam ele!" Mas então seus homens explicaram que os policiais queriam 10 mil reais para *prender* o estuprador. "Em que tipo de mundo estamos vivendo", pergunta Nem a Otávio e Renata, em tom desesperançado, "quando a gente precisa pagar a polícia para prender os criminosos?"

Os agentes saem desse encontro com a firme impressão de que Nem está tirando a casca externa para mostrar o homem por dentro: Antônio, o cara trabalhador e despretensioso que ele pôs de lado onze anos atrás, quando subiu a longa ladeira da estrada da Gávea. Aumenta a certeza dos agentes de que Nem está prestes a se entregar. Cada vez mais ele diz que seu destino está nas mãos de Deus. Os agentes repassam os detalhes das conversas para seu chefe imediato, que os repassa para esferas superiores. Contam com um avanço a qualquer momento. "Posso garantir", diz-me Otávio, "que ele estava muito perto de se entregar."

Nesse momento, os deuses permitem que o Acaso entre de novo em cena. Logo após o terceiro encontro entre Nem e os dois agentes, o chefe da Polícia Civil do Rio renuncia por ter vazado detalhes de uma investigação federal da corrupção que envolvia algumas de suas unidades. Nomeia-se o sucessor. Esses eventos desencadeiam a grande praga que sempre debilita as forças policiais em todo o mundo: problemas de comunicação gerados por confusão, incompetência, desonestidade, inveja ou uma mistura perversa de tudo isso.

Entre o caos da mudança interna, ninguém informa à equipe de inteligência que a Polinter, uma unidade especializada da Polícia Civil que coopera com agências policiais fora do estado, está para atacar a Rocinha.

Em abril, a Polinter expede ordens de prisão para várias pessoas, entre elas Nem, sua mãe, a esposa, Feijão e outros mais, por operações de lavagem de dinheiro, concentradas em duas bocas da favela. Nem e Danúbia escapam à grande batida da polícia que precede a apresentação das acusações (é muito provável que alguém tenha vazado detalhes da operação) e ao fim a ação é rejeitada por falta de provas.

Mas é um caso de impacto, com reverberações que prejudicam as delicadas negociações em curso entre Otávio, Renata e Nem. Os cálculos de Nem mudam. Com ordem de prisão contra a esposa, há o risco de que a filha "ficaria sem pai nem mãe". As conversas prosseguem, mas mais tensas. O local do quarto encontro é transferido da Cachopa para a rua 2. Dessa vez, não são apenas os três. Nem pergunta se Feijão pode participar. Otávio e Renata não se sentem mais tão seguros quanto antes. Em público, Feijão sempre se apresentou como cidadão cuja relação com Nem se baseia apenas numa amizade de infância. Ele projeta a imagem de cidadão respeitável, eleito democraticamente como presidente da associação de moradores, sem nenhuma ligação substancial com os traficantes. Seu comportamento durante esses encontros, porém, deixa muito claro que exerce um poder considerável na operação de Nem, não como soldado, mas como alto *consigliere*. Esse, julgam os agentes, é um homem que busca ativamente o poder.

Nem considera que precisa de todo o apoio que conseguir, e Feijão é um dos poucos indivíduos próximos que é inteligente e confiável. Apesar disso, Otávio e Renata julgam, numa avaliação retrospectiva, que a inclusão de Feijão marca o momento em que a maré se vira contra eles. Feijão não fala muito. Limita-se a balançar rápido a cabeça ou a se retrair quando ouve algo que não lhe agrada. Os agentes creem que isso é suficiente para semear a dúvida no espírito de Nem. A segurança da família de Nem estaria em risco, sugere Feijão, se ele se entregasse. "Foi só aí que começamos a entender quanto Feijão tinha se tornado importante", observa Otávio. Os agentes não consideram sua influência positiva. Feijão precisa de Nem e não vai deixar que o Estado estanque a fonte de seu poder.

Além de tudo isso, a pacificação de outras favelas na Zona Sul desestabilizou a Rocinha. São Carlos, importante favela controlada pela ADA, está ocupada pela polícia faz dois meses. Muitos traficantes de lá procuraram a proteção de Nem e se mudaram para a Rocinha.

Em 29 de abril, o dia seguinte ao penúltimo encontro com os agentes, um homem está subindo de moto na ladeira íngreme que vai da rua 1 ao Laboriaux. São 5h30 da manhã e o silêncio é geral. De repente, um carro freou cantando pneu ao lado do motociclista, e quatro homens o enfiam no carro e saem a toda a velocidade. A vítima é Foca, um grande traficante da São Carlos. Horas depois, os sequestradores exigem 1,4 milhão de reais para soltá-lo. Cabe a Nem organizar uma vaquinha em dinheiro e joias para pagar o resgate. A ADA entrega algumas peças vistosas de ouro do próprio Foca, entre elas quatro anéis com seu apelido em ouro branco e uma corrente enorme com um Jesus de ouro como pingente.

"Foi um verdadeiro desafio", lembra Nem, "e de fato um risco enorme para quem fez isso."

Mas, para Nem, é também um alerta. Se gente de fora pode simplesmente entrar em seu território e sequestrar um bandido muito conhecido, é sinal de que seu controle está diminuindo.

Nem e os agentes se encontrarão uma última vez, mas, antes disso, outro acontecimento inesperado transtornará ainda mais a todos.

29. Luana e Andressa
9 de maio de 2011

Estou caminhando pela trilha estreita que sai da Dioneia, quase no alto da favela, e leva até a mata quando, de repente, meu guia começa a cantar num falsete suave e melancólico:

> *Seu Obaluaê, me cubra com seu chapéu.*
> *Seu Obaluaê, me cubra com seu chapéu.*
> *A peste corre na terra, estrela corre no céu.*
> *A peste corre na terra, estrela corre no céu.*
> *Se vir um velho no caminho tome a bênção.*
> *Se vir um velho no caminho tome a bênção.*
> *Deus abençoe, Deus abençoe.*
> *Deus abençoe, Obaluaê. Deus abençoe.*
> *Deus abençoe, Deus abençoe.*
> *Deus abençoe, Obaluaê. Deus abençoe.*

> *Eu andava perambulando sem ter nada para comer,*
> *eu pedia às santas almas para vir me socorrer.*
> *Eu andava perambulando sem ter nada para comer,*

eu pedia às santas almas para vir me socorrer.
Foi as almas quem me ajudou, foi as almas quem me ajudou.
Foi o divino Espírito Santo! Viva Deus, Nosso Senhor!

O guia cai em silêncio e então aponta para uma clareira com cerca de vinte metros de diâmetro. "Era aqui que tudo acontecia", diz em voz baixa. "Muitos anos atrás, aqui tinha uma igreja e as pessoas deixavam oferendas para os espíritos da mata na casa do Caboclo."

Em volta da clareira adensam-se as árvores e arbustos verde-escuros da Mata Atlântica. Periquitos gritam e o bem-te-vi de peito amarelo solta seu canto onomatopaico. Macacos-capuchinhos tagarelam enquanto criaturinhas miúdas passam fazendo o mato farfalhar com suavidade. Entre um som e outro, há um silêncio cristalino. Algumas plantas têm veneno. Agarro uma haste à primeira vista inofensiva para me equilibrar e um espinho fino entra na minha pele e se finca na carne. Mas, quando ninguém perturba a natureza, o lugar emana uma tranquilidade quase divina.

Antes de entrarmos na clareira, o guia fica mais circunspecto. Primeiro reza a Exu, mensageiro de Deus. Por fim, pede a proteção de Obaluaê, cuja máscara de palha que desce pelo rosto nos protegerá da doença, da peste e da morte. "É necessário", explica o guia, "porque nos últimos tempos aconteceram coisas muito ruins no templo."

No fundo da clareira há uma árvore e um trecho do solo com a vegetação murcha. Foi ali que esquartejaram corpos numa placa de pedra. "Muitos já estavam mortos quando chegaram aqui", prossegue o guia, "mas alguns chegaram ainda vivos e foram encostados na árvore para receber os tiros." Os orifícios das balas no tronco ainda são visíveis.

Quando o corpo era esquartejado, o sangue corria para um riacho que descia até a Dioneia, a Cachopa e outras partes da Rocinha. O tronco e os membros eram postos num carrinho de mão, com a cabeça por cima, que a seguir era levado para outra parte da favela, para incineração. Outras vítimas eram submetidas ao "micro-ondas", vivas ou semimortas, presas em pneus encharcados de gasolina, aos quais então se ateava fogo.

Como dizem na Rocinha, quem é trazido para cá não volta.

"Nem não estava aqui quando assisti a isso", insiste o guia. Desde que comecei a conversar com ele, tenho tentado de todas as formas verificar se há alguma prova concreta que ligue Nem aos assassinatos na Rocinha durante seu império. Alguns são categóricos em afirmar que ele foi diretamente responsável por várias mortes. Mas não se identificariam — por razões bastante compreensíveis.

E durante a maior parte de seu período como Dono do Morro, nunca surgiu contra ele nenhuma denúncia de ataque ou morte.

O promotor do Ministério Público do Rio de Janeiro alegou que duas moças foram à clareira perto da Dioneia em 9 de maio de 2011 e nunca mais voltaram.

Segundo o documento de acusação, quatro membros da ADA, dois da Rocinha e dois da favela pacificada de São Carlos, levaram Andressa de Oliveira, de 25 anos, e Luana Rodrigues de Sousa, de 21, até o local e as mataram. Os corpos, segundo a promotoria, foram queimados e reduzidos a cinzas.

Além das acusações contra os quatro, Nem foi acusado de ter ele próprio ordenado a morte das duas mulheres. "Quando apareceram essas acusações ridículas contra mim", ele diz, "suspendi meus planos de me entregar."

Segundo a investigação policial, Luana estava morando com Andressa num apartamento da rua 4 na Rocinha. Quinze dias antes, tinha se separado do namorado, Ronaldinho, porque ele batia nela.

Luana era de uma pequena área de classe média baixa em São Conrado. Havia trabalhado como modelo. Os artigos publicados após o desaparecimento das duas jovens nunca deixavam de incluir uma foto sua. Era, sem dúvida, uma moça atraente. Nas matérias, era sempre descrita como tendo uma personalidade efusiva e calorosa. Em contraste, nunca se publicou nenhuma foto de Andressa. Na verdade, muitas vezes seu nome nem era citado nos meios de comunicação. Andressa era negra e não era modelo.

A ação se baseava em depoimentos de testemunhas que sugeriam que Andressa foi vítima circunstancial dos acontecimentos, quaisquer que tenham sido eles. Uma testemunha, uma das irmãs de Andressa, afirmou que Luana saía com traficantes, jogadores de futebol, policiais — "resumindo, com qualquer um… que ela pudesse usar".

As pessoas, por sua vez, pareciam usá-la. Segundo quase todos os depoimentos ouvidos no caso, Luana trabalhava como mula para a ADA. Levava drogas da Rocinha para outras favelas por todo o Rio. Os cartéis percebiam a vantagem de usar moças bonitas para transportar o produto, pois havia menos chance de serem paradas pela polícia.

Poucos dias antes do desaparecimento das jovens, Luana, ao que parece, guardou 25 mil reais em maconha no apartamento de Andressa. Iria levar a droga a uma favela na Tijuca, ao norte da Rocinha. Segundo testemunhas, o namorado de Andressa, Thiago, que segundo consta seria dependente de crack, descobriu a maconha quando desmontava o armário onde ela estava guardada. Andressa avisou-lhe que não mexesse na droga e então a escondeu debaixo da cama. No dia seguinte, quando Luana foi buscar a mercadoria, a sacola estava vazia. Ela ligou para os traficantes para explicar o que havia acontecido, apontando Thiago como o ladrão. Os traficantes foram atrás dele e exigiram que revelasse o que havia feito com a maconha.

No domingo, 8 de maio, Juliana, irmã de treze anos de Andressa, que estava hospedada com ela nessa época, atestou que Andressa tinha lhe dito que no dia seguinte "ia ter de explicar a perda da droga para Nem" e outros três traficantes. Parece que a organização exigiu o apartamento de Andressa "como indenização de metade do valor da droga".

Às cinco da tarde do dia 9, afirmou o promotor, Juliana se despediu de Thiago e da irmã e foi cuidar do filho de Fernanda, uma amiga de Andressa. Foi a última vez que Andressa foi vista por alguma testemunha disposta a depor. Segundo Juliana, mais tarde Fernanda "viu um grupo de uns seis traficantes subindo o morro para a Dioneia, levando uma pá, um machado e um galão de gasolina, junto com um pedaço de pau com pregos, usado por traficantes para espancar e torturar suas vítimas".

Pelo visto, Thiago escapou ao castigo máximo do tribunal dos traficantes; apareceu mais tarde no posto de saúde da Rocinha para se tratar das consequências do grave espancamento que recebera às mãos dos bandidos. Por que soltaram Thiago é um dos vários aspectos confusos do caso. Afinal, segundo todos os depoimentos, era ele o culpado mais óbvio de roubar os traficantes. E se safou? É enigmático a ponto de parecer incompreensível.

O promotor alegou também que, embora tivessem soltado Thiago, os traficantes então atiraram nas duas mulheres, Luana e Andressa, antes de levar os corpos até a clareira e queimá-los segundo o princípio de que "sem corpo, não há crime".

O policial civil que conduziu a investigação do caso visitou a clareira com um perito, informando o achado de dois ossos de animal, um osso humano, uma sandália, um tênis e um bracelete. Mais tarde, testemunhas identificaram esses objetos como pertencentes a Luana e Andressa. O exame da perícia quebrou várias das regras fundamentais da análise científica e o investigador em questão depois foi exonerado da polícia por ter forjado provas em outro homicídio.

Durante os cinco anos de Nem no poder, correram muitos boatos de homicídios, execuções sumárias e assassinatos acidentais. Figuras importantes, como Lucas do Gás, o homem que controlava metade da lucrativa concessão de gás na Rocinha, haviam sumido e depois apareceram mortas. Alguns atribuíam tais mortes a Nem. Com frequência a mídia o apresentava como matador indiscriminado, mas todas essas alegações se baseavam em rumores. Ninguém apresentou qualquer prova.

Quando comento a acusação com Nem, ele se exalta: "E a troco do quê, afinal, eu ia matar aquelas duas garotas?", indaga retoricamente. "E qual é a prova de que eu estava ali por perto — a não ser o que uma menina de treze anos ouviu dizer?"

Embora as provas fossem muito frágeis, os juízes encaminharam o caso para um júri, e, no momento em que escrevo, Nem aguarda a data do julgamento.

Segundo o que entendia José Mariano Beltrame, uma das consequências do descaso do Estado pelas favelas, deixando que apodrecessem por tanto tempo na lama sórdida da pobreza, da doença e da violência, era que o sistema da justiça penal no Brasil não tinha nenhum ponto de apoio dentro das comunidades. E a recíproca era verdadeira — os favelados não se importavam com o que o mundo exterior pensava sobre eles. "Por cinquenta anos", disse-me um morador da Rocinha logo que comecei a morar lá, "eles não se importaram nem um pouco com a gente. Então por que agora, com todo esse interesse deles de repente, a gente deve se importar com eles?"

Apesar disso, ao longo dos anos, a polícia de fato fez algumas tentativas de entender o que estava acontecendo dentro das comunidades. A paciente e meticulosa investigação de Estelita e Leal dentro da organização de Nem é talvez o exemplo mais acabado, ainda que raríssimo.

Outra inovação importante surgiu em 1995: o serviço de disque-denúncia, para o qual as pessoas, com garantia de anonimato, podem ligar dando detalhes de crimes cometidos ou mesmo informando sobre movimentações estranhas do cartel em determinada favela. O disque-denúncia, de modo geral, mostrou-se um instrumento muito eficaz para ajudar a mapear os contornos da atividade criminosa no Rio, mas o aspecto controverso é que tem sido utilizado como prova em processos penais, muito embora não haja como confirmar as alegações por telefone nem os motivos dos denunciantes.

A polícia também costumava cultivar X-9s, informantes dentro das organizações do tráfico. Os cartéis os consideravam o principal risco para sua segurança e, se algum informante fosse desmascarado, seria executado, em geral de maneira brutal. Certa vez, Vanessa, a primeira mulher de Nem, acusou falsamente Simone, a amante dele, de ter revelado à polícia onde Nem tinha se escondido um dia. Mesmo sem dispor de nenhuma prova aceitável do fato, Nem foi tão sensível à acusação que, furioso, espancou Simone, quebrando-lhe uma costela. Quando ele soube que era invenção de Vanessa, foi para cima dela: no calor de quarenta graus do verão carioca, ela teve de andar usando moleton e blusão com capuz durante uns quinze dias, para esconder os machucados.

Outros alvos de execução eram os que roubavam da organização ou prejudicavam suas operações. Andressa e Luana pretensamente entravam nessa última categoria, embora, como dirá qualquer pessoa com um mínimo de conhecimento sobre o narcotráfico no Rio, hoje em dia ninguém seja morto por causa de maconha.

É possível, sem dúvida, que um integrante da ADA tenha sido responsável pela morte das duas mulheres. Mas a investigação dos supostos assassinatos mostra tantas lacunas e erros fundamentais que é de admirar que não tenha sido revista anos atrás.

Apenas uma testemunha, Juliana, irmã mais nova de Andressa, mencionou Nem. A promotoria está baseando a maior parte de suas acusações no depoimento dela. Isso é extremamente problemático.

Juliana deu seu depoimento à polícia duas semanas após o suposto assassinato de Andressa e Luana. Na época, tinha apenas treze anos. No entanto, suas declarações apresentam detalhes cronológicos minuciosos, em que as conversas são reproduzidas com datas exatas e encaixes muito precisos. A inexistência de qualquer hesitação não é típica de uma garota dessa idade tentando lembrar os acontecimentos de quinze dias antes.

Ninguém ouviu em momento algum Nem ordenando a morte das duas moças. Na verdade, é notável que ninguém se lembre sequer de tê-lo visto na Rocinha naquele fim de semana inteiro, embora muitas testemunhas se lembrem de ter visto os outros suspeitos.

Quando Otávio e Renata apareceram para o último encontro com Nem, o clima havia mudado. Pouco antes, parecia que tudo voltara às condições anteriores e que conseguiriam fechar um acordo. A investigação da Polinter não dera em nada e a ordem de prisão contra Danúbia fora retirada. "Quanto a mim, o problema estava resolvido", diz Nem, "porque isso significava que ela poderia cuidar de minha filha se eu me entregasse. E aí, quase em seguida, eles me cravam essa acusação de assassinato."

Otávio e Renata tinham chegado muito perto, mas, para Nem, a nova acusação levava ao rompimento de qualquer trato. Era visível que ele estava desconcertado. Antes do sequestro de Foca, e agora do processo que estava sendo preparado contra ele no caso das duas mulheres, os dois agentes não tinham visto nenhuma arma à mostra nas ruas da Rocinha. Mas Nem ficara "muito nervoso" com o curso dos acontecimentos, "e as coisas mudaram. Ele desapareceu, foi para um esconderijo e da noite para o dia apareceu um monte de armas nas ruas. Um *monte* de armas".

No último encontro, os dois agentes foram recebidos na rua 2 por uns cinquenta homens armados até os dentes. Foi Feijão, não Nem, que mandou que os soldados saíssem da sala na hora de começarem as conversas. Se Otávio e Renata ainda não haviam entendido o que se passava, agora estava claro: Nem não estaria mais disposto a se entregar. Feijão estava levando a melhor. Num gesto final de respeito mútuo, Nem e Otávio trocaram seus números de celular ao se despedir. Mas a chance de uma rendição histórica parecia perdida em definitivo.

Havia outra coisa acontecendo. Enquanto as negociações para a rendição de Nem ainda estavam em andamento, o novo chefe da Polícia Civil informou à detetive Lomba que a equipe estava sendo removida do caso. Por mais de quatro anos, eles haviam montado um farto repositório de informações não só sobre Nem e a Rocinha, mas também sobre a ADA e suas relações com as outras facções — material inestimável que logo começaria a juntar pó. Os policiais civis que assumiram a responsabilidade pela Rocinha não sabiam o nome de nenhum membro da organização de Nem, afora o do próprio chefe. A confusão fica evidente no material que o policial encarregado do caso de Andressa e Luana encaminhou ao Ministério Público.

Com a proximidade da pacificação, Nem continuava a se debater com o dilema de se entregar ou não. Poderia fugir, embora soubesse que, ao sair da Rocinha, entraria num mundo onde ficaria muito desprotegido. Poderia ficar e se esconder, embora seus familiares fossem contra essa ideia, pois acreditavam que, se o descobrissem, os policiais o matariam. Conforme a ansiedade o consumia, Feijão ia aumentando de maneira progressiva sua influência, dando a Nem respostas que não atendiam necessariamente a seus interesses.

Mas pouca gente no Rio de Janeiro, na época, percebia esse contexto político mais amplo referente ao futuro de Nem. Após os eventos de agosto de 2010 no Hotel Intercontinental e com a fuga do Comando Vermelho do Alemão, Nem era simplesmente o homem mais procurado do Rio, como anunciavam os cartazes com seu rosto, distribuídos por toda a cidade e pela internet. A suposta responsabilidade pelos assassinatos se encaixava muito bem na imagem de que todos os bandidos eram homicidas que sentiam prazer em matar inocentes das maneiras mais pavorosas possíveis e imagináveis.

Nem podia não ter nada a ver com a morte das duas mulheres, mas o fato lhe trazia profundos problemas morais. Ele havia adotado uma política de manter a violência em patamares mínimos, mas essa filosofia, pelo visto, não era compartilhada por todos os seus seguidores. Na verdade, a violência costumava se repetir quando ele não estava na Rocinha. Era como se comandasse uma carruagem de tigres: poderosos e eficientes sob o controle dele, mas, tão logo escapavam às rédeas, era a carnificina.

30. A prisão II
3-9 de novembro de 2011

As nuvens engrossavam outra vez sobre a Rocinha. As tempestades tropicais estavam de volta, e as valas e bueiros transbordavam de água. As novas enxurradas se precipitavam para o Atlântico.

Nem estava perdendo o controle. Passara alguns meses convencido de que Beltrame ordenaria a ocupação da Rocinha apenas no ano seguinte, ou mesmo depois. Agora, multiplicavam-se os sinais de que a favela era a próxima na agenda do secretário de Segurança. Nas páginas dos jornais, Nem era presença constante. Reclamava que, sempre que acontecia algo de ruim no Rio, a mídia logo aventava que o responsável era ele. "Teve uma explosão na Cinelândia", disse, falando de uma área a quilômetros de distância da Rocinha, "e no dia seguinte eu estava sendo acusado, mesmo tendo sido provocada por um vazamento de gás!" Muitas de suas fontes de informação andavam comentando que a Rocinha seria a próxima. A invasão era iminente.

Fazia um ano que o Complexo do Alemão, o segundo centro mais importante do narcotráfico no Rio, fora tomado pelo Estado. Beltrame sabia que, na Rocinha, era menos provável que houvesse uma resistência armada. Acreditava que, desde que Nem estivesse aprisionado, as forças de que dispunha não encontrariam nenhuma dificuldade real em controlar a favela. O traficante tinha sido um líder firme e eficiente na Rocinha; tais características lhe permitiram construir um conglomerado onipotente com um papel decisivo na vida política, econômica e social da favela. Ele afastara a Rocinha da violência e das lutas de facção. Sua remoção traria alguns riscos.

O secretário achava que valera a pena responder às tentativas de Nem de auscultar a situação. Mas, no final, ele havia descartado as negociações referentes à rendição do Dono do Morro. Beltrame chegara à conclusão de que as várias abordagens de Nem consistiam basicamente num blefe para tentar descobrir quando ocorreria a pacificação da Rocinha e, assim, poder se preparar melhor.

Nem, porém, ainda estava à solta. Era, nas palavras de Beltrame, "uma figura emblemática". Sua queda seria um cataclismo. Enquanto continuasse em liberdade, constituiria um problema para um processo tranquilo de pacificação.

Nem, por seu lado, estava ainda mais preocupado. Achava incrível que o Ministério Público o processasse por uma suposta participação no assassinato de Andressa e Luana. Também tinha se distanciado do único advogado em quem chegou a confiar. Saulo estava preso. Lulu estava morto. Restaria alguém a quem pudesse recorrer para se aconselhar? Havia ainda Feijão.

Na mesma época de seu último encontro com os investigadores, Nem foi posto em contato com outro advogado, Luiz Carlos Azenha. Entre outras áreas de atividade, Azenha era especialista em defender grandes nomes do tráfico de drogas e, enquanto tal, tinha amplos contatos no submundo e nas forças policiais do Rio.

Nem observava com atenção o destino das pessoas no Complexo do Alemão. Graças à sua rede de informações, ele sabia que uma facção da polícia estava explorando seu novo poder dentro da comunidade para extorquir ex-membros do Comando Vermelho e intimidar suas famílias, fatos que só vieram a público dois anos depois, com a investigação dessas denúncias. Isso aumentava a preocupação de Nem com sua segurança pessoal e, sobretudo, com a segurança de sua família.

Em outubro, Nem se encontrou com Azenha, que dessa vez tinha concordado em examinar algumas das acusações da promotoria contra ele. Sua maior preocupação, relata Azenha, "era que estava sendo ameaçado por policiais". Nem recebera informações de que sua cabeça estava a prêmio; de seu ponto de vista, a pacificação daria a qualquer matador, entre os vários setores das forças policiais envolvidas na invasão iminente, a oportunidade ideal para liquidar com ele. Ainda se sentia propenso a se esconder na Rocinha, mas sabia que devia explorar de novo o plano de se entregar. Pediu a Azenha que verificasse se algum de seus contatos na polícia seria receptivo à ideia.

Em uma manhã no final de outubro, Nem acordou sentindo-se indisposto. Suava e estava com náuseas. O dia pela frente seria cheio, com decisões importantes a serem tomadas. As demandas da comunidade eram maiores do que nunca.

"Foi mais ou menos uma semana antes que tudo acontecesse", relembra Danúbia. "Ele estava mal e supernervoso." Nem se debatia para decidir o que faria. As pessoas próximas, entre as quais a esposa, o aconselhavam a ir embora. "O que eu faria lá fora? Para onde iria?", respondeu a ela. "'Meu amor, no minuto em que eu tentar deixar a Rocinha, vão me prender', era o que ele sempre me dizia. 'Sei disso', continuava dizendo."

A pressão estava aumentando, e uma manhã ele desmoronou. Na favela, correu o boato de que tomara uma overdose de ecstasy. Não é impossível, claro, mas ninguém nunca sequer sugerira antes que ele usava drogas — nem a família, nem os amigos, nem mesmo os inimigos. Qualquer que fosse a causa, levaram-no correndo para uma clínica particular, onde sua saúde se estabilizou depois de um dia e ele pôde voltar para casa. Tanto a família quanto Feijão temiam que sua capacidade de administrar as complicações do cotidiano estivesse se deteriorando.

Por volta dessa época, ele foi ver Simone. Começou a chorar, lembra ela, "e disse que queria que o tempo voltasse atrás. Queria ser aquele Nem que não tinha responsabilidades. 'Tem tanta coisa passando na minha cabeça nesses dias', ele disse. 'Tenho de resolver tudo aqui no morro e simplesmente não estou dando conta. Estou muito cansado mentalmente'". Simone olhou para ele compassiva e disse: "Agora é tarde demais...".

A versão de Simone bate com a da maioria das outras pessoas com quem conversei sobre Nem nos dias que antecederam sua prisão. "Nervoso", "estressado", "preocupado" ressurgem o tempo todo, embora ele insista que não era nada disso — muito provavelmente uma questão de bravata retrospectiva, em parte por machismo, em parte para manter sua aura de liderança para a posteridade.

Fosse qual fosse seu verdadeiro estado mental, Nem, nessa época, mostrava-se hesitante. Não conseguia decidir se fugia ou se entregava. Mas começava a avaliar as desvantagens de ficar, que era sua opção preferida. "Se tivesse ficado", raciocina ele, "meus seguranças pessoais poderiam achar que era um sinal para lutar. Teriam resistido até a morte e eu precisava evitar que isso acontecesse." Também reconhecia que suas chances de ser morto seriam bem elevadas.

Na época da hospitalização de Nem, Azenha combinou um encontro com um contato na Polícia Civil, o inspetor Fernando Mussi. O inspetor não conhecia bem Azenha, mas refletiu que, mesmo assim, não haveria mal nenhum em tomar um trago com ele. Levou junto um colega que por acaso era consultor do vice-diretor da PC, uma linha direta para os escalões mais altos do aparelho de segurança do Rio.

Azenha não titubeou: "Nem quer se entregar e quer que eu faça o acordo". Mussi encarou o advogado. Não fazia ideia de que essa proposta era apenas a jogada mais recente numa longa sucessão de contatos visando à rendição de Nem. O inspetor ficou surpreso, mas ambos, ele e o colega, concordaram em falar com seu superior, o vice-diretor da Polícia Civil, que também incentivou Azenha a prosseguir no plano. Então, segundo Azenha, o vice-diretor lhe disse que passasse um recado diretamente a seu cliente: "Nossa informação é que você não vai sobreviver se ficar na Rocinha". Era uma confirmação brutal dos piores medos de Nem — sua vida e a de seus familiares estavam ameaçadas.

Uma semana depois, ele mandou Danúbia embora. Como medida de precaução, ela cortou os cachos loiros e tingiu o cabelo de castanho antes de escapar pela Barra, seguindo a oeste até o bairro abastado do Recreio dos Bandeirantes, onde Nem providenciara um apartamento seguro para ela, a sogra e a filha.

No dia seguinte, 9 de novembro de 2011, uma quarta-feira, Feijão, o braço direito de Nem, insistiu que ele avaliasse outro plano de ação. Devia fugir da Rocinha, disse-lhe, e ir para um esconderijo. Feijão garantiu ao chefe que cuidaria das finanças quando ele fosse para a clandestinidade. Mas Nem ainda relutava em deixar o resto da família e, sobretudo, em sair da favela. Não era apenas por se sentir seguro no morro; era porque sua identidade inteira estava vinculada ao lugar. Sim, tinha viajado bastante pelo Brasil. Mas seu lar era a sinuosa estrada da Gávea e a fina rede capilar que saía da estrada principal e levava à densa e escura floresta de casas.

Havia apenas uma grande desvantagem em ficar. Se ficasse e fosse descoberto pela polícia, seria ou morto ou humilhado. E, mesmo que escapasse do pior, um Dono do Morro ser preso na favela, sem opor resistência armada, seria algo que a comunidade dos bandidos tomaria como um sinal patético e vergonhoso de fraqueza.

O mundo além da favela era como um país estrangeiro, e que começava a parecer instável e perigoso. A fuga sem dúvida traria riscos. Mas a rendição também. Pois, se Nem prosseguisse com seu plano de se entregar num momento tão próximo da pacificação, muitos moradores da Rocinha chegariam à conclusão de que ele há muito vinha colaborando com o governo e com Beltrame. Seria rotulado de informante, e ele sabia melhor do que ninguém o que acontecia com informantes. Quanto a ficar e lutar até o final, decerto seria escarnecer de tudo que ele tinha defendido e lutado para construir na última década.

Então, o que fazer? Esconder-se? Fugir? Render-se? Lutar? Não havia uma boa resposta. Todas as opções eram extremamente arriscadas. Todas poderiam ter um desfecho calamitoso.

Naquela tarde, Nem convidou Azenha para ir até a Rocinha. Assim, entre as dezoito e as 18h30, o advogado chegou à favela com dois colegas, Demóstenes e André Cruz, que eram pai e filho, num Toyota Corolla preto pertencente ao genro de Demóstenes.

A cena de acolhida a Azenha, chegando ao lar da família de Nem, foi extraordinária. "Nunca tinha visto nada parecido", lembra ele. "Centenas de pessoas estavam reunidas ali numa demonstração coletiva de amizade e afeto. Era um berreiro só — todo mundo chorando porque achavam que podia ser a última vez que o viam."

Antes de poder fazer qualquer coisa, Nem teve de esperar que sua mãe voltasse para casa, para cuidar das crianças. Então, faltando uns dez minutos para as dezenove horas, chegou de repente a notícia de que quatro carros tinham saído juntos da Rocinha e foram detidos pela polícia a um quilômetro e meio dali, na Gávea. Nos automóveis estavam Coelho, o chefe da ADA no São Carlos, e seu número dois, Foca, que tinha sido sequestrado no Laboriaux em abril. Outro ocupante era um traficante em liberdade condicional que deixou de mencionar aos amigos que era obrigado a andar com um dispositivo eletrônico no tornozelo. Os policiais estavam seguindo todos os seus passos.

Logo os canais com notícias ao vivo estavam repassando imagens em sequência daquelas detenções bombásticas. Quando pergunto sobre o episódio, Nem afirma que mal prestou atenção à reportagem passando na TV. "Fiquei um pouco chateado pelos garotos", diz, "mas aquilo não me preocupou muito." E no entanto era exatamente o mesmo caminho que ele pretendia tomar naquela noite. Se sabia que estava para fugir, sua aparente indiferença é um tanto curiosa. Azenha e Feijão tinham deixado muito claro que agora a Rocinha estava toda bloqueada.

Nem pediu que alguém fosse até a casa de Simone e pegasse suas filhas, Thayná e Fernanda. Depois de ver o pai, Thayná disse mais tarde à mãe, naquela mesma noite: "Tinha alguma coisa esquisita com papai. Ele me deixou triste porque abraçou a gente e disse que precisava ir, mas que ia voltar quando a gente menos esperasse".

Enquanto prosseguia com os preparativos, as opções continuavam a girar na cabeça de Nem: fuga, resistência, esconderijo ou rendição. O que ia ser?

Viver ou morrer. Isso sempre fez parte da equação, gostasse ele ou não. Não era apenas uma questão de vida ou morte, mas da vida ou morte de seus entes mais queridos, de seus inimigos, de inocentes e culpados. Quase podia sentir o bafo quente da morte na nuca. A morte não era algo que ele desejasse, mas, dadas as circunstâncias de sua vida, era algo que devia respeitar. Mesmo agora, preferia que fosse à distância.

Se a morte o apanhasse, poderia apanhar muitas outras pessoas também. Tal possibilidade espreitava no final de todos os caminhos saindo dessa encruzilhada decisiva. Assim, a pergunta para Nem era simples: em qual caminho a morte teria menos chance de aparecer?

Ninguém poderia acusar Nem de não ter tomado sua decisão com grande seriedade, lotando a agenda com encontros e consultas. Seu compromisso seguinte era com José Junior, o carismático e muito bem-sucedido fundador do AfroReggae. Em 1993, na esteira do massacre em Vigário Geral,[1] JJ criou primeiro um jornal e depois uma entidade beneficente que pretendia oferecer aos adolescentes das favelas cariocas algo mais do que a usual perspectiva da droga e do desemprego. O AfroReggae ganhou reconhecimento mundial após o lançamento de um filme de sucesso, *Favela Rising*. Seu programa extremamente inspirador levou muitos adolescentes e jovens que corriam o risco de ser seduzidos pelo mundo das drogas e da violência a abraçar a notável herança musical do Brasil e a se dedicar à música tocando em grupos fantásticos. José Junior atraiu patrocínios de algumas das maiores empresas do Rio de Janeiro e até mesmo do maior banco da Espanha. Além do financiamento de seus projetos na favela, também desenvolveu uma íntima relação política com o governador do estado e com José Mariano Beltrame.

Quando do primeiro encontro entre Nem e José Junior, alguns meses antes, Nem tivera sobre JJ o mesmo efeito desconcertante que tinha sobre a maioria das pessoas. Tentavam vê-lo como um criminoso, mas ao mesmo tempo não podiam ignorar que ele nadava em águas mais fundas. Sei como José Junior se sentiu. Em todas as minhas conversas com Nem, minha impressão firme e duradoura era que ele desejava muito fazer o bem, mas que era impossível conciliar isso com o fato de comandar um grande grupo de homens armados e uma organização criminosa orgulhosa de seu enorme faturamento.

"Não existe traficante bom", afirma JJ. "Existem apenas os menos ruins. Todos são ruins, todos matam. Mas Nem é um cara legal e gosto dele. Não gostava, mas depois vim a gostar. Os caras da Rocinha são mais conscienciosos do que o resto, e Nem é um pouco mais humilde." José Junior costumava insistir que os traficantes que quisessem sua ajuda tinham de ir até ele, e não o contrário. Mas entendeu que dessa vez Nem não podia sair de casa, e assim, na noite de 9 de novembro, ele foi até a Rocinha. Era mais um emissário com esperança de persuadir Nem a se render. Antes de ir até a favela, ele entrou em contato com o governo, a polícia e o juiz que investigava o caso de Nem. Todos foram informados sobre o encontro que logo se daria. Foi talvez o mais divulgado de todos os encontros clandestinos de Nem.

Por volta das vinte horas, a mãe de Nem apareceu para cuidar das crianças. Logo depois, ele recebeu uma mensagem avisando que José Junior também entrara na favela.

Do lado de fora do apartamentinho onde a mãe morava e onde Nem crescera, os prédios altos e precários que se inclinavam na ruela estreita se escureceram à luz que caía, preparando-se para o encontro entre os dois membros mais importantes das comunidades carentes do Rio. Com seus brincos de argola dourados, roupas estilosas, barba e bigode bem aparados, José Junior era para muitos a encarnação do ativista cool. Outros o criticavam por ser próximo demais de Cabral e do governo.

O clima era amistoso, mas sério. No meio do encontro, José Junior falou pelo celular com um de seus contatos no governo para esclarecer algumas questões. Mas, apesar da conversa cordial, Nem acabou por não ceder às tentativas de mediação de JJ. Mesmo assim, ele anotou o número do celular de JJ e ambos combinaram que manteriam o canal de comunicação aberto.

A família de Nem queria que ele optasse pela terceira alternativa, a fuga. Ele diz que estavam apavorados com seu plano inicial de se esconder na Rocinha. A mãe e a filha Eduarda, agora com doze anos, imploraram que reconsiderasse. Ele explicou que tinha um refúgio na favela que nenhum policial iria descobrir. A família estava cética. Se o encontrassem, talvez fosse morto na hora. Havia policiais demais querendo sua cabeça.

Nem ainda estava indeciso quando Feijão chegou. O que havia nesse homem que fazia Nem confiar nele? Era a amizade, desde a infância? Ou seria porque Feijão era eficiente e, como líder da associação de moradores, considerado aceitável para o mundo exterior? Além de confiar em Feijão, Nem se apoiava nele.

Feijão trouxe outra notícia alarmante: a mata em torno da Rocinha fervilhava de agentes do Bope. Disse também que havia recebido a informação de que a pacificação fora antecipada em vários dias e começaria às cinco da manhã do dia seguinte. Sem dúvida era verdade que a favela estava cercada; a prisão de Coelho e dos outros líderes da ADA confirmava o fato. Mas a mata ainda não fora ocupada e ainda faltavam quatro dias para a pacificação. Vendo retrospectivamente, Feijão estava torcendo para que Nem fosse embora.

Nem afinal se decidiu. Pegou Azenha de lado e disse: "Vamos nessa". Azenha ligou para Mussi e avisou a Polícia Civil que a rendição ia ocorrer logo mais. Mas até nesse momento em que Nem, ao que tudo indica, toma enfim uma decisão, quando escolhe o caminho que seguirá nessa encruzilhada em que esteve parado por tanto tempo, talvez nem tudo seja o que parece. Ele escolheu mesmo a rendição? Ou esse é mais um exemplo de seu talento para manter o maior número possível de opções em aberto, até quando estão diminuindo? Seu destino agora está nas mãos de Azenha e Feijão? Nada disso está claro. O que está claro é que ele está prestes a deixar a Rocinha, o lugar que tomou como seu e onde fez seu nome.

Durante as despedidas finais da mãe e das crianças, Nem recebeu uma mensagem de texto de Otávio. O agente acompanhara a prisão dos parceiros de Nem na Gávea, algumas horas antes. "Meu amigo", dizia a mensagem, "você ainda tem tempo." Otávio tinha esperança de que Nem desse o passo sensato e se entregasse. "Meu irmão", respondeu Nem, "obrigado por tudo. O Senhor sabe o que você tentou fazer. Que Ele derrame Sua luz sobre você e sua família." Foi um diálogo comovente entre dois homens em lados opostos da lei que haviam criado um respeito mútuo genuíno.

Ao receber a resposta, Otávio murmurou para si mesmo: "Louco. Não entende que está acuado?". Mas talvez Otávio estivesse enganado. Nem sabia muito bem que estava acuado. Não podia ficar. Mas, se se rendesse, surgiria a suspeita de que andara colaborando. E se tivesse talvez outra opção?

O Portão Vermelho fica no alto da Rocinha, na divisa com um trecho da Mata Atlântica. À noite, a iluminação escassa e a folhagem densa transformam esse recanto pacífico e sombreado num lugar trevoso, malévolo até.

Nem chegou lá na garupa de um mototáxi um pouco depois das dez, mas ele e Feijão tiveram dificuldade em enxergar o vulto do grande Toyota Corolla preto. Azenha, com Demóstenes e André Cruz, saíram das sombras. Nem avançou para abrir a porta do banco traseiro.

"Hã-hã", disse Feijão, detendo-o. "Você tem de ir no porta-malas."

Nem se imobilizou. Achou que tinha ouvido mal e olhou Feijão como se seu conselheiro de maior confiança tivesse enlouquecido. Todos os seus instintos reagiram. Se você entra no porta-malas de um carro, pensou, em geral isso significa uma coisa só. Mesmo que seja o carro de seu advogado. Sobretudo se for o carro de seu advogado.

Feijão fincou pé. "É para seu próprio bem. Se alguém vê você, o cara mais procurado do Rio, no banco de trás do carro, a primeira coisa que vão fazer é te metralhar todo." Era de fato uma observação muito plausível e, depois de conferenciarem por alguns minutos, todos concordaram com a ideia.

Nem entrou no bagageiro. Feijão colocou a maleta recheada de dinheiro — 50 050 euros e 55 mil reais — no banco de trás, ao lado de André Cruz. Era o pagamento aos três advogados. Embrulhado num encerado no fundo do carro, Nem calculava com rapidez as consequências possíveis desse passo dramático. O que a favela ia dizer? Suas crianças ficariam bem? E o dinheiro? Em quem ele podia confiar?

Mais do que nunca, a questão da confiança remoía seus pensamentos. Nem passara uma década sabendo mais do que qualquer outra pessoa. A informação tinha sido elemento essencial de seu sucesso. De sua sobrevivência. No porta-malas, porém, ele estava isolado. E ao sair da favela, talvez pela última vez, sentiu como se não soubesse mais o que se passava. Começou a suar. Seria uma armadilha? "Pensei que podia até ser uma tentativa de me sequestrarem, e, se fosse, era provável que eu não sairia vivo", conta-me ele.

A tensão aumentava enquanto Azenha, em desespero, tentava fazer uma ligação para avisar o inspetor Mussi de que a parada ia começar. Por fim o advogado conseguira ajeitar tudo, mas, para sua ira, o celular estava sem sinal. "Esse foi o lapso fatal de minha parte e da parte de Demóstenes e André", admitiu ele mais tarde. "Devíamos ter esperado um pouco para ter o sinal e só sair quando Mussi estivesse pronto com sua equipe. Foi um tremendo erro de nossa parte."

O Corolla foi subindo devagar o morro, para o topo da estrada da Gávea.

Mas, em vez de encontrar Mussi e seus colegas da Polícia Civil, Azenha e os dois amigos toparam com o bloqueio da Polícia Militar. André Cruz disse ao primeiro policial que era o cônsul honorário da República Democrática do Congo no Rio e que, portanto, gozava de imunidade diplomática, assim como seu veículo. O policial não poderia abrir o porta-malas.

O policial chamou seu superior, Disraeli Gomes, um tenente de 32 anos que estava encarregado desse e de mais outros quinze bloqueios que tinham sido montados em volta da Rocinha, para monitorar todos os que entravam e saíam. Naquela noite, o tenente já havia dito a seus homens, para levantar o ânimo deles, que não faria a menor diferença se fosse o presidente do Brasil saindo da favela em seu carro oficial: o veículo seria igualmente submetido a uma revista minuciosa.

Quando Gomes chegou, Azenha percebeu que enfim tinha sinal no celular. Ligou no mesmo instante para Mussi. O advogado considerava essencial entregar Nem à equipe da Polícia Civil, porque era uma facção da Polícia Militar que andava caçando sua cabeça. Simplesmente não podia permitir que abrissem o bagageiro.

O que se passou a seguir é contestado e ainda sujeito a tramitações judiciais. Gomes alega que, quando se afastou com Azenha do resto do grupo, o advogado lhe disse que o porta-malas estava recheado de dinheiro. Era uma história fabulosa — a equipe acabara de participar de uma cerimônia na Rocinha, angariando fundos para uma ONG no Congo, e agora estava levando o dinheiro para fazer a remessa internacional. Então ele afirmou, segundo Gomes, que havia ali mais de 1 milhão em dólares, euros e reais. Gomes explicou que aquilo lhe pareceu uma tentativa de suborno e na mesma hora lhe deu voz de prisão.

Azenha nega que tenha dito uma coisa dessas. Diz que tentou explicar a Gomes que estavam a caminho do 15º DP para uma reunião já marcada com agentes da Polícia Civil e estendeu seu celular ao PM para que falasse com Mussi no outro lado da linha. Azenha mais tarde argumentou: se tinha sido preso, como alegava Gomes, por que este deixou que ele entrasse no carro? E por que deixou que ele continuasse a falar no celular? O tenente retrucou dizendo que ainda estava preocupado com a ideia de que podia entrar numa enrascada, caso o cônsul fosse quem dizia ser, por criar um incidente diplomático e acabar levando a culpa de tudo.

A essa altura, um dos colegas de Gomes cochichou-lhe que, embora os três homens tivessem saído do Corolla, a traseira do carro ainda estava baixa. "Tem alguma coisa pesada ali dentro", concluiu ele.

Gomes então anunciou que todo mundo iria para a delegacia. Azenha e os dois Cruz ficaram muito contentes com isso, pois imaginaram que o tenente se referia ao 15º DP da Polícia Civil, que era o mais próximo, no centro da Gávea. Mas, como Gomes explicou mais tarde, ele havia decidido que o caso todo, na medida em que envolvia um diplomata e dinheiro que seria remetido para fora do país, era assunto da alçada da Polícia Federal.

As duas versões, a de Mussi e a de Gomes, foram subindo pela hierarquia dos respectivos comandos da Polícia Civil e da Polícia Militar. E ambas estavam chegando aos vice-diretores das duas forças, que estavam em Berlim, com o secretário de Segurança. Beltrame, pelo menos, devia estar a par de grande parte do que se passava, se não de tudo.

Como acontece com tanta frequência em assuntos controvertidos, o caso do Corolla preto logo descambou para uma disputa entre a PC e a PM. Quando o Corolla fez uma curva inesperada à direita, com o comboio em andamento, foi porque achavam que todos estavam indo não para os quartéis da Polícia Federal, e sim para o 15º DP. A decisão de Azenha de parar no Clube Naval foi tomada com o intuito de aguardarem o apoio da Polícia

Civil. Esse auxílio chegou, embora o alto oficial da PC não tenha ganhado a discussão sobre a responsabilidade pela prisão de Nem. Se os procedimentos tivessem sido adotados de forma correta, o caso teria sido da alçada da Polícia Civil, pois a ordem de prisão de Nem fora emitida pelo estado do Rio de Janeiro, e não pelo governo federal. Foi de fato uma farsa.

Então, o que aconteceu realmente? Nem estava tentando escapar? Ou queria se entregar? Passei mais de dois anos examinando os fatos daquele dia por todos os ângulos possíveis. Nem sabe mais do que está me contando, mas é quase como se ele quisesse ver se consigo descobrir. Outra testemunha fundamental, Feijão, morreu. Quem sabe se alguém — e quem — está dizendo a verdade?

Perguntei a várias pessoas próximas a Nem qual era seu plano, na opinião delas.

Seu primeiro advogado acredita que Nem caiu numa armação de Feijão e que o plano "de fuga" pode ter resultado no sequestro dele por ordens do amigo de infância, se o bloqueio da estrada não tivesse por sorte atrapalhado tudo. Alguns aspectos do comportamento de Feijão sugeriam que ele estava tentando manipular a situação em seu favor. Mas essa teoria supõe que Mussi e Azenha tivessem alguma participação, e isso não faz o menor sentido.

O inspetor Mussi acredita que Nem estava tentando escapar com o conhecimento de Azenha. Isso é possível, mas implica um imenso risco para Azenha e os dois Cruz. Se o plano tivesse dado errado (como parece provável, visto que a Rocinha estava cercada) e houvesse provas de que os advogados estavam acobertando a fuga de Nem, os três enfrentariam uma pena muito rigorosa.

Azenha diz que Nem nunca pensou a sério na ideia de fugir e que o plano sempre foi se entregar à Polícia Civil. Faz muito sentido e sem dúvida as ações dos três advogados e da PC são coerentes com isso. Se Azenha tivesse conseguido ligar para Mussi antes que o Corolla saísse da Rocinha, seria possível demonstrar essa verdade. Mas, como ele só ligou *depois* de ter sido parado no bloqueio, resta um elemento de dúvida.

José Mariano Beltrame, o secretário de Segurança, desconsidera a coisa toda como um blefe muito elaborado, dizendo que Nem estava apenas tentando ganhar tempo e, tendo calculado mal, decidiu dar no pé. A reação de Beltrame, descartando a questão, não condiz muito com suas ações. Várias vezes ele aprovou as negociações entre Nem e seus agentes. Algumas delas tinham sido potencialmente muito arriscadas. Além disso, Beltrame também recebera um informe detalhado dos acontecimentos na noite de 9 de novembro, feito pelo vice-diretor da Polícia Civil. Mais tarde, ele alegou não entender o que agentes da Polícia Civil da distante Maricá estavam fazendo no local. Mas ele sabia muitíssimo bem. Beltrame tinha boas razões para duvidar que Nem se entregaria, mas é certo que estava disposto a fazer várias tentativas.

Cada uma dessas pessoas tinha seus próprios interesses. Era quase como se Nem tivesse se tornado um peão em seu próprio jogo. Mas não foi o caso. A despeito da confusão maluca de sua prisão e em seu mundo, até o final, se havia alguém de fato dirigindo tudo, o mais provável é que tenha sido o próprio Nem.

Nem insistiu comigo que estava apostando na liberdade e que combinara de se encontrar com uma pessoa que o esconderia por alguns meses, "até a poeira assentar". Então, disse ele, iria se entregar por intermédio de José Junior. Isso é plausível, mas creio que assim ele ficaria vulnerável aos inimigos dentro da polícia e aos inimigos entre outros traficantes. Seu compromisso mais claro era com a família, em especial com os filhos. Um pai morto não serviria de nada para ninguém, e por isso essa linha de ação me parece arriscada demais.

Há uma resposta que paira em algum lugar e às vezes tenho a sensação de quase alcançá-la. Então, voltando às dezenas de entrevistas que fiz, algo aflora. Durante as negociações entre Nem e Rivaldo Barbosa, então subsecretário de Inteligência da Secretaria de Segurança do Rio de Janeiro, Barbosa explicou ao advogado de Nem que o secretário preferiria encenar uma prisão a aceitar sua rendição. As discussões transcorriam às vésperas das eleições de 2010 para o governo do estado, e a prisão seria extremamente oportuna para Cabral, que concorria a um segundo mandato. O advogado concordou. Era vantajoso para Nem. Se fosse preso em vez de se entregar, ninguém poderia nem de longe acusá-lo de ser delator. Na verdade, sua moral entre os bandidos do Rio subiria. Com a prisão, os dois lados sairiam ganhando.

Quando chego ao final de minhas pesquisas, tenho uma conversa com Simone. Ela está contando que Thayná, a filha adotiva de Nem, foi se despedir do pai na noite da prisão. "É só minha opinião", diz ela, "mas acho que ele sabia que a polícia ia pegá-lo se saísse da Rocinha. Não sei, mas é bem possível que ele tenha armado a coisa toda — a prisão dele, quero dizer."

Mais tarde, naquela noite, depois que se espalhou a notícia de sua prisão, Simone foi à casa da mãe dele, onde o clã estava reunido. Todos choravam e lamentavam a notícia da detenção de Nem. "Menos d. Irene, que estava sentada ali na maior calma, tomando uma cerveja", relembra Simone. "Eu imaginava que ela, como mãe dele, estaria mais aflita que todos os outros." No meio do burburinho, Simone ouviu d. Irene dizer baixinho: "Bom, foi um pouco mais rápido do que eu pensava".

"Às vezes", digo a Antônio em minha última visita à prisão, "não consigo deixar de pensar que você próprio planejou a prisão." Deixo a frase no ar. Ele não responde nada, mas me olha e abre um sorriso malandro.

Isso de imediato me traz à lembrança a cena incrível do filme *O terceiro homem*, de Carol Reed, em que o personagem Harry Lime, interpretado por Orson Welles, aparece pela primeira vez.

Lime está de pé no vão de uma porta, à noite. Quando uma luz cruza seu rosto, ele dá exatamente o mesmo sorriso a seu velho amigo de escola, Holly Martins.

Antônio nunca confirmou nada, mas no final da entrevista sorriu outra vez e disse: "Um dia vou te contar a história inteira". Mas tenho quase certeza de que ele não planejava se esconder, fugir, se render ou resistir. Estava um passo adiante de todos os outros nesse jogo complexo. Numa manobra tipicamente engenhosa, ele aparecera com uma quinta opção — sua própria prisão.

Ele era ao mesmo tempo a aranha e a mosca.

Epílogo

Às 12h45 do dia 13 de novembro de 2011, um domingo, as bandeiras do Rio de Janeiro e do Brasil foram hasteadas num mastro fincado logo acima da Curva do S, na Rocinha. Um coral do batalhão local da Polícia Militar desatou a cantar com entusiasmo o Hino Nacional, enquanto cerca de 250 moradores da favela aplaudiam e gritavam.

"A Rocinha é nossa", estampou o jornal *O Globo* no dia seguinte, noticiando que as três áreas da Rocinha, do Vidigal e da Chácara do Céu não pertenciam mais aos "traficantes armados que há décadas tiranizavam mais de 100 mil moradores. Voltaram às mãos do Estado e de todos os cariocas, sem exceções".

Dias antes da ocupação, a comunidade sabia que ela estava por vir. "O sentimento dominante era o medo", observa Margaret Day, uma americana de quarenta anos que estava morando na Rocinha.

> As pessoas estavam assustadas. Estavam assustadas porque aquilo era um grande passo no desconhecido. Não confiavam na polícia.

Não sabiam quanto tempo a polícia ia ficar. E embora ninguém fosse especialmente entusiasta da atividade criminosa dos traficantes, eles davam certa estabilidade à comunidade. E só se você procurasse problema é que teria.

Na verdade, Margaret diz que, como afro-americana, ela se sentia mais segura na Rocinha do que em Nova York, sua cidade natal.

Na noite anterior à ocupação, uma atividade comercial frenética tomou conta da parte baixa da Rocinha. Havia gente comprando alimentos na hipótese de ficar entocada muito tempo dentro de casa. Uma multidão se aglomerava em volta dos camelôs que estavam liquidando seus DVDs, CDs e softwares piratas a um real cada, pois acreditavam que poderiam ser alvo da nova força de pacificação em nome de Hollywood e do Vale do Silício.

Por volta das 23 horas, Margaret se dirigia toda alegre para a entrada da parte baixa da Rocinha, depois de uma noitada no asfalto com alguns amigos. Quando saíra, horas antes, o bairro comercial de Barcelos, a via Ápia, o largo do Boiadeiro e o Valão estavam no maior movimento. Mas, ao voltar, a favela estava vazia, num silêncio quase completo. Era sábado — o ponto alto da semana, quando metade do Rio costumava aparecer no Clube Emoções para o baile funk. Essa, pensou ela, era talvez a noite mais quieta da Rocinha em mais de trinta anos. As festas, as lojas, os camelôs e os mototáxis tinham encerrado suas atividades e estavam saindo enquanto Margaret subia o morro devagar.

Apesar do pressentimento geral sobre a ocupação iminente que tomava conta de toda a Rocinha, Nem indicara que não haveria resistência. Se a ADA resolvesse lutar, Nem sentia que o único resultado possível seria um derramamento de sangue desnecessário — e ele não queria tomar parte naquilo. Mas agora estava detido na prisão. Ele ainda teria influência nos acontecimentos?

Margaret, como a grande maioria da favela, não tinha a menor ideia se os demais traficantes haviam decidido resistir ou não.

Antes de voltar a seu apartamentinho na Cachopa, Margaret parou na loja da qual era freguesa para comprar um pouco de comida caso ficasse presa em casa por algum tempo. Estava em dúvida sobre os alimentos que devia escolher para tal eventualidade. O comerciante percebeu que ela estava meio alta e, tendo tido tempo de conhecê-la nas seis semanas em que Margaret morava na favela, fez uma advertência ríspida. "Vá já para casa e fique lá", disse ele, devagar e destacando as sílabas. "NÃO saia enquanto não for seguro."

Ela subiu a escada com as compras, mas seus pensamentos se atropelavam. O que vai acontecer?, perguntava-se. Tento tirar umas fotos ou a força de ocupação vai acabar atirando em mim? Ela começou a arrumar os aposentos, pensando de modo um tanto estranho: "Bom, se o Bope vai vir e revistar meu apartamento, é melhor que esteja arrumado". Depois disso, caiu num sonho inquieto.

Às duas e meia da manhã, enquanto Margaret dormia, as forças de segurança fecharam todas as ruas que entravam e saíam da Rocinha, de São Conrado e da Gávea. Também bloquearam a avenida Niemeyer,[1] que liga o Leblon à Chácara do Céu e ao Vidigal. O túnel Zuzu Angel, claro, foi fechado e fizeram desvios em várias partes da Zona Sul. Mais de mil agentes da polícia, do Exército e das forças especiais tomaram posição nos bairros vizinhos, todos preparados e prontos para agir.

Mas, dentro da favela, a atmosfera continuava misteriosamente calma. Durante algumas horas, parecia outro mundo, longe do turbilhão de soldados, drogas, corrupção, policiais e veículos blindados. Era como se a Rocinha estivesse sob um encantamento — nenhum som de música, nenhum barulho de motor, nenhuma conversa, nem sombra de gente. As ruas nunca estiveram mais vazias. Agora a única coisa que se ouvia eram os galos cantando.

Às 4h09, antes de clarear o dia, sete blindados para transporte de pessoal começaram a subir ruidosamente a Marquês de São Vicente, a avenida principal que vai da Gávea até a Rocinha. A única resistência que encontraram foi óleo, que alguns traficantes tinham espalhado na rua — gesto quixotesco contra veículos anfíbios com esteiras.

Ao mesmo tempo, quarenta policiais do Bope começaram seu avanço furtivo na parte de baixo da estrada da Gávea. Um minuto depois, tiveram início as operações contra as favelas da Chácara do Céu e do Vidigal.

Margaret acordou num sobressalto. Os helicópteros que pareciam estar logo acima de seu apartamento faziam uma barulheira tremenda. Ela não dormira o suficiente para curar a bebedeira. O resto do álcool logo foi neutralizado pela grande carga de adrenalina que se espalhou pelo seu corpo.

De seu apartamento, não era possível ver os veículos, e assim ela enviou uma mensagem de texto ao amigo Leandro, que morava mais acima. "É doido", informou ele. "Tem tanques por todo lugar." De repente, os cachorros que dormiam na laje do prédio de Margaret começaram a latir e uivar, e ela ouviu o som de passos pesados. O pai da família vizinha desceu da laje num tropel, conduzindo os cães pela escada estreita. Eram agentes do Bope correndo por cima das lajes da favela. "Parecia o filme *O tigre e o dragão*", relembrou uma testemunha, "igualmente estranho."

Às 6h20, Margaret recebeu uma mensagem de Leandro. "Vai sair? Vamos ver lá fora." No começo ela hesitou, sabendo que o esquadrão movido a testosterona estava percorrendo toda a Rocinha. Leandro disse que a TV noticiara que a pacificação tinha sido concluída sem nenhum tiro e que o Bope e as outras forças de segurança estavam no controle completo da Rocinha. "Te encontro no Bob's em cinco minutos", digitou ele.

A simpática família vizinha de Margaret recomendou que ela não saísse. "Você está doida; não entende como é perigoso." Porém Margaret não lhes deu ouvidos. Desceu alegremente a estrada da Gávea com Leandro na direção da Curva do S.

Amanhecera o dia, mas o sol ainda não varrera a escuridão noturna. Parecia um vazio de sonho, um pouco ameaçador, como se todo mundo tivesse simplesmente desaparecido. Pouco antes da Curva do S, Margaret conseguiu se segurar numa grade para não escorregar no óleo que os traficantes tinham espalhado no chão para impedir ou, pelo menos, retardar a invasão do Bope.

Ao se agachar, Margaret viu uma equipe do Bope rastejando de maneira furtiva na subida da estrada da Gávea, apontando as metralhadoras para o peito e a cabeça dela. Todos os seus pelos se arrepiaram enquanto os policiais decidiam se ela era uma ameaça em potencial ou apenas alguém de fato muito idiota que decidira passear justo naquele dia e naquela hora. Decidiram-se pela segunda hipótese e passaram por ela, concentrando a atenção na próxima possível armadilha.

Ao descer para a passarela de pedestres que marca o começo da Rocinha, ela viu gente dormindo na calçada e na soleira das portas. Comentou com Leandro que nunca tinha visto isso na Rocinha. "Toda favela que é pacificada", explicou ele, "atrai o pessoal sem teto, pois acham que vão distribuir um monte de coisas — comida, abrigo, talvez até dinheiro."

Centenas de moradores da favela já estavam na fila esperando os ônibus, como faziam todos os dias. Margaret não entendeu bem como tinham conseguido chegar aos pontos: as ruas estavam desertas. Mas, fizesse chuva ou sol, viessem os traficantes ou o Bope, essas pessoas não tinham escolha a não ser ir para o trabalho pesado nas casas de classe média da Zona Sul. E, assim, haviam se esgueirado para lá, descendo pelas ruas e vielas, conseguindo se esquivar aos homens armados.

A pacificação da Rocinha iria se dar com muito mais facilidade do que a operação irmã no Alemão, um ano antes. O Alemão tinha 44 entradas, a Rocinha, apenas duas — uma no alto da estrada da Gávea, outra embaixo. Dois dias antes, o Bope e as demais forças haviam se embrenhado na Mata Atlântica em volta da favela, de modo que nenhum bandido conseguiria fugir por ali.

Mas, mesmo sem nenhuma resistência, a operação foi um espetáculo e tanto. Mais de mil agentes da Polícia Militar, da Polícia Civil e da Polícia Federal, além dos fuzileiros navais, assumiram o controle das três favelas — Rocinha, Chácara do Céu e Vidigal. Outros 1500 participaram do apoio logístico à Operação Choque de Paz, como foi chamada.

José Beltrame julgara bastante provável, em vista das tradições mais ou menos pacíficas da ADA, que a Rocinha seria uma vitória fácil em comparação a outros locais, como o Alemão. Desconfiava que o verdadeiro problema seria administrar a favela depois da ocupação. E nisso seus temores eram justificados.

Menos de três semanas após a prisão de Nem, entrou uma pessoa na delegacia da Polícia Civil da Gávea e entregou um DVD. Com o DVD, havia um bilhete escrito em letras maiúsculas, que dizia:

SENHORES POLICIAIS,
    TENHO FÉ NOS SRS. BANDIDO PRECISA SER PRESO. A FITA FUI EU QUE GRAVEI. ESTOU CANSADO DE VER TANTA MENTIRA. NEM E WILLIAM DA ROCINHA COMEMORANDO NA BOCA DE FUMO E VENDENDO ARMAS. A POLÍCIA AQUI ESTÁ NA FITA E NÃO FAZ NADA. WILLIAM RECEBE APOIO E DINHEIRO DO TRÁFICO. ACREDITO QUE COM A FITA NESTE ENVELOPE ESSES HOMENS SEM-VERGONHA DEVEM SER PRESOS. QUE A PAZ ESTEJA COM TODOS. AMÉM.

O conteúdo do DVD era explosivo. Mostrava Nem com William da Rocinha, o ex-presidente da associação de moradores, que foi erroneamente preso em 2005 por seus supostos vínculos com traficantes. Nem podia ser visto entregando um grande maço de dinheiro a William, que aparecia lhe entregando armas em troca. Havia uma semiautomática com todo o destaque no videoclipe, o que era atípico, pois Nem sempre procurou evitar qualquer identificação pública com armas.

Em consequência do DVD, William recebeu a sentença de quatro anos de prisão por tráfico de armas — acusação que se somou também à lista crescente dos supostos crimes de Nem. A situação ficou muito ruim para os dois. Preso na cadeia sem acesso a TV ou a jornais, o contato de Nem com o mundo exterior era mínimo.

Mas de uma coisa ele sabia: a pessoa que filmara seu encontro com William era Feijão, seu confidente e então presidente da associação de moradores. Quando viu o vídeo, Nem deve ter percebido, assim como William, que a filmagem fora adulterada para que o encontro parecesse mais sinistro do que de fato era. Tinha sido uma armação para pegar os dois. Quando a perícia provou que o DVD fora adulterado, a justiça declarou William e Nem inocentes.

É difícil imaginar quem mais poderia ter providenciado a entrega do DVD. Da perspectiva de Feijão, era matar dois coelhos com uma cajadada só. Desde a prisão de Nem, William vinha ganhando popularidade nas pesquisas, e a posição de Feijão como chefe da associação de moradores estava em risco. O DVD garantia a eliminação de William como rival político; com efeito, o apoio a ele despencou com rapidez após seu indiciamento.

Além disso, o DVD podia trazer uma sentença de prisão mais longa para Nem. Feijão era o homem do dinheiro de Nem. Ele também afirmou aos membros restantes da ADA na favela que Nem o escolhera como sucessor. Pelo visto, Feijão tentava unificar o poder político e o poder do tráfico numa pessoa só — ele mesmo.

Por volta das três da tarde de 26 de março de 2012, Feijão estava descendo uma ruela estreita que liga a via Ápia ao largo do Boiadeiro. No meio do caminho, um motoqueiro passou zunindo e disparou seis tiros. Três atingiram Feijão nas costas; os outros três erraram o alvo. Ao que parece, Feijão apostara alto demais, o que foi fatal. Era a sexta morte violenta na Rocinha desde a detenção de Nem e a pacificação da favela. Ela teve, de longe, as consequências de maior alcance.

Passados vários meses, um perito especialista em computação contratado pela campanha de apoio de William por fim conseguiu provar o que era óbvio para Nem desde o começo: o vídeo tinha sido editado no Photoshop. Sim, os dois haviam se encontrado, e Nem oferecera a William dinheiro para sua campanha. William se sentira ameaçado e decidiu que seria mais prudente não resistir à oferta naquela ocasião. Mas não houve nenhuma entrega de armas. Os investigadores conseguiram inclusive localizar o homem que adulterara as provas digitais, o qual confessou que Feijão estava por trás da coisa.

Quem matou Feijão? Não muito tempo depois de sua morte, FM, um dos ex-empregados de Nem, foi detido por Rivaldo Barbosa, o ex-subsecretário de Inteligência de Beltrame, que desde então fora nomeado chefe da unidade de homicídios do Rio. Feijão tinha muitos inimigos dentro da ADA, sobretudo desde a prisão de Nem; agora, se FM agiu por conta própria ou cumpriu ordens, ninguém sabe.

Entre a ocupação de uma favela designada para a pacificação e a instalação de uma unidade de pacificação totalmente operacional, a Secretaria de Segurança utiliza um grupo de agentes durões em caráter provisório com vistas a neutralizar a influência de qualquer traficante remanescente. Uma vez estando o Alemão sob controle do governo, uma parte dessa força temporária adotou exatamente o tipo de conduta que Beltrame queria evitar a todo custo: esses policiais começaram a extorquir os moradores. Os agentes da Polícia Civil apelidaram o Alemão e as favelas em torno de Serra Pelada, em referência ao garimpo que atraíra tantos brasileiros nos anos 1980.[2] Era um território onde podiam simplesmente pegar à vontade armas, drogas e dinheiro, muitas vezes deixados pelos traficantes em fuga. Um dos principais criminosos era o inspetor Leonardo Torres, o Trovão, que recebera generosos elogios do governador Cabral como policial exemplar durante as incursões no Alemão em 2007 e 2008.[3] O personagem no estilo Rambo, fumando seu charuto, andara molestando e ameaçando toda a área de Ramos, vizinha do Alemão. Hoje ele está na cadeia, condenado e caído em desgraça.

Por ironia, os policiais corruptos tinham como aliados alguns dos principais traficantes do Rio. A investigação da Polícia Federal que acabou revelando essa rede de extorsões se iniciara com a interceptação de uma mensagem que um policial civil enviara a um dos colegas de Nem na ADA, que buscara refúgio na Rocinha em 2009. "Amanhã vocês vão ter uma operação do Bope aí", começava a mensagem. "Já estão na mata." É evidente que, se o policial civil estivesse tratando com o próprio Nem, a Polícia Federal teria tido mais dificuldade em interceptar a mensagem, devido ao esquema de segurança do chefão em suas comunicações.

Os policiais corruptos andavam trabalhando com a ADA e também com o Comando Vermelho, cada policial recebendo cerca de 50 mil reais por mês pelo trabalho. Isso incluía a venda de armas para os cartéis.

Quando vieram a público detalhes de Serra Pelada e da Operação Guilhotina, investigação montada pela Polícia Federal, Beltrame de início se apressou em defender o diretor da Polícia Civil do Rio, Allan Turnowski, que negou de modo categórico qualquer conhecimento do esquema de extorsão. Três dias depois, Turnowski foi demitido, quando se soube que ele avisara a um dos policiais civis mais graduados envolvido em Serra Pelada que a Polícia Federal estava em seu encalço.

Serra Pelada infligira grandes danos à pacificação no Alemão. O governador Cabral e Beltrame precisavam evitar que isso se repetisse na Rocinha. Conseguiram, mas não puderam impedir que acontecesse algo ainda pior.

Em meados de julho de 2013, a Unidade de Polícia Pacificadora (UPP) já era uma presença estabelecida na Rocinha, com cerca de setecentos policiais com a função de manter a lei e a ordem, apoiar os moradores a manter suas atividades diárias, incentivar o apoio à UPP, à Polícia Militar e outras forças públicas, e procurar e confiscar armas ilegais. Num domingo, o chefe da UPP, major Edson dos Santos, fez uma reunião com seus agentes e entregou os nomes de dezenas de pessoas que, segundo ele, continuavam a trabalhar com a ADA e eram suspeitas de esconder as armas da organização.

Naquela tarde, Amarildo de Souza, um pedreiro de 43 anos, saiu de casa para comprar limão quando um policial da UPP chamou: "Ei, Touro!". Devido à sua profissão, Amarildo tinha físico robusto e também a fama de comer feito um touro. "Preciso te levar para um interrogatório."

Foi a última vez que pessoas que não faziam parte da UPP viram Amarildo. A sede da UPP ficava no Portão Vermelho, o lugar onde, dois anos antes, Nem entrara no porta-malas do Toyota Corolla. A sede consistia em vários contêineres de carga marítima e, apesar da aparência improvisada, era muito movimentada.

Lá dentro, os policiais deixaram claro para Touro que achavam que ele sabia onde se situava o depósito de armas da ADA. Na verdade, haviam se enganado na identidade — havia outro Amarildo na Rocinha que *tinha* sido da ADA. O Amarildo agora detido não fazia, claro, a menor ideia. Para convencê-lo a dar a informação que ele não tinha, os policiais o submeteram ao chamado "submarino". De acordo com a investigação policial de sua morte, puseram um saco plástico na cabeça de Amarildo. Quando estava para se asfixiar, tiravam rápido o saco e mergulhavam sua cabeça dentro de um balde de água gelada. Ao respirar instintivamente, seus pulmões se enchiam de água.

Uma das várias coisas que os policiais não sabiam naquele dia era que esse Amarildo sofria de epilepsia. Pouco depois, ele morreu. De forma misteriosa e muito conveniente, as duas câmeras de segurança na porta da sede pararam de funcionar por umas duas horas. Mas, um ano após sua morte, o *Jornal Nacional* transmitiu uma filmagem assombrosa feita dos portões do complexo, onde se veem duas viaturas do Bope entrando e saindo da sede da UPP na noite da morte de Amarildo. Os peritos chamados para comentar as imagens demonstraram a pavorosa possibilidade de que estivessem removendo um cadáver. Sem corpo, não há crime. Quem precisa de bandido quando se tem a polícia?

Quando a notícia da morte de Amarildo veio a público, o pequeno grau de confiança que a polícia e Beltrame haviam conseguido conquistar durante os dezoito meses desde a ocupação da Rocinha se evaporou da noite para o dia. Seguindo sua veneranda tradição, os moradores da Rocinha bloquearam o túnel Zuzu Angel enquanto desmoronava a incipiente cooperação com a UPP.

A morte de Amarildo coincidiu com uma dor de cabeça muito maior na área de segurança, que vinha incomodando as autoridades não só no Rio como em todo o Brasil. No inverno de 2013, uma enorme onda de manifestações contra o governo varreu o país. Iniciou-se em São Paulo, no começo de junho, quando um pequeno grupo que protestava contra mais um aumento nas passagens de ônibus foi dispersado pela Polícia Militar, que usou táticas brutais em geral reservadas às favelas. Esses manifestantes, porém, eram bons garotos de classe média, e não demorou muito para que uma legião de advogados começasse a questionar as autoridades em favor deles. Enquanto isso, o destino dos integrantes do protesto e do grupo muito maior de manifestantes que tomou as ruas após o episódio inicial estava sendo acompanhado e transmitido por um novo fenômeno notável: a Mídia Ninja.

Esse grupo de jovens jornalistas começou a transmitir as manifestações ao vivo pelas redes sociais. A princípio ignorada pelos dois jornais mais importantes do país, a *Folha de S.Paulo* e *O Globo*, bem como pelas redes de televisão, a Mídia Ninja ganhou uma audiência enorme ao acompanhar exemplos assustadores da brutalidade policial transmitidos em tempo real.

Em pouco tempo, haviam surgido manifestações em mais de cem cidades, bem na época em que se iniciava a Copa das Confederações, o torneio da Fifa que antecede a Copa do Mundo, realizado pelo país-sede para mostrar que está bem preparado para o maior evento esportivo do planeta, que terá lugar doze meses depois.

No Brasil, a Copa das Confederações foi um constrangimento enorme, quando os torcedores de países de todo o globo tiveram de passar entre milhares de manifestantes furiosos. Dilma Rousseff, a sucessora que Lula escolhera para a presidência e contra a qual se dirigia grande parte da ira dos manifestantes, enfrentou vaias e assobios na abertura do evento em Brasília. O fedor cada vez maior da megacorrupção começara a atingir seu partido, que estava metido num escândalo gigantesco conhecido como Mensalão. E tampouco Sepp Blatter, o presidente da Fifa, escapou. De fato, um dos slogans durante os protestos daquele verão foi "Fora Fifa", sugerindo que os acordos corruptos feitos durante a construção dos novos estádios para a Copa do Mundo estavam afastando até os brasileiros do evento.

As manifestações alcançaram sua maior intensidade e violência no Rio. Antes de eclodirem, o governador Cabral estava com índices de aprovação entre 55% e 60%. Num período de seis semanas, até meados de julho de 2013, eles despencaram para 13%. De repente, ele e o governo se mostravam vulneráveis.

E então Amarildo foi assassinado. Sua morte ameaçava a pacificação, a única política que contava com amplo apoio público no Rio como um todo e que começara a render frutos efetivos. No entanto, era um quadro irregular. A redução no número de membros armados das quadrilhas de drogas nas ruas significava que os homicídios nas favelas pacificadas haviam diminuído até 75%, bem como as mortes atribuídas à polícia nos confrontos com traficantes. Mas também significava que a função de policiamento das gangues desaparecera. Em decorrência disso, a violência doméstica quadruplicou, estupros triplicaram e os assaltos duplicaram.[4]

Embora a maioria dos bandidos tenha se apagado no pano de fundo, nem eles nem suas armas desapareceram. Na Rocinha, a polícia pacificadora controlava as áreas principais e a estrada da Gávea. Mas, dois anos após a pacificação, eu passeava pelos fundos da rua 1 quando a viela onde me encontrava foi dar num boteco, com mobília feita de pedra. Sentados ali, tomando café com ar indiferente, havia nove rapazes armados até os dentes, que fitaram a mim e meu guia com o olhar inexpressivo dos matadores. Por sorte, um homem barrigudo, de aparência responsável, no final da casa dos trinta anos, estava no comando. Ele me deu um aperto de mão amistoso, e quando a quadrilha reconheceu meu guia, evaporou-se toda a tensão. Quatro dias depois, o barrigudo foi morto a tiros num sábado à tarde, durante um confronto com uma patrulha da UPP.

Tradicionalmente, o presidente Lula e a presidente Dilma, bem como o Partido dos Trabalhadores, recebiam um vigoroso apoio das favelas, sobretudo desde a implantação do Programa de Aceleração do Crescimento (PAC), que funcionava havia vários anos. No Rio, o PMDB, partido do governador Cabral, era aliado local do PT. As favelas não haviam participado das manifestações de massa que estavam agitando o Rio na época e que eram basicamente uma expressão da irritação do asfalto com as práticas corruptas e as trapaças associadas ao governo federal e à administração de Cabral no estado do Rio.

No entanto, a morte de Amarildo ameaçava atrair, se não todas as favelas, ao menos a Rocinha, sem dúvida — o que seria visto como um enorme golpe simbólico em Cabral. Quando lhe perguntaram o que faria a respeito, ele tentou desviar a responsabilidade pelo problema. "Não sou a polícia", disse aos repórteres. "Tenho o secretário de Estado para isso. Perguntem ao Beltrame!" O secretário de Estado de Segurança estava sendo pressionado para obter resultados na Rocinha. Tinha ainda um trunfo na manga: chamou o agente Orlando Zaccone, da Polícia Civil.

Zaccone é uma figura admirável. Budista, gosta de citar nas conversas o filósofo francês Michel Foucault e o urbanista americano Mike Davis, autor de *Planeta favela*, livro de grande influência entre círculos radicais do Brasil. Davis, diz ele, mostra que é provável que a classe dominante tenha implantado alguma forma de controle militar nas favelas, para garantir que os moradores não desenvolvessem aspirações políticas ou revolucionárias. Zaccone tem doutorado e em sua tese examina a questão bastante polêmica das mortes nos chamados "autos de resistência", quando a polícia mata o indivíduo por opor aparente resistência à prisão.

O investigador já havia trabalhado com o major Edson, o chefe da UPP. Conhecia bem a Rocinha e não demorou a perceber o que andara acontecendo. O major Edson era um ex-comandante do Bope. Integrara à equipe da UPP vários ex-agentes do batalhão, que formavam o núcleo de um grupo de extorsionários que operavam numa escala enorme. Ele transformara a UPP numa milícia. Todo mundo tinha de pagar — os distribuidores de gás, os condutores de mototáxi, os fornecedores de energia elétrica. Talvez ainda mais inquietante, os próprios traficantes também estavam pagando. A investigação que resultara na morte de Amarildo se chamava Operação Paz Armada — seu objetivo eram as armas escondidas, não as drogas. Estas continuaram a ser vendidas a partir da Rocinha e, segundo Zaccone, Edson e sua equipe de milicianos ficavam com parte dos lucros.

O resultado da investigação de Zaccone foi a prisão de dezenas de agentes da UPP, dez dos quais acabaram indo a julgamento — entre eles, claro, o major Edson dos Santos. Ele e seus asseclas foram condenados e agora enfrentam longo período de prisão.

Afora as questões judiciais, porém, o caso Amarildo indicava as dificuldades de manter o programa de pacificação. Beltrame era responsável pelo regime de segurança, o qual, por si só, exigia um imenso trabalho organizacional. Mas já andava reclamando que o resto do governo mostrava pouquíssimo interesse em se engajar na segunda parte essencial da UPP. Ela envolvia o fornecimento de serviços e a clara demonstração de que o Estado não estava apenas interessado em se livrar das armas, mas também preocupado com o bem-estar dos moradores.

A Copa do Mundo em 2014 seria um ensaio, mas a pressão seria ainda maior no período que precedia a Olimpíada de 2016. Ao contrário da Copa do Mundo, que se realizou em todo o país, os Jogos Olímpicos ficariam sediados apenas no Rio de Janeiro. A cidade e o governo não podiam permitir que a violência recrudescesse nas favelas. Assim, se quisessem começar a convencer os moradores de que a pacificação valia a pena, não podiam permitir outro Amarildo.

* * *

Apesar da queda de popularidade do governo da presidente Dilma, as manifestações de massa durante o inverno de 2013 não se repetiram durante o mais importante torneio futebolístico, no ano seguinte, mesmo quando, na primeira semifinal, o Brasil perdeu por sete a um para a Alemanha, numa das maiores surpresas na história do esporte.

Apesar da ignomínia e apesar do embrião de outro megaescândalo tomando forma na gigantesca Petrobras, em outubro de 2014 a presidente Dilma foi reeleita para mais quatro anos no cargo.

Mas seu governo estava enfrentando problemas. Depois dos anos dourados da presidência de Fernando Henrique Cardoso e de Lula, a economia começava a fraquejar. As pálpebras do grande monstro adormecido, a inflação, começavam a vibrar enquanto a economia parecia seguir para a recessão. Então a assombrosa extensão do escândalo de corrupção na Petrobras começou a vir à tona. O Ministério Público calcula que houve o desvio de mais de 1 bilhão de dólares num vasto esquema que atendia aos setores mais notórios da economia e da sociedade brasileira: partidos políticos, a construção civil e as mineradoras.

Com o clima de desânimo no país, o controle das UPPs, sobretudo nas duas favelas maiores, a Rocinha e o Complexo do Alemão, começou a se afrouxar. Multiplicaram-se os tiroteios entre os membros remanescentes da ADA e do Comando Vermelho de um lado e os policiais da UPP de outro.

Os custos do programa de pacificação vinham aumentando não só em termos monetários como também em número de vidas. Em 2012, cinco policiais de UPPs morreram e nove ficaram feridos em tiroteios. Em 2013, três morreram e 24 ficaram feridos, e em 2014 oito morreram e 84 ficaram feridos. Os números de feridos entre traficantes e civis também dobraram.

A pacificação continua a ser uma das iniciativas mais arrojadas em segurança urbana, mas os enormes recursos exigidos só foram aplicados até agora em 37 das cerca de novecentas favelas do Rio de Janeiro. Com o aprofundamento da crise no governo brasileiro, o escândalo da Petrobras ameaça varrer Sérgio Cabral e seu sucessor no governo do estado, Luiz Fernando Pezão. Quem sabe se a pacificação sobreviverá a tais desafios... As questões fundamentais ligadas às armas, à proibição e à pobreza sem dúvida permanecerão pelos anos vindouros.

Antes de ser preso, Antônio Francisco Bonfim Lopes, o Nem da Rocinha, manifestou seu apoio a Beltrame e ao programa de pacificação. Desde então, Nem passou a crer que a implantação do programa tem sido débil e que a política encerra graves riscos. No interior do presídio federal de segurança máxima em Campo Grande, a cerca de quatrocentos quilômetros da divisa onde Paraguai, Bolívia e Brasil se encontram, Antônio continua a se preocupar profundamente com a Rocinha e sua comunidade. Dentro das evidentes coerções impostas pelo papel de dirigir um cartel de drogas, ele se empenhou com vigor em manter a estabilidade da favela em tempos difíceis. A mídia e alguns políticos afirmam com regularidade que ele continua a comandar a ADA e as operações do tráfico do interior de sua cela. Significativamente, os investigadores de início tinham esperança de acusá-lo do crime de enviar ordens da prisão para o cartel, mas desistiram da tentativa porque não conseguiram encontrar nenhuma prova concreta. Sua esposa, Danúbia, também está presa enquanto escrevo este livro, por alegado envolvimento no tráfico. Nem não demonstra nenhum receio de ter de passar muito tempo na prisão, desde que lhe seja permitido ver os filhos. É evidente que ainda tem dinheiro guardado, pois arca com a responsabilidade financeira de todos os sete de sua prole. Mas não diz quanto tem, nem onde está.

Nem não é nenhum modelo de virtude, mas também não é nenhum demônio. É um homem vivo e inteligente, agora se aproximando dos quarenta anos. Tivesse recebido uma educação decente, não há a menor dúvida de que teria sido um empresário de sucesso sem nenhum registro policial.

Eduarda Lopes, o bebê cuja terrível doença levou o pai a ingressar no narcotráfico, é agora uma adolescente alegre e esperta de dezesseis anos. Vai bem na escola e é plenamente capaz de entender o que aconteceu à sua comunidade, à família e aos pais. É motivo de orgulho para todos eles e uma inspiração para o futuro. Antônio Francisco Bonfim Lopes está numa cela solitária, mas encara seu destino com visível serenidade. "Enquanto o futuro de meus filhos estiver garantido, o que acontece comigo não tem muita importância."

Apêndice

PRINCIPAIS FORÇAS POLICIAIS NO RIO DE JANEIRO

Há três forças policiais principais em operação no Rio de Janeiro. Duas delas, a Polícia Civil (PC) e a Polícia Militar (PM), estão sob a jurisdição do estado do Rio de Janeiro e do governador, sendo comandadas pelo secretário de Estado de Segurança. A terceira é a Polícia Federal (PF), controlada pelo Ministério da Justiça, órgão federal em Brasília.

A função básica da Polícia Civil é investigar supostos crimes cometidos em qualquer lugar do estado do Rio de Janeiro. Seu trabalho envolve ampla coleta de informações e provas. Também é encarregada de processar qualquer suposto crime que lhe seja trazido pela outra força de alçada estadual, a Polícia Militar. Depois que os agentes da Polícia Civil preparam as provas relativas a um suposto crime, passam o material para o Ministério Público, que avalia e decide se dará andamento judicial ao caso.

O caráter investigativo da Polícia Civil não significa que ela faça apenas trabalho de gabinete. Se tiver autorização judicial, ela tem o direito de realizar buscas em empresas ou casas particulares que suspeite estejam abrigando provas de atividades criminosas.

A Polícia Civil também tem um batalhão de forças especiais, em geral conhecido pelo acrônimo Core (Coordenadoria de Recursos Especiais), que foi criado em 1969, sob a ditadura militar. Esse esquadrão de elite é utilizado quando há perigo de um sério confronto armado. A PC também tem uma unidade de helicópteros, mobilizada com frequência durante operações ou agitações nas favelas do Rio.

A Polícia Militar é a força operacional do estado utilizada nas ruas com a tarefa de manter a ordem pública. Embora em tese seja uma unidade auxiliar das Forças Armadas brasileiras, o que se reflete na estrutura e nas patentes hierárquicas, está sob controle civil.

A Polícia Militar tem o direito de deter cidadãos suspeitos de envolvimento em atividades criminosas, mas é obrigada a entregar a investigação dos supostos crimes à Polícia Civil. Existe farta documentação sobre a rivalidade e a hostilidade entre as duas forças, o que é tido como uma das principais causas da disfunção no policiamento do estado. José Mariano Beltrame, secretário de Estado na época da redação deste livro, tomou essa questão como prioridade ao assumir o cargo. Tem havido algum progresso na coordenação das atividades das duas forças, mas há ainda um longo caminho a percorrer.

A Polícia Militar do Rio tem fama ambígua. Embora se orgulhe de sua história como a força mais antiga do país, com suas origens na guarda real do começo do século XIX, hoje o soldo é baixo, e muitos membros são vulneráveis ao suborno e à corrupção. Uma cultura de violência e, em alguns casos, de matanças arbitrárias levou a altos níveis de tensão entre a PM e os moradores das favelas em particular. Em 2012, a Comissão de Direitos Humanos da ONU recomendou o desmantelamento da Polícia

Militar em todo o Brasil, em reação ao que alguns membros da comissão consideravam níveis inaceitáveis de "execuções extrajudiciais".

Entre os aspectos mais controversos da Polícia Militar estão as funções e métodos de seu esquadrão de elite, o Batalhão de Operações Policiais Especiais (Bope), o qual, como seu correspondente na Polícia Civil, foi criado durante a ditadura. A PM também dispõe de tropas de choque e esquadrões com motocicletas e cães treinados.

A Polícia Federal tem como função primária investigar crimes de alto nível, atravessando as fronteiras dos 26 estados e o Distrito Federal. Isso significa que o tráfico de drogas é uma área fundamental de investigação da PF. Nos últimos anos, também vem atuando contra a corrupção econômica e política em larga escala.

É mais difícil ser aprovado nos exames para ingresso na Polícia Federal do que entrar nas forças policiais de nível estadual. A remuneração é mais alta para todas as funções. A Polícia Federal, que exerce uma função semelhante à do FBI nos Estados Unidos, também tem suas origens no começo do século XIX, quando a família real portuguesa se mudou com a corte para o Rio de Janeiro, fugindo à invasão de Napoleão em Lisboa. Ela foi criada em sua versão mais recente em 1944, sob a ditadura corporativista de Getúlio Vargas.

Agradecimentos

É impossível escrever um livro como este sem o auxílio e o apoio de muita gente. Além disso, há várias pessoas a quem eu gostaria de agradecer, mas que preferem não ter seus nomes aqui citados.

Em primeiro lugar, quero registrar minha gratidão sincera a Antônio Francisco Bonfim Lopes, o Nem da Rocinha. Este livro não teria sido escrito sem sua cooperação. Mas devo frisar que, embora Nem tenha permitido que eu o entrevistasse na prisão, num total de 28 horas, ele não solicitou praticamente nenhum controle das informações que me prestou. Em nenhum momento tentou me influenciar na escolha de outras pessoas que eu poderia entrevistar, e sabia que eu iria conversar com amigos, parentes, inimigos, policiais, políticos e jornalistas. Antônio deixou claro que havia informações que não poderia fornecer, pois ainda aguardava julgamento de alguns crimes de que fora acusado. Sempre que possível, conferi suas declarações com provas documentais e outras testemunhas dos eventos que ele descrevia.

A família de Antônio foi igualmente prestativa desde o início deste projeto. Agradeço em especial a d. Irene, Vanessa dos Santos Benevides, Antônio Carlos Moreira da Silva, Simone da Silva e Eduarda Benevides Lopes.

Os outros entrevistados a quem quero agradecer são Bárbara Lomba, Alexandre Estelita e Reinaldo Leal, cuja paciência e gentileza só se equiparam à sua excepcional capacidade como policiais e a seu profundo entendimento da Rocinha e de sua economia baseada no tráfico. Gostaria também de agradecer a Otávio e Renata por compartilharem suas experiências e percepções invulgares. Salvo indicação de outra fonte no texto, todas as citações no livro fazem parte de entrevistas que realizei pessoalmente.

Emily Sasson Cohen se envolveu nas pesquisas desde o começo do projeto e demonstrou paciência infinita em atender a meus intermináveis pedidos. Ela teve profunda influência no conteúdo do livro e foi de um apoio inestimável.

O mesmo posso dizer de Cecília Oliveira, que entrou no projeto quando este já estava em andamento e demonstrou uma familiaridade incomparável com a cultura do submundo e da polícia do Rio.

Robert Muggah e Ilona Szabó de Carvalho me forneceram casa, comida e apoio emocional além de qualquer expectativa. Não consigo imaginar este livro pronto sem a ajuda deles.

Pedro Henrique de Cristo foi o primeiro a me apresentar ao Complexo do Alemão e ao Vidigal, dando-me uma aula rápida e muito instrutiva de negociação nas favelas. Sou-lhe muitíssimo grato.

Percebi que não poderia escrever sobre nenhum aspecto do Brasil sem pelo menos tentar aprender um pouco de português. Devo agradecer a duas pessoas em especial por todo o empenho, enquanto eu lutava com essa língua enganosamente difícil. Em Nova York, Patrícia Vitorazzi acompanhou meus esforços iniciais com grande disposição e desde então tem sido de grande auxílio. No Rio, Ana de Andrada conferiu um rigor mais do que necessário a minhas tentativas de entender as complexidades do subjuntivo.

Apesar da ajuda de ambas, algumas vezes precisei da orientação de dois intérpretes fantásticos, Paulo Eduardo Leite e Ivan Gouveia, que também foram ótimas companhias.

Ana Pas desempenhou um papel fundamental transcrevendo quase todas as entrevistas que gravei. Trabalhou com rapidez e precisão, às vezes oferecendo uma importante contextualização cultural.

Sem a assistência de Gil Alessi e Clara Dias, este livro nunca teria sequer sido começado. Eles abriram a porta — obrigado.

Também gostaria de agradecer às várias pessoas que vim a conhecer na Rocinha, com um obrigado especial a d. Neusa e Obi da Pensão da Rocinha, pela hospitalidade durante minha prolongada estadia na comunidade.

O diretor e a equipe da Penitenciária Federal de Campo Grande foram exemplares na assistência que me concederam; nesse contexto, também gostaria de agradecer a Luiz Battaglin pelo auxílio em organizar minhas visitas ao local.

Minha conversa com o professor Peter Beverley na Universidade de Oxford foi de especial importância para verificar todos os fatos referentes à histiocitose das células de Langerhans.

Quero também agradecer a Katherine Ailes, Alcyr Cavalcanti, Ignácio Cano, Emmeline Francis, Paddy Glenny, Elena Lazarou, Beth McLoughlin, Kai Laufen, Julia Michaels, Felipe Milanez, Thomas Milz, Renato Pereira, João Moreira Salles, Paula Sandrin, Regine Schönenberg, Tony Smith, Rane Souza, Branca Vianna, Kelly Wachowicz, Richard Wallstein e Lee Weingast pela importante assistência e amizade.

Tive a grande sorte de contar com editores da mais alta qualidade ao escrever o livro, e quero agradecer em especial a Stuart

Williams, na The Bodley Head, em Londres. Como sempre, Dan Frank, na Knopf em Nova York, e Sarah MacLachlan, na Anansi em Toronto, contribuíram com conselhos, críticas e apoio em todas as etapas. Meus agradecimentos também a Michael Carlisle em Nova York.

Minha relação com minha editora brasileira, a Companhia das Letras, foi fundamental desde o começo do projeto. Muito obrigado a Luiz Schwarcz, Otávio Marques da Costa e Flávio Moura.

Clare Conville foi muito além de seu papel como minha agente. Volta e meia, quando eu sentia que talvez não conseguisse levar o livro até o fim, ela estava ali a meu lado, impedindo-me de desistir.

E isso foi necessário em especial quando estava a meio das pesquisas e perdi minha filha, Sasha. Foi muito difícil concluir minha tarefa em tais circunstâncias. Consegui em grande medida graças à minha família, sobretudo meus filhos Miljan e Callum e a prima deles, Millie Radovic. Acima de tudo, preciso agradecer à minha mulher e meu maior esteio, Kirsty, que foi capaz de irradiar uma luz quando caí na escuridão mais profunda.

Notas

PARTE I: O PROTAGONISTA

2. FAVELA [pp. 49-60]

1. Seu nome completo é, na verdade, Antônio Carlos, mas, para evitar confusão com Antônio (Francisco), vou chamá-lo de Carlos apenas. Para confundir ainda mais as coisas, eles também têm um tio chamado Antônio.
2. Verso da canção "Estação derradeira".
3. Mais tarde renomeado como túnel Zuzu Angel, em homenagem à estilista mineira cujo filho foi assassinado durante a ditadura militar. Muitos acreditam que a morte de Zuzu num acidente de carro em 1976 não foi casual, pois ela tinha sido muito ativa nos Estados Unidos, denunciando os crimes da ditadura.
4. Carlos Costa, *Rocinha em off*. São Paulo: Nelpa, 2012, p. 17.

3. COCAÍNA [pp. 61-70]

1. Um dos garimpos mais famosos do país, Serra Pelada, no estado do Pará, se desenvolveu nos anos 1980. As fotografias de Sebastião Salgado mostram a atmosfera dantesca, que mais tarde, em 2013, foi recriada em detalhes impressionantes pelo diretor Heitor Dhalia no filme de mesmo nome. O filme inclui uma recriação incrivelmente vívida de uma currutela durante a corrida do ouro.

2. Citado em Christian Geffray, "Social, Economic and Political Impacts of Drug Trafficking in the State of Rondônia, in the Brazilian Amazon". In: Christian Geffray, Guilhem Fabre e Michel Schiray (Orgs.). *Globalisation, Drugs and Criminalisation*. Paris: Unesco, 2003, p. 34.
3. Ver cap. 10.
4. Ver cap. 10.
5. João Trajano Sento-Sé, Ignácio Cano e Andreia Marinho. *Efeitos humanitários dos conflitos entre facções do tráfico de drogas numa comunidade do Rio de Janeiro*. Rio de Janeiro: UERJ/LAV, 2006, pp. 5-6.
6. William da Silva Lima, *Quatrocentos contra um*. São Paulo, 1989, p. 39.
7. Em pichações nas favelas, às vezes o grupo aparece como CV-RL, sendo RL as iniciais de Rogério Lemgruber, reverenciado como fundador do Comando Vermelho.

4. CORPOS [pp. 71-83]

1. Na década de 1820, nos primeiros anos após a independência do Brasil, o governo imperial nomeava juízes de paz, eleitos pela estreita camada da população com direito a voto, como os árbitros políticos primários de uma região. Muitos logo passaram a usar seu poder para criar feudos corruptos em seus territórios. Mais tarde, ainda no mesmo século, os poderosos podiam comprar uma patente militar, sendo a mais alta a de coronel.
2. Entrevista com Carlos Costa, 14 abr. 2014.
3. Carlos Costa, *Rocinha em off*, op. cit., p. 30.

5. COLAPSO MORAL [pp. 84-92]

1. *O Globo*, 19 jul. 1987, p. 26.
2. Michael Reid, *Brazil: The Troubled Rise of a Global Power*. Londres: Yale University Press, 2014, p. 118.
3. Alba Zaluar, "Crime, medo e política". In: Alba Zaluar e Marcos Alvito (Orgs.), *Um século de favela*. Rio de Janeiro: FGV, 1998, p. 213. Os números referentes à cidade do Rio parecem francamente encorajadores comparados aos de sua periferia urbana, a Baixada Fluminense, onde o número de mortos em 1990 chegou a quase cem por 100 mil habitantes.
4. Patrick S. Rivero, "O mercado ilegal de armas de fogo na cidade do Rio de Janeiro". In: Rubem César Fernandes (Org.), *Brasil: As armas e as vítimas*. Rio de Janeiro: 7Letras, 2005, p. 202.

PARTE II: HÚBRIS

7. MASSACRE [pp. 101-7]

1. Citado em "Violência x violência: Violações aos direitos humanos e criminalidade no Rio de Janeiro", Washington; Rio de Janeiro: Human Rights Watch Americas, 1996, p. 1. Disponível em: <http://www.dhnet.org.br/dados/relatorios/dh/br/hrw/hrwrio.htm>.

2. Esses eventos são apresentados em detalhes fascinantes em *Cidade partida* (São Paulo: Companhia das Letras, 1994), livro fundamental de Zuenir Ventura sobre Vigário Geral e seus desdobramentos. A ONG mais importante que surgiu após Vigário Geral, a Viva Rio, continua a realizar um trabalho fantástico não só no Rio, mas também em várias outras partes do mundo.

8. ORLANDO JOGADOR [pp. 108-17]

1. Nome verdadeiro: Orlando da Conceição.
2. Nome verdadeiro: Ernaldo Pinto de Medeiros.
3. Entrevista com Marina Magessi, nov. 2014. O magnífico filme *Tropa de elite* inclui uma cena com um micro-ondas.
4. Julio Jacobo Waiselfisz, *Mapa da violência 2012: Os novos padrões da violência homicida no Brasil*. São Paulo: Instituto Sangari, 2013, p. 183.
5. Ver cap. 3.
6. Entrevista com o autor, 1 jun. 2014.

9. A LEI DE LULU [pp. 118-30]

1. *IstoÉ*, 21 abr. 2004. O núcleo de estudos era a Fundação Getulio Vargas.
2. O nome foi modificado a pedido dela.

10. FRATURA [pp. 131-43]

1. Ver cap. 3.
2. Entrevista com Carlos Costa, maio 2014.

3. Muito mais tarde, os responsáveis, inclusive o governador do estado, iriam se desculpar por ter tachado garotos inocentes de traficantes.

11. A PAIXÃO DA ROCINHA [pp. 144-52]

1. Em 2002, aconteceu um golpe dentro do Terceiro Comando e surgiu uma nova liderança, que mudou o nome da facção para Terceiro Comando Puro. O Terceiro Comando deixou de existir.

12. MR. JONES [pp. 153-62]

1. *Cidade partida* é o nome do livro de Zuenir Ventura citado na nota 2 do cap. 7.

14. BEM-TE-VI [pp. 168-76]

1. A palavra "alemão" passou a significar "inimigo" nos três anos finais da Segunda Guerra Mundial, quando o Brasil foi o único país da América do Sul a contribuir com tropas para a causa dos Aliados. Essa acepção permaneceu na gíria dos traficantes nas favelas cariocas.
2. Sebastião José Filho, então presidente da associação de moradores de Barcelos, no *Correio do Brasil*, 29 out. 2005.
3. O nome verdadeiro do soldado foi modificado. Ele pediu que sua identidade não fosse revelada.

PARTE III: NÊMESIS

16. UMA AJUDA [pp. 182-92]

1. Indicando a rua 1, o feudo de Joca.

18. NÃO ESTAMOS SOZINHOS [pp. 201-7]

1. Joca deixou a Rocinha apenas dois meses depois do início da Operação Provedor de Serviços, e assim Estelita e Leal puderam acompanhar os fatos que

levaram à sua expulsão, ouvindo as conversas da alta hierarquia de Nem, em especial de Beiço e Juca Terror.

21. NÊMESIS [pp. 221-5]

1. José Mariano Beltrame, *Todo dia é segunda-feira*. Rio de Janeiro: Sextante, 2014, p. 55. A maioria dos dados sobre Beltrame vem de sua autobiografia ou das duas entrevistas que fiz com ele, em 2013 e 2014.
2. Ibid., p. 48.
3. Ibid., p. 49.

22. A BATALHA PELO RIO [pp. 226-32]

1. Reportagem da BBC, 28 dez. 2006. Disponível em: <http://news.bbc.co.uk/1/hi/world/americas/6214299.stm>.
2. Por ironia, os níveis de violência vinham diminuindo de forma constante. Percepção era tudo.
3. Instituto de Segurança Pública, Rio de Janeiro, 2007.

23. A IDADE DE OURO DA ROCINHA [pp. 233-41]

1. Mestre era um de seus apelidos mais populares.

24. POLÍTICA [pp. 242-7]

1. Ver cap. 10.
2. Eleito como sucessor de Cabral para o governo do estado em outubro de 2014.
3. Na mesma batida durante a qual a PC apreendeu o álbum de fotos de Danúbia, que depois chegou de forma misteriosa até Leslie Leitão.

25. O HOTEL INTERCONTINENTAL [pp. 248-57]

1. Nome fictício.

PARTE IV: CATARSE

28. CONFISSÕES [pp. 276-82]

1. Entrevistei longamente os dois agentes, mas sob a estrita condição de anonimato. Nem também confirmou a ocorrência desses encontros.

30. A PRISÃO II [pp. 293-310]

1. Ver cap. 7.

EPÍLOGO [pp. 311-28]

1. Assim chamada não em homenagem ao arquiteto Oscar Niemeyer, mas a um engenheiro militar do começo do século XX.
2. Ver parte II, capítulo 9.
3. Encontra-se uma parte da história de Torres no documentário *Dancing with the Devil*.
4. Ignácio Cano, Doriam Borges e Eduardo Ribeiro (Orgs.), *Os Donos do Morro: Uma avaliação exploratória do impacto das Unidades de Polícia Pacificadora (UPPs) no Rio de Janeiro*. Rio de Janeiro: LAV/UERJ, 2012, p. 35.

Índice remissivo

ADA (Amigos dos Amigos), 21, 114-5, 117, 133, 146, 159-60, 163, 165, 168, 170, 187, 204-6, 211, 213, 228, 232, 240, 243, 245, 250, 253, 263-5, 269, 282, 285-6, 289, 291, 299, 302, 312, 316-21, 326-7
Adeus, morro do (Rio de Janeiro), 112, 227
África do Sul, 21
África Ocidental, 18, 65
AfroReggae (ONG), 274, 300
Alagoas, 245
Albertini, Beatrice, 255
Albuquerque, Gleice, 253-5
Alemanha, 65, 326
Alemão, favela do *ver* Complexo do Alemão
Aliança Libertadora Nacional (ALN), 68-9
Amarildo *ver* Souza, Amarildo de
Amazônia, 18, 62, 67, 223
Amazônia, Operação, 62, 64
Amsterdam, 222
AR-15, fuzil, 87, 102, 112
"asfalto" (zonas residenciais de classe média no Rio de Janeiro), 27-8, 55-6, 62, 188, 205, 240-1, 312, 324
Azenha, Luiz Carlos, 294-9, 302-7
Azevedo, Alice, 130
Azevedo, Mário, 101

Bahia, 58, 135
Baixada Fluminense, 179, 270, 338*n*
Bálcãs, 65
Bando Dourado, 169
Bangu, presídio de (Rio de Janeiro), 85, 132, 269-70
Barbosa, Rivaldo, 261, 265, 309, 318
Barra da Tijuca, 41
Batista, Luiz Costa, 76-7, 79
Beiço, 202, 341*n*
Beira-Mar, Fernandinho, 133, 186, 209, 222-3, 269
Beira-Mar, Jacqueline, 223

Beltrame, José Mariano, 33, 221-4, 226, 228-9, 231, 251, 256-7, 262, 264-5, 267-8, 270-2, 274-5, 288, 293-4, 298, 300, 306, 308, 316, 318-21, 324-5, 327, 330, 341*n*

Bem-Te-Vi, 125, 129, 135, 162-74, 179, 189, 196-8, 200, 214, 263

Benevides, Vanessa dos Santos (primeira mulher de Nem), 37-8, 40-4, 46, 95, 127-8, 140-1, 164, 216, 218-9, 289

Berezovsky, Boris, 16

Bernardes, Fátima, 171

bocas de fumo/pontos de venda, 67, 75, 109, 112, 119, 122, 126, 129, 140, 172, 188, 205, 212, 254; Alto da Rocinha, 118, 125, 162, 164, 172-3, 184, 191, 212, 303; Terreirão, 165; Valão, 79, 121, 126-7, 151, 169, 171-2, 174, 182, 185, 254, 312; via Ápia, 138, 140, 149, 171-2, 312, 318; Vila Verde, 126, 149, 162

Bolívia, 63, 65, 91, 105, 117, 134, 187, 211, 327

Bolsa Família, Programa, 242

Bonner, William, 171

Bope (Batalhão de Operações Policiais Especiais), 133, 154-6, 159-60, 163, 166, 171, 195, 231, 251-2, 254, 256, 268, 272-3, 302, 313-6, 319, 321, 324, 331

Borel, morro do (Rio de Janeiro), 267, 269

Botafogo, bairro do (Rio de Janeiro), 20, 46, 119, 145

Brasil: cor da pele, importância da, 51; corrupção *ver* corrupção no Brasil; desigualdade, 92, 271; ditadura militar (1964-1985), 68, 71, 74, 116, 154, 238, 272, 330-1, 337*n*; economia, 62-6, 86-91, 134, 180, 242, 324, 326; eleições, 72, 75, 85-6, 106, 138, 221, 228-30, 243-4, 309, 326; Forças Armadas, 72, 87, 272, 330; garimpos, 62-4, 319, 337*n*; guerra às drogas, 87-90; índices de homicídios, 179, 212, 323; machismo, 22, 217, 296; manifestações contra o governo (2013), 321-2, 326; mídia, 23, 84, 102-3, 114, 134, 142, 160, 167, 229, 235-6, 241, 254, 269, 288, 293, 322, 327; nordestinos, 73; pobreza, 44, 55, 59, 66, 82, 124, 142, 175, 242, 269, 274, 288, 327; polícia *ver* polícia brasileira; presídios/sistema penitenciário, 14, 68-70, 132, 154, 170, 173, 209, 269-70, 327; religião, 33, 43, 105, 109, 112, 119, 135-6, 144-5, 153-4, 236, 284; serviços de saúde, 38-45, 51, 89, 231, 242, 287; sindicalismo, 72; tráfico de armas, 86, 317; tráfico de drogas *ver* cocaína (pó)/tráfico de cocaína; maconha; tráfico de drogas/narcotráfico

Brasileirinho, 85

Brasília, 135, 254, 322, 329

Brizola, Leonel, 75, 103, 106

Buarque, Chico, 53, 59

Cabeça, 239

Cabeludo, 202

Cabral, Sérgio, 200, 206, 221-2, 228-30, 243-4, 246, 256, 272, 301, 309, 319-20, 323-4, 327, 341*n*

Campo Grande, 13-5, 20, 23, 219, 327

Candelária, igreja da, 105

Cândido Mendes, presídio (Ilha Grande), 68-70

candomblé, 43, 135-6
capitalismo, 90
Cardoso, Fernando Henrique (FHC), 181, 326
Caribe, 18, 90
Carlão, 238-9
Carnaval, 18, 136-7, 142
Cartel de Cali, 65, 222
Cartel de Medellín, 64-5, 88
Castaño, Eleonora, 73
Catolé do Rocha, praça (Rio de Janeiro), 101-2, 104
Cavalo de Troia, Operação, 171
Caveirão (viaturas blindadas do Bope), 160, 252
Ceará, 52
Chácara do Céu, morro (Rio de Janeiro), 205, 311, 313-4, 316
Chapéu Mangueira, morro (Rio de Janeiro), 207
Chico-Bala (macaco de estimação de Nem), 233-4
China, 17, 90
Choque de Paz, Operação, 316
classe média, 22, 27, 39, 51-2, 59, 72, 82, 84, 92, 104, 119, 124, 156-7, 168, 170, 175, 188, 205, 212, 237, 250, 252, 267, 269, 286, 315, 322
Claudinho da Academia, 243-4, 246
Clube Emoções (Rocinha), 187-8, 312
cocaína (pó)/tráfico de cocaína: Brasil como grande corredor do tráfico, 91; cartéis colombianos e, 64, 222; crack, 199-200, 286; demanda europeia, 65, 91-2, 187, 222-3; evangelismo e, 108; explosão no tráfico (1989-1999), 66-7, 84-91; introdução nas favelas, 65-7, 76, 92-5, 245; "matutos" (fornecedores autônomos), 66, 134, 169, 174, 211; mercado atacadista, 65, 91, 117, 134, 187, 197, 211, 222, 271; mercado interno brasileiro, 65, 92, 187; origens do tráfico brasileiro, 61-70; pacificação de favelas e, 268-9; pasta-base, 64, 209-11; refinarias de, 209-10; surgimento das quadrilhas do Rio, 69-70; tráfico de armas e, 86
Coelho (chefe da ADA), 299, 302
Collor, Fernando ver Mello, Fernando Collor de
Colômbia, 64, 88, 90-1, 115, 117, 134, 187, 223
Comando Vermelho (CV), 67-8, 70, 107, 109, 111, 114, 116-8, 132-9, 146, 155-6, 159-60, 163, 165-8, 170, 173, 185-7, 205-7, 209, 212, 226-9, 232, 245, 265, 267, 269, 273, 292, 295, 319, 326
Comissão de Direitos Humanos da ONU, 330
Comissão de Luz, 54, 71
Comitê Olímpico Internacional, 222
Complexo da Maré, 115, 120, 212, 217-8
Complexo da Penha, 269, 272
Complexo do Alemão, 87, 109-14, 120, 124, 133, 137, 156, 159, 199, 212, 226-7, 229, 232, 256-7, 267, 269-74, 292-3, 295, 316, 319-20, 326
Copa das Confederações (2013), 322
Copa do Mundo (2014), 33, 105, 222, 229, 322, 325
Copacabana, 20, 39, 46, 50, 55, 57, 59, 81-2, 119, 188, 207, 237, 251
Corcovado, morro do, 31, 39
corrupção no Brasil: pacificação e, 232, 268, 319-21, 330-1; policial,

76, 87, 136, 203, 224, 268, 277, 279-80, 313, 319; política, 78, 86, 265, 322, 324, 326, 331, 338n
Costa, Carlos, 120, 337-9n
crack, 199-200, 286
"cracolândias", 200
cristianismo, 33, 43, 108, 119, 154, 236
Cristo Redentor, estátua do, 31, 39
Cristo ver Jesus Cristo
Cruz, André, 298, 303-5
Cruz, Demóstenes, 298, 303-4
Cruzada São Sebastião (blocos residenciais do Leblon), 205
cultura da bandidagem, 199
Curva do S (Rocinha), 149, 150, 311, 315

D2, 202
Dani, 263
Davis, Mike: *Planeta favela*, 324
Day, Margaret, 311-5
Debray, Régis, 70
Dênis da Rocinha (Denir Leandro da Silva), 67, 75-9, 84-5, 118-9, 132-3, 135, 139, 159
Dhalia, Heitor, 337n
Dia, O, 241
disque-denúncia, 289
ditadura militar brasileira (1964-1985), 68, 71, 74, 116, 154, 238, 272, 330-1, 337n
Dois Irmãos, morro (Rio de Janeiro), 47, 53, 145
Drugs Enforcement Administration (DEA), 88, 223
Dubai, 15-6
Dudu (Eduíno Eustáquio Araújo Filho), 134, 137-9, 142-3, 145-53, 155-6, 159
Duque de Caxias (RJ), 51

Escobar, Fabiana ("Bibi Perigosa"), 168, 172, 175-6, 182-6, 201-3, 240, 244
Escobar, Pablo, 65, 88
Escobar, Saulo, 168-70, 172, 175, 183-4, 186-91, 194, 200-3, 205, 208-9, 211-2, 240, 244-5, 294
Espanha, 19, 65, 300
Espírito Santo, 226
Estados Unidos, 18, 78, 86-7, 90-1, 187, 199, 223, 331, 337n
Estelita, Alexandre, 202-12, 240, 245, 250-1, 255-6, 276-7, 288, 340n
Europa, 65, 87, 91-2, 187, 235
evangélicos, cristãos, 33, 108, 119, 154, 236
Facebook, 22, 199
Falange Jacaré, 70
Falange Vermelha, 67, 70, 77
família real portuguesa, 331
Farc (Forças Armadas Revolucionárias da Colômbia), 64, 134, 223
Favela Rising (filme), 300
favelas: anos 1960 e 1970, 53-9; associações de moradores de, 71-2, 77, 106, 121, 142, 243-4, 281, 302, 317, 340n; condições de vida nas, 37-46, 55; crescimento das, 52-3, 73; evangelismo nas, 236; fornecimento de gás e energia elétrica, 27-8, 38, 44, 46, 54, 71, 123, 210, 325; guerra entre traficantes, 106-17, 145-62, 180; identidades individuais nas, 53; imigrantes nordestinos nas, 53, 73, 80, 180; índices de homicídios, 163, 179, 212, 323; ONGs e, 106, 274, 300; pacificação de ver pacificação; UPPs; política e, 71-9, 242-7, 324; programas assistenciais, 110, 213, 242-3; relação com a classe média,

27, 51, 55-6, 59, 84, 92, 119, 170, 188, 205, 250, 269, 315; surgimento de quadrilhas de traficantes, 69-70; tradição machista e, 217; vida das mulheres na, 55, 74, 215-9
FBI, 331
Feijão (Wanderlan Barros de Oliveira), 196, 246, 254-5, 257, 281-2, 291, 294, 296-7, 299, 302-4, 307, 317-8
Fifa, 222, 228, 322
Florianópolis, 84
FM (ex-empregado de Nem), 318
Foca, 282, 290, 299
Folha de S.Paulo, 18, 322
Forças Armadas brasileiras, 72, 87, 272, 330
forró, 52-3, 170
Fortaleza (Ceará), 113
França, 51-2, 65
funk carioca, 38, 142, 186, 188, 197, 234, 312

garimpos, 62-4, 319, 337*n*
Garisto, Francisco Carlos, 86
Garotinho, Rosinha, 227
Gávea, 28, 39, 46, 53, 77, 80, 92, 119, 138, 148-9, 161, 171, 188, 205, 212, 238, 280, 299, 303, 306, 313-4, 316, 323
Gil, Flora, 135
Gil, Gilberto, 135
globalização, 66, 147
Globo, O (jornal), 18, 270, 273, 311, 322, 338*n*
Globo, Rede, 32
Globus Express, 39, 107
Gomes, Disraeli, 305-6
Gordinho, 238, 240
Grã-Bretanha, 90

Gringo (morador da Rocinha), 174-5, 210, 212-3
Grupo União (crime organizado), 70
guerra às drogas, 87-90
Guerra, Maria Célia, 42
Guevara, Che, 70
Guilhotina, Operação, 319

histiocitose das células de Langerhans (HCL), 42
Hotel Glória (Rio de Janeiro), 50, 52
Hotel Intercontinental (Rio de Janeiro), 82, 248, 252-3, 255, 257, 292

Igreja da Penha, 109
Igreja de Nossa Senhora da Boa Viagem (Rocinha), 79-80
Ilha Grande, 68, 77, 133
imprensa *ver* mídia brasileira
Índia, 17, 21
Inglaterra, 18, 65
Instituto Fernandes Figueira (Rio de Janeiro), 41
Ipanema, 18, 20, 39, 46, 51-3, 57, 119, 188, 205, 237, 251, 265
Itália, 65, 91

Ja Rule, 235-6
Jardim Botânico (Rio de Janeiro), 53, 119
Jesus Cristo, 144-5, 190, 282
Joca, 173-6, 183-4, 188-92, 198, 204, 340*n*
jogo do bicho, 67, 76-7, 79
Jornal Nacional, 171, 321
José Junior, 274, 300-1, 308
Juca Terror, 202, 205-6, 341*n*

Lagoa (Rio de Janeiro), 31, 42, 46, 119, 261

Lapa (Rio de Janeiro), 208
Leal, Reinaldo, 202-12, 240, 250-1, 255-6, 277, 288, 340n
Leblon, 20, 46, 53, 73, 92, 119, 121, 145, 171, 188, 200, 205-6, 237, 265, 313
Leigh, Mike: *Abigail's Party*, 237
Leitão, Leslie, 240-1, 341n
Lemgruber, Rogério, 338n
Leste Europeu, 90-1
Lico, 202
Lima, William da Silva, 68-9, 338n
Lion, 125, 131, 164-7, 172
loló, 199
Lomba, Bárbara, 249-50, 256, 277, 291
Lopes, Antônio Francisco Bonfim "Nem" (O Nem da Rocinha): adoção dos códigos e comportamentos do mundo da bandidagem, 126-8, 237; apelido "Nem" (neném), 94; ascensão dentro da organização do tráfico na Rocinha, 124-32, 139-41, 147; assassinatos de Andressa de Oliveira e Luana Rodrigues de Sousa, 285-94; assistencialismo (programa social com fornecimento de artigos de primeira necessidade, alimentos, remédios e empréstimos aos moradores da favela), 197, 212-3; batalha pelo Rio (2006 e 2010), 227-8, 267; Bem-te-vi e *ver* Bem-te-vi; Chico-Bala (macaco de estimação de Nem), 233-4; comando do tráfico na Rocinha, 193-200; como homem mais procurado no Rio de Janeiro, 33, 257, 291; corrupção policial e negócios de, 212-3; dívida com fornecedores de drogas, 196; doença da filha, 38-48, 93-4, 125, 189, 328; Dudu e, 138; e a chacina de Vigário Geral, 107; e o assassinato de Lulu, 160-4; e o assassinato de Soul, 173; emprego na Globus Express, 39, 107; esquemas de segurança de, 195-6, 253; Feijão e *ver* Feijão; idade de ouro da Rocinha (2007-2009) e, 233-41; identificação com a Rocinha, 59; investigação policial de, 201-12, 240, 245, 250-1, 255-6, 277, 280, 288, 290-1; Joca e *ver* Joca; Lulu, primeiro encontro e decisão de trabalhar com ele, 45-8, 93-4; morte do pai, 81-3; na época de Dênis da Rocinha, 75-8; nascimento e infância, 55-9, 78-80; política e, 242-7; políticas armamentistas na Rocinha, 157, 199, 212; posição quanto à pacificação, 327; prisão de, 27-33, 293-309, 316; proibição de fabricação e venda de crack na Rocinha, 199; proibição de roubos e pequenos delitos na Rocinha, 200; redução dos índices de homicídios na Rocinha sob o comando de, 212; reservas financeiras, 263-4, 327; retomada da restrição de idade para entrar no tráfico de drogas na Rocinha, 194; tentativa das autoridades políticas do Rio de conseguir seu apoio para terem influência na favela, no eleitorado e na economia local, 243-6; tentativas de negociar rendição, 262-6, 276-82, 290-1, 294, 296-8, 301-6; vida na prisão, 327-8; visitas e entrevistas do autor na prisão, 15, 309
Lopes, Danúbia (segunda mulher de Nem), 218-20, 233, 235, 237, 241, 255, 281, 290, 295, 297, 327, 341n
Lopes, dona Irene (mãe de Nem), 49-54, 57, 82, 141-2, 309

Lopes, Eduarda Benevides ("Duda", filha de Nem), 37-45, 93, 127, 141, 164, 278, 302, 328
Lopes, Enzo (filho de Nem), 141
Lopes, Fernanda (filha de Nem), 140-1, 299
Lopes, Gerardo (pai de Nem), 52-4, 57-8, 60, 81-3, 147
Lopes, Thayná Silva (filha adotiva de Nem), 126, 140-1, 215, 299, 309
Lucas do Gás, 288
Lulu (Luciano Barbosa da Silva; "Lulu da Rocinha", "Magro"), 45-7, 93-4, 118-26, 128-37, 139, 141-2, 146, 147-53, 155-66, 169, 173, 182-3, 189-90, 194, 196-7, 212-3, 244, 263, 278, 294

M-113 (veículos blindados), 272
maconha, 66-7, 87-8, 91, 109, 170, 180, 191, 236, 275, 286, 289
Madeira, rio, 61-2, 66
máfia italiana, 104
Maluquinho (Wellington da Silva), 151-2
Mamoré, rio, 61-2, 66
Marcela (namorada de Saulo), 203, 244
Marcinho VP, 114, 133-4
Maré, favela da *ver* Complexo da Maré
Maricá, 308
Marques, Alexandre, 205-6, 213
Martins, Demétrio, 108-12
Massacre da Candelária, 105
Mata Atlântica, 27, 47, 53, 90, 115, 119, 166, 272, 284, 303, 316
Mato Grosso do Sul, 13
"matutos" (fornecedores autônomos de drogas), 66, 134, 169, 174, 211
Mello, Fernando Collor de, 86-7, 104

Melo, José, 251
Mensalão, 322
Mesquita, Aurélio, 145
México, 90, 117
Miami, 86
"micro-ondas" (método de assassinato), 113, 285, 339*n*
mídia brasileira, 23, 84, 102-3, 114, 134, 142, 160, 167, 229, 235-6, 241, 254, 269, 288, 293, 322, 327
Mídia Ninja, 322
Miguel Couto, Hospital (Rio de Janeiro), 208
milícias, 206, 221, 227, 232, 245, 325
Minas Gerais, 49
Ministério da Justiça, 329
Ministério Público, 117, 285, 291, 294, 326, 329
Misericórdia, serra da (Rio de Janeiro), 272-3
Morro dos Macacos (Rio de Janeiro), 263
MOUT (military operations on urbanised terrain — operações militares em área urbana), 271
MR-8 (Movimento Revolucionário Oito de Outubro), 68-9
MST (Movimento dos Trabalhadores Rurais Sem Terra), 245
Mussi, Fernando, 296-7, 302, 304-7

Negrão, Flávio, 102-3
Neném (traficante confundido com Nem da Rocinha), 157-8, 166
Niterói, 270
nordestinos, 53, 73, 80, 180

Olimpíadas (2016), 33, 222, 256, 325
Oliveira, Andressa de, 283, 285-7, 289-91, 294

Oliveira, Fabiana dos Santos, 148, 150
Oliveira, Juliana de, 287, 290
Oliveira, Raquel, 55, 216
ONGS no Rio de Janeiro, 106, 274, 300
Orkut, 199, 201-3
Orlando Jogador, 108-14, 120-1, 124, 133, 199
Otávio (agente de inteligência), 276, 278-82, 290-1, 303

pacificação, programa de, 33, 229-32, 256-7, 264, 266-70, 278, 282, 291, 294-5, 298, 302, 312, 314, 316, 318, 320, 323, 325-7; de *ver também* UPPS
Parada de Lucas (Rio de Janeiro), 102, 107
Paraguai, 86, 91, 117, 134, 211, 222-3, 327
Paraíba, 52, 73, 79, 119, 126, 136, 140
Paramaribo, 65
Paraná, 270
Parque da Cidade (Rio de Janeiro), 205, 212
Partido dos Trabalhadores (PT), 246, 323-4
Paz Armada, Operação, 325
PCC (Primeiro Comando da Capital), 16, 116-7, 132, 179, 197, 227, 264
Pereira, Marcos, 236
Pereira, Maria Helena, 74-8
Peru, 65, 91, 187
Petrobras, 326-7
Pezão, Luiz Fernando, 244, 246, 327
Pinto, Telma Veloso, 145-6
Planeta favela (Davis), 324
PMDB, 324
Poels, Bart, 252-3
Poels, Geert, 252-3
polícia brasileira: assassinatos/chacinas pela, 101-7, 112, 142, 160, 171, 179, 200, 323-4; corrupção da, 76, 87, 136, 203, 224, 268, 277, 279-80, 313, 319; falta de confiança na, 198-9, 230, 311, 321; pacificação pela *ver* pacificação; UPPS
Polícia Civil (PC), 136, 195; assassinato de Amarildo, 324-5; assassinato de Bem-te-vi, 171; assassinatos de Andressa de Oliveira e Luana Rodrigues de Souza, 287; Chico-Bala e, 234; Core (Coordenadoria de Recursos Especiais), 30-1, 330; episódio do Hotel Intercontinental (2010), 255; falta de confiança na, 230; função da, 329-30; guerra da Páscoa (Rocinha, 2004), 161; inspetor Leonardo Torres, 229, 319, 342*n*; investigação na Rocinha, 202-11, 244, 277, 280, 291; negociações para a rendição de Nem, 280-1, 291, 296, 302; pacificação de favelas, 319-20; Polinter (unidade especial que coopera com as agências policiais fora das fronteiras do Rio), 281, 290; prisão de Nem, 29-31, 302, 305-7; relações com a Polícia Militar, 29-32, 221, 225, 330; unidade de helicópteros, 30, 196, 330
Polícia Federal (PF), 30-3, 222-4, 263, 306, 316, 319-20, 329, 331
Polícia Militar (PM): 23º Batalhão (responsável pela Rocinha), 213; ameaças aos moradores das favelas, 56; batalha pelo Rio, 226-8; Batalhão de Choque, 28; Bope (Batalhão de Operações Policiais Especiais) *ver* Bope; chacina de Vigário Geral (1993), 102-7; confiança limitada na, 230; corrupção na, 210, 212; distribuição de leite na

favela, 74; função e responsabilidades, 28, 329-30; guerra da Páscoa (Rocinha, 2004), 161; pacificação da Rocinha, 311, 320, 322; perseguição aos pobres no Rio, 71; prisão de Nem, 30-3, 304-6; relações com a Polícia Civil, 29-32, 221, 225, 330

Polinter (unidade da Polícia Civil), 281, 290

Porto Alegre, 136

Porto Velho, 14, 63-4

Praia Seca (RJ), 164, 189

Programa de Aceleração do Crescimento (PAC), 242, 324

Provedor de Serviços, Operação, 202, 211, 340*n*

Ramos (Rio de Janeiro), 319

"ratos de praia" (ladrõezinhos), 79

Recife, 15

Recreio dos Bandeirantes, 297

redes sociais, 199, 202, 322

Renata (agente de inteligência), 276, 278-81, 290-1

República Democrática do Congo, 29, 305

Revista da NET, 39

Rio Comprido, bairro do (Rio de Janeiro), 168

Rio de Janeiro (cidade): "asfalto" (zonas residenciais de classe média), 27-8, 55-6, 62, 188, 205, 240-1, 312, 324; batalha pelo Rio (2006), 226-31; batalha pelo Rio (2010), 267-9; colapso social e político no começo dos anos 1990, 101-7; explosão do tráfico de cocaína no, 66, 84-91; favelas no *ver* favelas; forças policiais do, 28, 329-30, *ver também* Polícia Civil; Polícia Militar; índices de homicídios, 179; mapa do, *10-1*; Olimpíadas (2016), 33, 222, 256, 325; pacificação nas favelas do *ver* pacificação; UPPs; turismo no, 137, 252-3; vinda da família real portuguesa (1808), 331

Rio de Janeiro (estado), 49, 75, 221, 307

Rio Grande do Sul, 223

"rio voador" (fenômeno climático), 37, 66

Rio, Operação, 106

Rocinha: alto da Rocinha, 9, 118, 125, 162, 164, 172-3, 184, 191, 212, 303; associações de moradores, 71-6, 121, 142, 153, 243-7, 254, 281, 302, 317, 340*n*; Barcelos, 75, 94, 126, 213, 312, 340*n*; Cachopa, 46, 73, 75, 79, 126, 129, 140, 147, 149, 151-2, 155, 234, 237-9, 241, 278-9, 281, 284, 313; Carnaval na, 136-7; Clube Emoções, 187-8, 312; cocaína introduzida na, 66-7; como "favela de classe média", 124; cultura da bandidagem e mídia social na, 199; Dia de Cosme e Damião (27 de setembro) na, 77; Dioneia (bairro), 46, 126, 151, 283-5, 287; estrada da Gávea, 27, 40, 46-7, 56, 94, 119, 123, 149-51, 159, 187, 297, 304, 314-6; fama de lugar festeiro, 197; guerra da Páscoa (2004), 161; idade de ouro da (2007-2009), 233-41; Igreja de Nossa Senhora da Boa Viagem, 79-80; índices de homicídios na, 163, 212; Ja Rule faz show na, 235-6; Laboriaux, 46, 119, 130, 159-60, 282, 299; largo do Boiadeiro, 75, 172, 312; mapa da, *9*; Nem da Rocinha *ver* Lopes, Antônio

Francisco Bonfim; origens da, 53-5; pacificação da, 257, 264, 266, 291, 294-6, 298, 302, 311-7, 323; Parada do Orgulho Gay na, 236; parte baixa da Rocinha, 21, 72, 94, 125, 129, 146, 162, 165, 174, 182, 190, 192, 233, 312; pobreza na, 44, 55, 59, 66, 124, 175; Portão Vermelho, 303, 320; quadrilhas de traficantes na, 69-70; Roupa Suja, 79, 124; tráfico de drogas na, 193-200; Valão, 79, 121, 126-27, 151, 169, 171-2, 174, 182, 185, 254, 312; via Ápia, 138, 140, 149, 171-2, 312, 318; Vila Verde, 126, 149, 162

Romário, 236

Rondônia, 61, 64, 338n

Rotterdam, 65

Rousseff, Dilma, 322-3, 326

Rouxinol, Soraia, 42

rua 1 (Rocinha), 20-1, 46-8, 74, 80, 85, 94, 119, 124, 130, 138, 151, 155, 157, 159-60, 164-5, 174, 176, 183, 190, 192, 216, 282, 323, 340n

rua 2 (Rocinha), 46, 67, 126, 139, 210, 281

rua 4 (Rocinha), 79, 285

Salgado, Sebastião, 337n

Salvador (Bahia), 135

Sangalo, Ivete, 135

Santos (SP), 65, 91

Santos, Adriana, 254

Santos, Aílton Benedito Ferreira, sargento, 101-2, 104

Santos, Carlos, 85

Santos, Edson dos, major, 320, 324-5

São Carlos, morro de (Rio de Janeiro), 282, 285, 299

São Conrado, 40, 47, 53, 79, 82, 92, 119, 161, 171, 180, 188, 248-54, 261, 265, 286, 313

São João de Meriti, 270

São Paulo, 13, 15-6, 53, 65, 68, 72, 92, 102, 115-7, 132, 179-80, 197, 199, 222, 226-7, 264, 321

Sapinho, 264

Sarney, José, 86

Secretaria de Estado de Segurança (Rio de Janeiro), 32

segurança pública, 221, 230, 272

Serra Pelada, favela (Rio de Janeiro), 319-20

Serra Pelada, garimpo (Pará), 319, 337n

serviços de saúde brasileiros, 38-45, 51, 89, 231, 242, 287

Silva, Antônio Carlos Moreira da (meio-irmão de Nem), 43, 57-8, 82, 147, 337n

Silva, Luiz Inácio Lula, 72, 181, 229, 242-3, 256, 272, 322-3, 326

Silva, Simone da, 121-2, 126-8, 140-1, 164, 214-6, 219, 289, 296, 299, 309

sindicalismo no Brasil, 72

Soares, Luiz Eduardo, 135-7

Soul, 173-6, 179, 192

Sousa, Luana Rodrigues de, 283, 285-91, 294

Souza, Amarildo de, 320-1, 323-5

"submarino" (técnica policial de tortura), 321

Suriname, 65, 91, 223

Terceiro Comando, 70, 107, 114-5, 117, 133, 228, 245, 340n

Terceiro Comando Puro (TCP), 115, 146, 159, 269, 340n

Teresópolis, 49
Tijuca, 29, 31, 240, 253, 267, 286
Torres, Leonardo ("Trovão"), 229, 319, 342n
Total (traficante), 202
traficantes, 22, 70, 76, 87-90, 102-4, 106, 110, 113, 119-20, 123, 129-30, 134, 137-8, 143, 154, 165-6, 188, 191, 206, 210, 228, 230, 267-9, 273-4, 281-2, 286-7, 301, 308, 311-5, 317, 319, 323, 325-6, 340n
tráfico de drogas/narcotráfico, 23, 45-7, 53, 66, 75-6, 78, 80, 85-6, 99, 106, 114, 116-7, 120, 134-7, 154, 159-61, 164, 169-70, 180, 193, 196, 204, 218, 222, 224, 230, 245, 264, 269, 274, 279, 289, 293-4, 328, 331, 338n; *ver também* cocaína (pó)/tráfico de cocaína; maconha
tráfico internacional de armas, 86
tuberculose, 39-42, 83
túnel Dois Irmãos, 53, 150
Turnowski, Allan, 320

Uê, 112-4, 133
umbanda, 43
União Europeia, 65
União Soviética, 91
UPPs (Unidades de Polícia Pacificadora), 21, 229, 231, 271, 320-1, 323-6, 342n
UPP Social, 231
Urca, 49
Urso (agente da Polícia Ambiental), 234, 238-40

Uruguai, 224

Vargas, Getúlio, 331
Ventura, Zuenir, 339-40n
Via Sacra, encenação da (Rocinha), 145, 153
Victor, 185
Vidigal, morro do (Rio de Janeiro), 92, 115, 145-6, 150, 156, 163, 167, 200, 205, 207, 235, 248, 251-2, 256, 311, 313-4, 316
Vigário Geral: Chacina de, 99, 102-7, 300, 339n
Vila Cruzeiro, 272-3
Vinni, 202
Viva Rio (ONG), 339n

William da Rocinha, 121, 142, 150, 245-6, 316-7

X-9 (informantes), 238-9, 289

Zaccone, Orlando, 324-5
Zarur, 125, 130-2, 164-7
Zé do Queijo, 73-8
Zona Norte do Rio de Janeiro, 87, 102, 120, 179, 184, 199, 206, 234, 245, 256
Zona Sul do Rio de Janeiro, 9, 39, 42, 46, 84, 104, 115, 119, 170, 179, 200, 207, 236, 241, 265, 269-70, 313, 315
Zuzu Angel, túnel, 9, 313, 321, 337n

1ª EDIÇÃO [2016] 11 reimpressões

ESTA OBRA FOI COMPOSTA EM MINION PELO ACQUA ESTÚDIO
E IMPRESSA PELA GEOGRÁFICA EM OFSETE SOBRE PAPEL PÓLEN DA
SUZANO S.A. PARA A EDITORA SCHWARCZ EM SETEMBRO DE 2025

A marca FSC® é a garantia de que a madeira utilizada na fabricação do papel deste livro provém de florestas que foram gerenciadas de maneira ambientalmente correta, socialmente justa e economicamente viável, além de outras fontes de origem controlada.